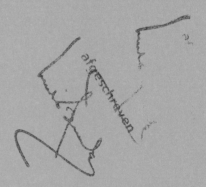

Voor Guusje

Voor altijd in ons hart

eerste druk, december 2011

© 2011 Lowie van Gorp
www.kanjerguusje.nl

omslagbeeld: Anja van Wijgerden
foto KanjerKetting: RPQ Kaatsheuvel
foto's binnenwerk: Manola van Leeuwe, Anja van Wijgerden, privécollectie auteur

drukwerk: Wilco B.V.
www.wilco.nl

vormgeving: CO2 Premedia B.V.
www.co2premedia.nl

ISBN 978 90 818490 0 5
uitgeverij DoDo B.V.
www.uitgeverijdodo.nl

Lowie van Gorp

KanjerGuusje

'mijn leven is van mij'

Uitgeverij DoDo B.V. - Almere

Loes, 7 jaar

Guusje, 10 jaar

Hans, 13 jaar

Lisa, 15 jaar

Foto's: Manola van Leeuwe

Anton, 11 jaar

Janneke, 16 jaar

Lowie en Yvonne

Geciteerde teksten van Guus Meeuwis

Voorwoord

● ●

Begin april 2011 werd Guusje opgenomen op de afdeling Kinderoncologie van het Emma Kinderziekenhuis AMC. Ik startte een blog. Ik wilde verlost zijn van de vele telefoontjes, sms'jes en e-mails die ik onmogelijk allemaal kon beantwoorden. Zeven maanden later overleed Guusje. Ze werd 'trending topic' op Twitter. Mijn blog werd miljoenen keren bezocht. Lezers plaatsten duizenden reacties. Heel veel mensen leefden met Guusje mee.

Geen enkele ziekte wordt meer geassocieerd met dood dan kanker. Ieder mens kan kanker krijgen. Ook kinderen. Als dat gebeurt, komt het gezin terecht in een andere wereld. Een donkere wereld van hoop en angst. Een boek over Guusje biedt kansen. Meer mensen in aanraking laten komen met deze wereld. Meer geld ophalen voor de zorg van kinderen met kanker en hun naasten.

Bij het omzetten van blog op internet naar verhaal in boekvorm koos ik ervoor de oorspronkelijke tekst zoveel mogelijk intact te laten. Ik voegde wel passages toe. Bepaalde gebeurtenissen zijn nooit eerder gepubliceerd. Ze worden voor het eerst openbaar.

Ik heb het verhaal over Guusje alleen kunnen schrijven met hulp van heel veel lieve mensen. Een ervan wil ik in het bijzonder noemen en dat is Yvonne. Moeder van onze zes kinderen. Mijn steun en toeverlaat. Samen hebben we een koesterkind. Ze heet Guusje en ze was ongelofelijk moedig. Een dochter om trots op te zijn.

Kaatsheuvel, december 2011

Donderslag

31 maart

● ●

Ziek, heel erg ziek

Guusje ligt in bed. Het is donderdag 31 maart. Wilhelmina Kinderziekenhuis in Utrecht. Yvonne en ik zitten naast het bed. Een vriendelijke arts wil met Yvonne en mij de uitslag bespreken van een CT-scan. Deze is in de loop van de dag gemaakt. De arts wil graag eerst met Yvonne en mij spreken en daarna met Guusje. Yvonne en ik volgen haar naar een kamertje waar we worden opgewacht door nog twee andere artsen en een verpleegkundige. De enige mannelijke arts neemt het woord. Hij geeft aan dat op de CT-scan is geconstateerd dat er mogelijk een tumor zit in Guusje's linkerlong. Er zijn waarschijnlijk uitzaaiingen in haar rechterlong. We moeten rekening houden met kinderkanker.

Yvonne en ik vallen elkaar in de armen. Een grote nachtmerrie. We moeten ons voorbereiden op moeilijke tijden. Mogelijk is de tumor kwaadaardig en zal chemotherapie nodig zijn voor genezing. Voor een goede diagnose en behandeling worden we morgenochtend om half 11 verwacht in het Emma Kinderziekenhuis. Onderdeel van het AMC in Amsterdam. De enige positieve boodschap is dat er tegenwoordig goede resultaten worden bereikt bij het bestrijden van kinderkanker. We worden door de artsen even alleen gelaten. Yvonne huilt en ook ik houd het niet droog. Het is voor mij jaren geleden dat ik ècht heb gehuild. Mijn hoofd barst. Druk op mijn slapen. Tranen uit mijn ogen. Yvonne zegt: 'Dit wil ik niet.' Ik denk: 'We hebben niets te willen.'

De artsen keren terug met de boodschap dat we ook Guusje op de hoogte moeten brengen dat we moeilijke tijden tegemoet gaan. Even later wordt Guusje in bed binnengereden. We hebben afgesproken dat ik haar zelf op de hoogte ga brengen van dit verschrikkelijke nieuws. Ik ga voor haar op bed zitten en pak haar beide handen. Ik kijk haar diep in de ogen. Yvonne houdt Guusje vast. De artsen staan achter mij. Ik vertel Guusje dat we morgenochtend vertrekken naar een ziekenhuis in Amsterdam. Ze is ziek. Heel erg ziek. Er zullen onderzoeken en behandelingen plaatsvinden die heel vervelend zijn, maar ze zijn nodig om haar beter te kunnen maken. Waarschijnlijk zeg ik nog veel meer, maar dat herinner ik me niet. Plotseling houd ik op met spreken. Ik breek. Achter mij geeft de mannelijke arts mij een compliment. Het moeilijkste moment in mijn leven: mijn dochter vertellen dat ze ernstig

Ons kleine blonde meisje is ziek

ziek is. Ik ben zo bang om haar te verliezen. We blijven met zijn drieën in de kamer achter. Guusje met haar mama en papa. We huilen.

Wie gaan we het vreselijke nieuws vertellen en in welke volgorde? Ik wil het zelf aan mijn andere kinderen vertellen. Zij verdienen het om snel op de hoogte te zijn. Ik vraag om een kamertje apart, zodat we rustig kunnen bellen. Een van ons blijft bij Guusje en de ander kan bellen. We bellen onze naaste familie. Ik krijg mijn zussen aan de lijn en ik word emotioneel. Ik heb Guusje zelf verteld dat ze erg ziek is. Thuis neemt niemand de telefoon op. Uiteindelijk probeer ik Lisa mobiel te bereiken. Ze zit boven en deelt mee dat Anton alleen beneden is en waarschijnlijk te lui is om even de telefoon op te nemen. Ik hoor in haar stem de heerlijke ongedwongenheid die ze altijd heeft. Ik vertel haar dat ik over anderhalf uur thuis zal zijn en dat ik verwacht dat iedereen er is. Ik heb heel vervelend nieuws over Guusje. Lisa dringt aan om meer informatie te geven. Ik wil niets loslaten. Ze begrijpt niet waarom. Ik zeg niets. Daarna bel ik mijn manager van Avans Hogeschool. Ze is een schat. Ze deelt meteen mee dat ik mij voor het laatste blok van het collegejaar niet druk mag maken. Mijn taken worden overgenomen. Ik mag mij maar om een ding bekommeren: Guusje. Alleen mijn broer neemt niet op. Door het tijdverschil met China ligt hij waarschijnlijk in een diepe slaap.

Yvonne wil dat ik goed uitkijk, als ik naar huis rijd. Ze vertrouwt me. Ik zie het. Zij blijft bij Guusje. Ik stap in de auto. Ik moet praten. Ik bel mensen waarvan ik wil dat ze dit vreselijke nieuws van mij persoonlijk horen. Het zijn lange gesprekken. Ik krijg de kans om slechts twee mensen te bellen op weg naar Kaatsheuvel. Onderweg een vreemd gevoel. Ik rijd door een tijdloos landschap. Onwerkelijk.

Als ik de Van Beurdenstraat inrijd, zie ik pas dat mijn oudste zus voor mij rijdt. Samen parkeren we onze auto's voor ons huis. Ik stap uit. Ik vlieg mijn zus niet in haar armen. Vreemd. Ik voel me zakelijk. Ik moet mezelf nu niet laten gaan wat betreft emoties. Als ik binnenkom, is het als vanouds. Er wordt gelachen door Hans en Lisa over de cijfers die ze op de keukendeur hebben geschreven. Dit zijn zogenaamd de punten die ze in de proefwerkweek hebben gehaald. Alleen maar hele hoge cijfers. De hond zit naast zijn bak. Hij heeft zoals altijd geen water. Ik word boos. Mijn irritatiegrens is heel laag. Iedereen verzamelt zich rond de tafel. Er wordt koffie gezet. Anton is uit bed gekomen. Alleen Loes slaapt en dat laten we zo. Ze is pas zeven. Ik vertel dat mijn oudste zus en haar man blijven slapen. Zij spelen de komende tijd voor ouders. De kinderen weten niet goed hoe ze moeten kijken. Ze zijn geraakt, als ik vertel dat Guusje heel ernstig ziek is. Dat ze naar de afdeling Kinderoncologie gaat van het Emma Kinderziekenhuis in Amsterdam. Ik leg uit dat daar kinderen worden behandeld voor kanker. Wat Guusje mankeert? Niets is duidelijk. Enkel onzeker. Uit onderzoek blijkt dat het niet goed is met haar. Sterker nog, heel slecht zelfs.

Tijdens het gesprek komen Yvonne's ouders binnen. Ze schuiven aan. Ze zijn zichtbaar geëmotioneerd. Ik neem de telefoon om Guusje te bellen. Deze ligt niet op de oplader en is leeg. Ik begrijp nu meteen waarom eerder vanavond niemand de telefoon opnam. Ik reageer geïrriteerd en ik begrijp niet goed waarom. Ik verzamel spullen voor de komende nacht in Utrecht. Later zal blijken veel sokken en weinig andere kleding. Yvonne en ik mogen deze avond op een kamertje bij Guusje slapen. Als ik boven kom, zie ik Guusje's lege bed. Dat zal voorlopig leeg blijven. Ik voel tranen. Dan zie ik Loes. Ik bedenk dat ook haar leven voor altijd anders zal zijn. De kleine vlinder. Ik geef haar een zoen. Beneden neem ik afscheid van Janneke, Lisa, Hans en Anton. Ik blijf zakelijk voor mijn gevoel. Mijn zus loopt mee naar de deur. We kussen elkaar. Ik geef aan dat ik haar enorm dankbaar ben. Ze begrijpt mijn houding: twee persoonlijkheden. Voor de kinderen is de onbewogen persoonlijkheid nu de juiste. Op wie moeten de kinderen steunen, als de ouders breken?

Onderweg naar Utrecht rijd ik weer door het tijdloze landschap. Ik ben constant in gesprek met naasten. Ik zou meer mensen willen bellen, maar plotseling ben ik bij het Wilhelmina Kinderziekenhuis. In Utrecht kunnen we vanaf onze kamer enkele e-mails versturen. Er zijn voor ons twee bedden neergezet. Dat is niet nodig. Deze nacht liggen we samen heel dicht tegen elkaar aan. Ik vertel dat ik het heel belangrijk vind dat we elkaar niet zullen verliezen. We zijn heel verdrietig en boos. Yvonne vertelt later dat ze alles wel kapot zou kunnen slaan. Ik heb dat gevoel niet. Ik ben heel teleurgesteld in de biologie van het leven. Een fout van de natuur. Hoe kunnen vijf kinderen kerngezond zijn en slechts een doodziek. We zijn er helemaal kapot van. Er vloeien veel tranen. We nemen ook onze verantwoordelijkheid. We moeten slapen. Voor Guusje en voor onze andere kinderen. Morgen moeten we Guusje zo goed mogelijk bijstaan.

Al heel vroeg in de ochtend krijg ik mijn broer aan de lijn vanuit China. Hij schrikt enorm. Jammer dat hij zover weg is. Het is wel fijn om zussen en een broer te hebben, zeker nu.

Als de ambulance is gearriveerd, wordt de broeders verzocht even te wachten. Een oncoloog toont Yvonne en mij de verdachte beelden op de CT-scan. De grote tumor in Guusje's linkerlong. De plekjes in de rechterlong. Ons kleine blonde meisje is ziek, heel erg ziek.

Erger dan een beetje ziek

Wat er vooraf ging aan donderdagmiddag 31 maart.
Guusje is al een tijdje hangerig. Ze oogt witjes en lusteloos. Ze moet ook steeds hoesten. Kinderen in haar klas zijn vaak langere tijd ziek. Een goede vriendin van Guusje zelfs meer dan een week. Daarnaast is ze erg onder de indruk van het nieuws dat de moeder van een klasgenootje kanker heeft. We hebben dit thuis besproken. Deze moeder is ernstig ziek. Guusje trekt zich dit heel erg aan.

Guusje is zo ziek dat ze enkele dagen thuis mag blijven. Op woensdagochtend 16 maart vinden we dat ze eigenlijk toch maar weer eens naar school zou moeten gaan. Ze hoest en grijpt naar haar borstkas. Ze klaagt over enorme pijn. Misschien heeft ze haar ribben gekneusd, door het hoesten. Yvonne brengt met haar een bezoekje aan de huisarts. Ze gaan daarna naar het ziekenhuis in Waalwijk voor een röntgenfoto. Terug naar de huisarts en daarna naar een kinderarts in Tilburg. Deze deelt mee dat Guusje zal worden opgenomen in het ziekenhuis in verband met een longontsteking. Deze zit er waarschijnlijk al een tijdje, want er is vocht achter de longen aangetroffen. Er wordt bloed afgenomen en ze krijgt een infuus.

Guusje verblijft vijf nachten in het ziekenhuis. Mama blijft alle nachten bij haar slapen. Op maandag 21 maart mag ze naar huis. We zijn allemaal heel blij. Als ze thuiskomt, zijn Lisa en Hans bezig om versieringen aan te brengen. Welkom thuis Guusje. De lente begint.

Toch maken we ons zorgen. Drie dagen voor haar ontslag uit het ziekenhuis heeft Guusje veel pijn. Ze probeert deze weg te blazen, maar ze heeft moeite met ademhalen. De artsen besluiten dat het beter is om medicatie tegen pijn op regelmatige basis in te nemen. Thuisgekomen gaan de klachten over pijn niet weg. Een zogenaamd kantelpunt, waarbij je ziet dat een kind plotseling opfleurt, blijft uit. Guusje gaat niet naar school.

Op maandag 28 maart is Guusje een week thuis. Yvonne neemt contact op met de kinderarts, want onze dochter heeft veel pijn. Eerst wordt een röntgenfoto gemaakt en daarna een echo. Guusje wordt weer opgenomen. Het is een raadsel waarom de onderste helft van haar linkerlong plat ligt. Ik blijf in het ziekenhuis bij Guusje slapen. We hebben een slechte nacht. Guusje heeft moeite met ademen. Ze heeft veel pijn.

Ze slaapt nauwelijks. Dit is heel akelig. Ik kan het niet goed aanzien. Guusje is erg in zichzelf gekeerd. Dit is niet ons kleine blonde meisje.

We krijgen op dinsdagochtend te horen dat er contact is over Guusje met een kinderlongarts in Utrecht. Na overleg met deze arts wordt besloten om haar over te brengen naar het Wilhelmina Kinderziekenhuis in Utrecht. Guusje en mama gaan per ambulance. Ik neem de auto. Slaapspullen mee. De eerste serie ziekenhuisopnames was het de beurt aan mama om te blijven slapen. Deze keer is het papa's beurt. In Utrecht verschijnt aan het einde van de middag een arts die Guusje onderzoekt. Hij deelt mee dat woensdag geprobeerd gaat worden een bronchoscopie uit te voeren. Guusje komt op de zogenaamde spoedlijst voor OK terecht.

Op woensdag zit ik de hele dag naast Guusje's bed. Zij is nuchter. We hopen snel te worden geholpen. Vanaf twaalf uur is het mogelijk dat we naar de OK kunnen. Ik kijk continu op de klok. Het wachten duurt lang. De hele dag lijkt er niets te gebeuren. Niemand wil bevestigen dat we vandaag nog geholpen zullen worden. Ik voel boosheid. Ik voel frustratie. Om 5 uur verschijnt een dame met een bord eten aan ons bed, voor Guusje. Ik zeg dat we het eten graag willen hebben, als Guusje niet zal worden geholpen. Ze gaat informeren en keert terug. Ze neemt het eten weer mee. Guusje wordt hoogstwaarschijnlijk toch nog geopereerd.

Kort daarna komt een verpleegkundige de zaal op. Ik hoor haar zeggen dat Guusje aan de beurt is. Ik kan wel juichen. Op de OK praat ik haar met hulp van anesthesisten in slaap. Yvonne is gearriveerd en we eten samen een warme hap. Als we terugkomen op de verpleegafdeling, worden we opgevangen door artsen die meedelen wat ze hebben gezien tijdens de bronchoscopie. Voornaamste conclusie: een luchtpijp aan de linkerkant is niet rond. De vorm is een oog. Er drukt iets tegen die luchtpijp. Een CT-scan zal uitkomst bieden om de oorzaak te achterhalen. Deze is gepland voor morgen. Samen met Yvonne haal ik Guusje op bij de OK. Ze moet enorm hoesten. Slijm komt los. Misschien gaan we nu de goede kant op. Hoewel? Er wordt een maagsonde ingebracht. Guusje weegt minder dan zesentwintig kilogram. Ze moet aansterken. Guusje ziet de afgelopen drie dagen veel mensen voorbijkomen: verpleegkundigen, gewone kinderartsen, kinderlongartsen, zaalartsen, anesthesisten, diëtisten en fysiotherapeuten. Ik kan het amper bijhouden. Laat staan een meisje van negen.

Op donderdag 31 maart volgt een CT-scan. Yvonne blijft bij Guusje. Ik bezoek met onze oudste dochter Janneke de open dag van de technische universiteit in Delft. Rond lunchtijd ontvang ik een sms van Yvonne. De CT-scan is achter de rug en de artsen doen halverwege de middag hun ronde. Ik wil eigenlijk graag bij Janneke blijven, maar ik denk dat het toch verstandiger is om terug te keren naar Utrecht. Ik rijd terug naar het Wilhelmina Kinderziekenhuis. Daar volgt aan het einde van de middag het vreselijk onwaarschijnlijke nieuws: onze dochter heeft hoogstwaarschijnlijk kinderkanker.

De Poort

1 april – 10 april

● ●

Vrijdag 1 april

Om half 11 arriveer ik bij het AMC in Amsterdam. Wat een enorm groot ziekenhuis. Gelukkig weet ik F8 Noord (de afdeling Kinderoncologie van het Emma Kinderziekenhuis) snel te vinden. Als ik op de achtste verdieping uit de lift stap, schrik ik. Een ouderwetse aftandse afdeling. Enorme drukte op de gang. Is dit een Russische aflevering van de ziekenhuisserie ER?

Een aardige verpleegkundige vangt ons op. Er wordt snel bloed afgenomen en er komt een aantal artsen Guusje onderzoeken. Een van deze artsen is dokter Rutger. Hij is kinderoncoloog en begeleidt ons in het proces van de stappen die deze dag worden genomen. Er volgen echo's, röntgenfoto's en een MRI-scan. Rond 5 uur begin ik te ijsberen. Het is bijna weekend. Een verpleegkundige vraagt waarom ik me druk maak. Verwacht ik misschien dat artsen om vijf uur naar huis gaan? Kan ze gedachtelezen? Ze maakt me duidelijk dat ik mij geen zorgen moet maken. In het Emma Kinderziekenhuis werkt het net een tikje anders. Sommige artsen gaan na een hele dag werken pas om 8 uur naar huis. Als het nodig is, nog veel later. Zeker dokter Rutger. Ik mag ervan uitgaan dat artsen vandaag nog met ons spreken.

Er is voor ons een kamer gereserveerd in het Ronald McDonald Huis. Dit huis bevindt zich naast het AMC. Vanuit Guusje's kamer kun je het huis zien. Ik ga snel mijn kamersleutel halen, want ik dien voor 8 uur in te checken. Bij het Huis kan ik mijn auto gratis parkeren. Van die mogelijkheid wil ik graag gebruikmaken. Onderweg kan ik mijn auto niet terugvinden. Ik loop te dwalen door het AMC. Uiteindelijk spreek ik een man aan die eruit ziet alsof hij in het ziekenhuis werkt. Hij helpt me. Ik ben de weg kwijt. Niet alleen letterlijk. Ook figuurlijk. Ik vertel de receptionist van het Ronald McDonald Huis dat ik weinig tijd heb. Hij schrijft me snel in, geeft me een sleutel en een korte rondleiding.

Om 7 uur volgt een gesprek met drie artsen: dokter Marianne, dokter Rutger en dokter Lonneke. Dokter Rutger neemt het woord. Hij maakt een tekening van een borstkas. In de linkerlong is massa gezien. In de rechterlong uitzaaiingen. Dit kan duiden op een vorm van kinderkanker. Het is nog niet duidelijk welke soort.

Er worden vermoedens uitgesproken en meegedeeld dat kinderkanker nooit mag worden vergeleken met kanker bij volwassenen. We stellen vragen en krijgen uitvoerige, duidelijke antwoorden. Er wordt wel met veel voorbehoud gesproken. Dokter Marianne is kinderoncoloog. Zij zegt dat Guusje zaterdag waarschijnlijk naar de OK moet. Het is nodig om weefsel af te nemen voor onderzoek en waarschijnlijk wordt er een zogenaamde portacath geplaatst. Deze is nodig voor chemotherapie. Na de operatie moet ze misschien naar de IC (Intensive Care).

Later in de avond komen artsen langs van de IC. Ze willen Guusje even onderzoeken. Onze dochter spuugt. Haar maagsonde komt eruit. Ze heeft moeite met ademhalen. De verpleegkundigen brengen een mondkapje aan. Hartslag, zuurstofgehalte en ademhaling worden continu geregistreerd. Het aantal infuuspompen is toegenomen.

Tegen middernacht loop ik naar het Ronald McDonald Huis. Ik ben verdrietig en doodmoe. Ik heb in de loop van de dag veel sms'jes en e-mails ontvangen. Ik ben te moe om te antwoorden, maar het is wel fijn om te merken dat zoveel mensen met ons meeleven.

Zaterdag 2 april

Een spannende dag. Vandaag gaat Guusje naar de OK. Er wordt een portacath geplaatst voor chemotherapie. Daarnaast worden biopten afgenomen en wordt er een maagsonde ingebracht. Om 10 uur begin ik met voorlezen. Dit is het enige dat Guusje wil. Ik lees voor uit een boek van Paul van Loon. Lekker spannend. Na drieënhalf uur voorlezen gaan we op weg naar de OK. Er is een aardige anesthesist. Samen praten we Guusje in slaap. We wensen haar een mooie droom.

Tijdens de operatie hebben Yvonne en ik voor het eerst tijd om samen te praten zonder Guusje. We laten ons rondleiden in het Ronald McDonald Huis. We drinken koffie en eten een broodje. We zijn erg gespannen en ook emotioneel. Op de afdeling spreken we lange tijd met een verpleegkundige. Dan verschijnt dokter Marianne op de afdeling. We weten dat zij bij de operatie is geweest. Dokter Marianne vertelt dat de operatie goed is verlopen. De portacath is geplaatst en Guusje ligt niet op de IC. Ze deelt ook mee dat het weefsel dat is afgenomen wijst op kwaadaardige kanker. We mogen naar de verkoever. Daar komt Guusje bij uit narcose. Om 9 uur keren we terug op F8 Noord. Guusje doet het goed. Ze wil TV kijken en een tosti eten. Dokter Marianne is thuis. Ze belt hoe het met Guusje gaat.

Ik besluit om e-mails te sturen naar familie, vrienden en collega's. We ontvangen heel veel steun, maar we kunnen alle telefoontjes, sms-berichten en e-mails niet beantwoorden. Daarvoor hebben we gewoon de tijd niet. Tijdens het schrijven van de e-mails word ik weggeroepen. Guusje moet terug naar de verkoever. Ze heeft enorm veel pijn. Daar zitten we weer. Anesthesisten dienen extra medicatie toe om de pijn te onderdrukken. Om half 2 komen we terug op Guusje's kamer. Sinds donderdagavond heb ik geen normale maaltijd meer genuttigd. Om 2 uur 's nachts sluit ik de dag af met een warme prak.

Zondag 3 april

Dit is voor Guusje een prettige dag. Het infuus mag uit haar arm. Bloed wordt voor het eerst afgenomen via de portacath. Daarnaast wordt Guusje door artsen onderzocht. 's Ochtends arriveren ook Guusje's broers en zussen. Mijn oudste zus en haar man hebben gereden. Onze kinderen zijn zichtbaar onder de indruk. Hun zusje ligt dood-ziek in bed. Ze draagt een zuurstofkapje, krijgt medicijnen via infuus, krijgt voeding via een maagsonde en ligt aan apparatuur die onder andere de hartslag registreert.

Ik leg aan de oudste vier kinderen, buiten het zicht van Guusje, uit wat de artsen vrijdagavond hebben verteld. Dat Guusje hoogstwaarschijnlijk lijdt aan kinderkanker, maar dat nog onzeker is welke vorm. Het proces van genezing is vaak een lange weg met chemotherapie of bestraling. Ik vertel dat artsen heel succesvol zijn in het bestrijden van kinderkanker, maar ik ben ook eerlijk. Het kan mis gaan. Ik merk dat ik tijdens het gesprek niet emotioneel word.

Veel kaarten en cadeaus. Het doet ons goed. Er is helaas een kaart die minder in de smaak valt bij Yvonne en mij. Deze kaart suggereert dat Guusje er niet meer is. Ons kind is niet dood. We hebben hoop. Ondanks alle verdriet.

Het dringt steeds meer tot me door: kinderkanker heeft enorm veel impact op het leven van kinderen en ouders. Ik heb emotionele momenten, maar ik merk ook dat ik verander. Donderdagavond was ik heel verdrietig en Yvonne was heel erg boos. Na het gesprek op vrijdagavond hebben we ons lot aanvaard. We zitten in hetzelfde schuitje en we kunnen er niet uit. Het waait soms heel hard. We liggen nu op open water. Er is nog geen kompas. De golven en de wind bepalen onze weg. We hebben enkel roeispanen. Ik hoop toch op een behouden vaart, maar ik weet dat de reis nog lang is.

's Middags komen Yvonne's ouders op bezoek. Ze kunnen hun emoties weer niet voor zich houden. Guusje oogt erg ziek. Tijdens het bezoek hebben Yvonne en ik een gesprek met dokter Marianne. Ik vraag waarom niet wordt gestart met chemo-therapie. Dokter Marianne legt uit dat er veel onzekerheid is over de soort kinderkan-ker die Guusje mogelijk heeft.

Het is een vreemde middag. Soms zit Guusje rechtop in bed. Lekker puzzeltjes maken. Dan ligt Guusje weer in bed als een heel ziek vogeltje. De beste afleiding voor haar is voorlezen. Was voorlezen maar het beste medicijn. Dan was ze nu al beter, want ik ben aan het voorlezen uit het derde boek sinds vorige week maan-dag. Het boek is 'Juttertje Tim' van Paul Biegel. Guusje geniet zichtbaar. Ze lijkt te slapen, maar als ik durf te stoppen gaan haar ogen telkens weer open. Ik ben een voorleesmachine.

Aan het begin van de avond bel ik verschillende mensen die ik nog niet heb gesproken, waaronder juf Bianca. Zij is de leerkracht van Guusje. Ik lees de vele sms'jes, e-mails en kaarten die we hebben ontvangen.

Het duurt lang voor Guusje gaat slapen. De pijn wil niet weggaan. Ademen gaat moeilijk. Het is laat, als ik eindelijk ga slapen. Ik besef dat Yvonne en ik het enorm hebben getroffen. Mijn oudste zus en haar man hebben samen met Yvonne's ouders onze taak overgenomen in Kaatsheuvel. Het is fijn dat Yvonne en ik ons daar nu niet druk over hoeven te maken. Het kan er nu niet bij in ons hoofd. Wat er gebeurt op F8 Noord is te veel om te bevatten. Voor ons en zeker voor Guusje. Ons kleine blonde meisje ondergaat alles.

Maandag 4 april

Yvonne heeft vannacht in het Ronald McDonald Huis geslapen. Als ze arriveert, wil ik gaan douchen. Dat lukt niet. Al vrij snel komen de eerste artsen op bezoek. Als deze eindelijk weg zijn, ga ik douchen in het Ronald McDonald Huis. Op de terugweg bel ik met Janneke. Ze is op Schiphol. De eerste dag van een uitwisseling met de Verenigde Staten. Even plezier maken en lachen. Terug op F8 Noord maak ik kennis met een pedagogisch medewerkster.

Guusje ligt ziek in bed. Ze lijkt niet goed te beseffen wat er aan de hand is of misschien toch wel. Het is tijd om haar te vertellen dat de ziekte waarop ze onderzocht wordt kinderkanker is. Met de pedagogisch medewerkster spreken we door hoe we Guusje het best kunnen vertellen wat kanker is. Het voorbereidend gesprek duurt lang. Na lunchtijd het gesprek met Guusje. Het lijkt wel of er van haar schouders een last afvalt. Soms is het goed om ook voor kinderen zaken gewoon te benoemen. Na het gesprek arriveren twee oncologen, waaronder dokter Rutger. Een mooie gelegenheid om de twee heren aan Guusje voor te stellen en uit te leggen wat het verband is tussen de specialiteit van deze twee artsen en de ziekte kinderkanker. De heren komen heel professioneel over als aardige, kundige artsen. Als ik vraag om zichzelf aan Guusje voor te stellen, worden het ook nog eens twee prettige mensen. Er wordt veel gelachen.

Om Guusje af te leiden weer voorlezen. Na 'Juttertje Tim' is 'Pudding Tarzan' aan de beurt. 's Middags krijgen we bezoek van vrienden en familie. Veel cadeaus en post voor Guusje en voor papa en mama. Het is Guusje zichtbaar te veel. De pijn is moeilijk weg te krijgen. In de loop van de avond begin ik met het schrijven van een blog. Ik word gek van alle telefoontjes en sms'jes die ik niet kan beantwoorden. Ik krijg mijn gedachten niet geordend. Ik merk dat de buitenwereld niet begrijpt wat er hier gebeurt op F8 Noord. Kinderkanker is een ingewikkelde ziekte. Het kan nog lang onduidelijk zijn van welke soort kanker er sprake is. De enige zekerheid is onzekerheid. Als Yvonne vertrekt naar het Ronald McDonald Huis, slaapt Guusje eindelijk. Helaas zijn het korte slaapjes. Ze heeft pijn en ademt moeilijk.

Dinsdag 5 april

Vroeg in de ochtend word ik wakker. Guusje slaapt en aangezien elk moment van slapen voor Guusje belangrijk is, besluit ik om ook te blijven liggen. Om 8 uur vallen twee verpleegkundigen de kamer binnen. Het lijkt wel een tornado. Ze vinden het grappig dat ik nog in bed lig. Al slapend krijg ik een medicijn in mijn hand gedrukt dat moet worden toegediend met water. Ik zie een sms van mijn broer. Hij wil met me praten. Ik weet niet hoe ik daar ooit tijd voor kan maken, want al vrij snel staan er drie artsen aan het bed. Dokter Rutger legt uit welke onderzoeken er de komende dagen gaan plaatsvinden en waarom. Als ze weg zijn, komt dokter Marianne binnen. Ze is een vriendelijke dame die zich veel zorgen maakt over het niet verdwijnen van de pijn bij Guusje. Daarna komen er twee verpleegkundigen binnen in het kader van een landelijke actie waarbij patiënten worden onderzocht op doorligplekken. Wat een drukte in de vroege ochtend.

Ondertussen ga ik me snel douchen en omkleden in het Ronald McDonald Huis. Ik ben de sleutel vergeten, maar de dame bij de receptie maakt gelukkig mijn kamer open. Als ik terugkom bij Guusje op F8 Noord, zit de pedagogisch medewerkster aan haar bed. Ze geeft uitleg over de botscan die vandaag wordt gemaakt. Daarnaast laat ze ons met behulp van een model ervaren wat een portacath is die afgelopen zaterdag tijdens de operatie bij Guusje is geplaatst.

's Ochtends passeren nog meer mensen Guusje's bed. Onder andere een dame die ervoor zorgt dat het onderwijs doorgaat. Ook in het ziekenhuis. Ondertussen lees ik voor uit 'De club van Lelijke Kinderen'. Aan het eind van de ochtend wordt Guusje ingespoten met nucleair materiaal. Dit is nodig om een botscan te kunnen maken. Zijn Guusje's botten aangetast?

Als we halverwege de middag de botscan laten maken, gaat de pedagogisch medewerkster mee. Het is fijn dat zij Guusje goed begeleidt. Tijdens het maken van de scan praat ze op hele rustgevende wijze tegen onze dochter. Als we terugkomen mag de zuurstof eraf en ook de monitor die van alles registreert wordt losgekoppeld. Gaan we de goede kant op?

Yvonne zet koffie en heeft gezorgd voor een koekje. Het is maar goed dat er vandaag geen bezoek langskomt. Er verschijnen al zoveel mensen aan Guusje's bed en er gebeuren zoveel dingen op een dag als vandaag. Je kunt het nauwelijks verwerken. We leven in een cocon. Er bestaat voor ons geen buitenwereld. Die kan er even niet bij.

Het boek over de lelijke kinderen is net uit, als de pedagogisch medewerkster weer binnenkomt. Ze introduceert de KanjerKetting. Voor elke vervelende of belangrijke gebeurtenis ontvangt Guusje een kraal. Een rode kraal voor het prikken van bloed. Een gele kraal voor een röntgenfoto. Elke behandeling of onderzoek een eigen vorm en kleur. Er hangen veel kralen aan Guusje's ketting. Vanaf het eerste bezoek aan de huisarts zijn het nu al zevenentwintig kralen!

Na het vertrek van de pedagogisch medewerkster wil dokter Marianne met Yvonne en mij spreken. Aan de hand van het materiaal dat afgelopen zaterdag is afgenomen, kan niet worden vastgesteld van welke soort kinderkanker er sprake is. Is het wel kanker? Weefsel is nodig voor onderzoek om vragen te beantwoorden. Een operatie is hiervoor noodzakelijk. Deze operatie zal ingrijpend zijn. Zo ingrijpend dat Guusje daarna moet worden beademd op de IC. Ter voorbereiding hiervan zal Guusje morgen worden onderzocht door een longarts.

Dokter Marianne maakt zich zorgen. Als de pijn te hevig wordt, moet Guusje naar de verkoever voor betere medicatie. Yvonne en ik verwachten niet dat dit nodig zal zijn. Guusje ligt rustig op bed. Ze is vrolijk. Als dokter Marianne weg is, krijgt onze dochter haar avondmaaltijd. Het is inmiddels 7 uur, als Yvonne en ik snel een hapje eten in het personeelsrestaurant. Als we terugkomen bij Guusje, heeft ze heel veel pijn. Om half 8 maken we hier melding van. Een uur later arriveren we op de verkoever bij de anesthesisten. Er wordt extra medicatie toegediend om ervoor te zorgen dat Guusje toch eindelijk eens een keer een goede nacht door kan maken.

Om 11 uur keren we terug in haar kamertje op F8 Noord. Er is geen tijd om nog even samen rustig na te praten. Guusje ligt weer in bed. Extra zuurstof. Extra medicijnen tegen de pijn. Een monitor die hartslag, zuurstofgehalte en ademhaling registreert. Als Guusje lijkt te slapen, vertrekt Yvonne naar het Ronald McDonald Huis. Ik neem mijn laptop en begin te typen. Wat gebeurt er veel op een gewone doordeweekse dag, als je kind kanker heeft. Of heeft ze toch geen kanker? Waarom al die onduidelijkheid? In wat voor rare wereld ben ik terecht gekomen?

Het begint al snel te rommelen in Guusje's kamer. Ze voelt zich niet lekker. Ze spuugt en heeft verhoging. Het is na 1 uur, als de verpleegkundige bloed afneemt. Ik hoor Guusje regelmatig drinken en hoesten terwijl ik mijn ervaringen en gedachten op papier zet. Het is inmiddels na 2 uur. Guusje slaapt. Ik ben blij dat ze rustig ligt te ademen. Ik hoop dat de nacht verder rustig verloopt. Guusje heeft het nodig. Papa trouwens ook. Teveel gedachten in mijn hoofd. Leven tussen hoop en vrees.

Woensdag 6 april

De dag begint lastig voor Guusje. Ze is om 5 uur al wakker. Ze is gespannen, heeft veel pijn en ademt snel. Een lieve verpleegkundige zorgt ervoor dat ze zich enigszins ontspant. Hetzelfde beeld weer om half 7. Ik denk aan mijn collega Dennis. Hij vertelde mij een tijdje geleden dat zijn zieke zus enorm vocht voor haar leven en dat hij enkel machteloos kon toekijken. Een strijd die zijn lieve zus helaas heeft moeten verliezen. Ik zie mijn dochter ook vechten. Tegen de pijn. Ik voel me machteloos.

Om half 8 belt mijn broer vanuit China. We spreken kort met elkaar. Ik maak hem duidelijk dat er te veel gebeurt om het even op een rijtje te kunnen zetten. Alles is steeds onzeker. Gelukkig zal vandaag voor Guusje en voor ons een rustige dag worden. Dat is ons gisteren verteld. Er staan slechts twee korte onderzoekjes op het programma. Ik ga me douchen in het Ronald McDonald Huis. Als ik buiten loop heb ik voor de eerste keer oog voor het weer. Het is grijs en nat. Terug in Guusje's kamer koffie en ontbijt. Heerlijk, want ons meisje slaapt. Laat ze maar lekker rusten. Ze heeft het hard nodig.

Om kwart over 9 is Guusje wakker. Eerst verschijnen twee verpleegkundigen, die eerder door Yvonne zijn buitengezet, omdat Guusje eindelijk sliep. Daarna twee artsen. Zij onderzoeken Guusje en vertellen ons dat binnen het team de volgende te nemen stappen zullen worden besproken. Guusje zou toch slechts twee korte onderzoekjes krijgen?

Guusje drinkt thee en eet een toetje. Gelukkig krijgt ze ook sondevoeding, want eten doet ze niet als vanouds. Toch gaat het nu weer goed met haar, want ze ligt een moppenboekje te lezen. Vreemd. Het ene moment ligt ze in bed helemaal in elkaar gekrompen als een ziek vogeltje. Het andere moment lijkt ze ontspannen. Helaas komen deze momenten steeds minder voor en worden ze ook steeds korter. Langdurige momenten van pijn, soms urenlang, overheersen. Terwijl Guusje ligt te lezen maakt Yvonne grapjes. Het lijkt af en toe wel een practicum natuurkunde. Als Guusje gebruik wil maken van het toilet, ontkoppelen we de apparaten en begeleiden haar. We zijn zelfs in staat om de gegevens op de apparaten te interpreteren. Al doende leert men. Als we zo doorgaan, kunnen we straks een infuus inbrengen bij elkaar.

Er verschijnt een jonge arts bij onze kamer. Ik denk dat het een jonge man is, maar het blijkt toch een jonge dame te zijn. Ze is chirurg en komt vertellen dat Guusje morgen naar de OK zal gaan. Er moet immers weefsel voor onderzoek worden afgenomen, zodat hopelijk kan worden vastgesteld wat er aan de hand is. Er worden twee mogelijke opties besproken. De eerste optie is een kijkoperatie waarbij gericht gezocht zal worden naar bruikbaar weefsel voor onderzoek. Hierbij zal het weefsel op eenvoudige wijze kunnen worden weggenomen. Als dat niet lukt, dan zal worden gekozen voor optie twee. Deze klinkt heel rigoureus. Terloops worden opmerkingen gemaakt over risico's. Als ik naar deze risico's informeer, krijg ik een kort college. Er kan veel misgaan. Ik word er onpasselijk van. Het lijkt erop dat het leven van mijn dochter op het spel wordt gezet om weefsel te kunnen krijgen. Dit wordt misschien nog wel versterkt door de wijze waarop deze chirurg over onze dochter spreekt. Het lijkt alsof ze over een ding praat in plaats van over een mens. Ook de wijze waarop ze een en ander uitlegt aan Guusje valt niet goed bij Yvonne. We maken ons plotseling heel erg zorgen.

Yvonne wil dokter Marianne spreken. We zijn erg ongerust. En niet zo'n beetje. We willen weten wat de afweging is om onze dochter te gaan opereren. Wij begrijpen ook dat het belangrijk is om vast te stellen wat voor soort weefsel onze dochter ziek maakt, maar als Guusje niet goed uit de operatie komt, wat hebben we daar dan aan? En hoe zit het met die botscan van gisteren? Levert die geen bruikbare informatie. We zijn hartstikke ongerust geworden na dit technische verhaal. Ik krijg het gevoel dat we in de hel terecht zijn gekomen. Alleen de duivel ontbreekt nog. Of is die net op bezoek geweest?

Ik wil helemaal niet meer dat er wordt geopereerd. Niet op deze manier. Niet tegen elke prijs.

Er komen elke dag veel mensen langs bij Guusje. Omdat het gisteravond zo slecht ging met haar en ze zoveel pijn had, verschijnen twee artsen gespecialiseerd in pijnbestrijding aan haar bed. Het gaat weer niet goed met Guusje. Ze ligt met haar ogen dicht in bed, haar hoofd scheef. Ze wil maar een ding: voorlezen. Daar gaan we weer papa. Er is een bieb in het ziekenhuis. Daar leen ik maar liefst drie boeken, waaronder de 'Grote Kleine Kapitein' van Paul Biegel. Terug op Guusje's kamer wil ik beginnen met voorlezen. Er staat een jonge arts met krullend haar in de deuropening. Ze wil met Yvonne en mij praten. Ik vind haar een fijne dame, zowel voor Guusje als voor ons. We spreken over het inschatten van risico's bij operaties. We zijn nog maar net begonnen of een verpleegkundige komt met de boodschap dat de operatie bij Guusje hoogstwaarschijnlijk vanmiddag om 14 uur zal plaatsvinden. Het is nu bijna 12 uur. Om dan te kunnen opereren moet nu de sondevoeding worden stopgezet. Ik word boos en roep: 'slow down!' Er wordt niet aan ons kind gezeten zonder onze toestemming. De jonge arts met krullend haar weet me toch te overtuigen van de goede motieven van de oncologen voor de komende operatie. Ik moet toegeven dat ik vertrouwen heb in hun expertise, maar Yvonne wil het graag uitgelegd krijgen door dokter Marianne. In haar heeft ze het meeste vertrouwen. Vooruitlopend hierop wordt toch de sondevoeding gestopt.

Ik ga nu echt beginnen met voorlezen. Dat is waar onze dochter enorm veel behoefte aan heeft. Ik ben nog maar net begonnen of een groepje van chirurgen en andere artsen wil met Yvonne en mij praten. Doel is ons gerust stellen over de risico's die worden genomen. De belangrijkste chirurg en schijnbaar een hele kundige vergelijkt zichzelf met een piloot van een vliegtuig en ons met de passagiers. De piloot wil 's avonds ook weer rustig aan het avondeten zitten. Yvonne vindt het een slechte vergelijking. Deze piloot (chirurg) zal altijd rustig aan het avondeten zitten ook al zijn de passagiers (patiënten) overleden. Toch geven we toestemming. We begrijpen dat onze dochter heel erg ziek is en dit een van de noodzakelijke stappen is in het proces naar genezing.

Ik ga verder met voorlezen over de Kleine Kapitein. Niet alleen goed voor Guusje's afleiding, maar nu ook voor de mijne. Tijdens het verhaal komt dokter Marianne met ons praten, buiten het gezichtsveld van Guusje. Ze is een lieve arts die begrijpt wat ouders meemaken bij kinderkanker. Wat me opvalt is dat ze enorm zorgzaam is voor onze dochter. Ze trekt zich Guusje's lot aan en wil haar echt heel graag beter maken. Ze stelt Yvonne en mij gerust.

Er gebeurt weer veel met Guusje. Zo komt er nog even iemand bloed afnemen en komt een pedagogisch medewerkster aan Guusje een en ander uitleggen over de komende operatie. Ik merk dat ik enorm gespannen ben. Als ik op en neer loop richting toilet, kom ik de arts met krullend haar tegen. Ze vertelt me dat ze bij Guusje zal blijven tijdens de operatie. Ik geef aan dat ik dat enorm waardeer. Ze is vandaag Onze Engel.

Terug op Guusje's kamer zit de pedagogisch medewerkster nog altijd aan haar bed. Guusje geeft plotseling aan dat ze eigenlijk het liefst nu een bezoekje wil brengen aan de speelkamer. We denken dat ze haar vriendinnen mist.

Om kwart voor 3 verschijnen de verpleegkundigen voor vertrek richting de OK. Onze Engel gaat mee. Als ik met Guusje binnenkom op de OK, ontmoet ik De Piloot en een hele rustige anesthesist. Deze spreekt heel rustgevend met Guusje. Officieel moet ik enkele gegevens opnoemen waaruit moet blijken dat we hier nu echt Guusje van Gorp, geboren op 23 mei 2001, gaan opereren. Als de vraag wordt gesteld hoe zwaar ze weegt, antwoordt Onze Engel snel: achtentwintig kilogram. Zo'n arts, daar heb je wat aan. Het moment van slapengaan vind ik heel emotioneel. Als ik Yvonne weer zie, zijn er tranen bij mij.

Terug op F8 Noord begint het wachten. We hebben fijne gesprekken met de pedagogisch medewerkster en een verpleegkundige. Ondertussen eten we een broodje en drinken we koffie. Yvonne heeft moeite met eten. Als ik over de afdeling loop, zie ik folders over zomerkampen voor kinderen met kanker. Ik moet plotseling enorm huilen. Dan zie ik de sms die Janneke al eerder vandaag heeft gestuurd. Ik stuur haar een leuk sms'je terug. Laat haar maar lekker genieten in de Verenigde Staten.

Het is half 6 en we houden het niet meer. Het is zo enorm spannend. Dan zien we plotseling Onze Engel over de afdeling lopen. Zij is bij de operatie van onze dochter geweest. Ik zie een schrikbeeld voor me van een team dat ons gaat ontvangen. Beelden van vorige week donderdag komen bij me boven. Even later komt dokter Rutger naar ons toe. Hij vertelt dat de operatie is geslaagd en dat Guusje wordt klaargemaakt voor de IC. Yvonne en ik zijn enorm opgelucht. We slaken vreugdekreten. Snel daarna komt ook Onze Engel erbij zitten. Zij bevestigt dat de operatie is geslaagd en dat het is gebleven bij de minst rigoureuze optie. Dokter Rutger en Onze Engel begeleiden ons naar de IC. Daar zullen we onze dochter weer zien.

Net voor de IC worden we opgevangen door De Piloot. Hij zet uiteen hoe een en ander is verlopen en wat hij heeft aangetroffen. Het is een technisch verhaal met bloederige details. Yvonne gaat onderuit. Chirurgen zijn volgens Yvonne net automonteurs. Die laat je ook niet met de klant praten.

Vervolgens gaan we Guusje terugzien op de IC. Dokter Marianne staat naast haar bed. Ze geeft ons een gevoel van vertrouwen, zoals ze dat de afgelopen dagen al vaker heeft gedaan. Onze dochter wordt kunstmatig beademd. Ze heeft een luier aan. Ze ziet eruit als een hele grote hulpeloze baby. Voor het eerst in drie weken zien we een Guusje die ontspannen ligt te slapen. Ze heeft het verdiend.

Yvonne en ik gaan onder in de hal een hapje eten. Ik bel naar huis. Ik grap tegen Anton dat hij ook maar eens moet gaan slapen. Zijn zus ging om half 4 vanmiddag al onder zeil. Ze slaapt nu nog steeds. In de avonduren bezoeken we Guusje weer op de IC. Ik spreek haar toe met haar eigen woorden. Slaap lekker. Welterusten. Tot morgen. Doei dag.

Donderdag 7 april

Het is 7 uur als Yvonne en ik de IC binnenstappen. Ik verwacht een slapende dochter. Guusje zit echter rechtop in bed. Ze lijkt wakker. Ze ligt er vreemd bij. Ze ademt nog steeds niet zelfstandig. Ze reageert wel.

Yvonne en ik gaan even ontbijten. We halen een broodje en koffie bij de Albert Heijn die gevestigd is in het AMC. Onderweg zegt Yvonne dat ze niet goed weet hoe ze zich moet voelen. Moet ze blij zijn, omdat de operatie goed is verlopen? Of moet ze zich akelig voelen? Guusje aan de beademing. Geen prettig gezicht.

We halen de toilettas op in Guusje's kamer op F8 Noord. We spreken met artsen en verpleegkundigen die we onderweg tegenkomen. Vlakbij de IC komen we dokter Marianne tegen. Ze vertelt dat ze hoopt vandaag meer richting te kunnen geven aan

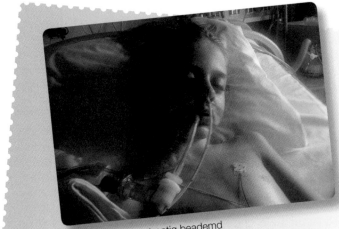

Guusje wordt kunstmatig beademd

het stellen van een diagnose. Hierbij spelen de bevindingen van de patholoog een belangrijke rol. Ze verwacht ook contact te moeten gaan leggen met een immunoloog. We komen erachter dat kinderkanker erg complex is.

Terug op de IC meldt zich een chirurg. Weer een nieuw gezicht. Hij stelt dat ze vandaag gaan kijken of Guusje zelfstandig kan ademen. Al snel wordt duidelijk dat hiervoor eerst nog een en ander moet gebeuren. Onduidelijk is of de drain vanuit haar linkerlong goed functioneert. We vragen ons af welke verrassingen ons vandaag weer te wachten staan.

De pedagogisch medewerkster van F8 Noord komt langs met een knuffelbeer voor Guusje. Als er enkele vragen worden gesteld, probeert Guusje met haar vinger letters in de lucht te schrijven. Een IC-verpleegkundige haalt daarom voor ons een bord met alle letters van het alfabet. Hierop kan Guusje letters aanwijzen en zo woordjes maken. De eerste vragen zijn: Waar ben ik? Waar waren jullie vannacht? Blijf je één nachtje niet bij Guusje slapen. Heeft ze het meteen in de gaten. Ze vindt het heel erg belangrijk dat een van ons steeds bij haar is. Het liefst ziet ze ons samen aan haar bed. Wij begrijpen dat.

Er gebeurt momenteel te veel voor Guusje. Ze geeft aan dat ze nu wel weer enkele kralen heeft verdiend voor haar KanjerKetting. Onze dochter is duidelijk geen haar beter dan andere vrouwen. De pedagogisch medewerkster belooft dat ze 's middags terug zal komen met de kralenkoffer. Ondertussen is een arts bezig met de drain vanuit haar linkerlong. Er gebeurt van alles, maar het is voor ons onduidelijk of het nu goed of slecht gaat. We leven in het moment. Het lijkt wel of er geen goed en geen slecht nieuws meer is. We kunnen enkel machteloos toekijken en vertrouwen op andere mensen die bezig zijn met Guusje.

Halverwege de middag meldt dokter Marianne zich weer. Ze is samen met een immunoloog. Yvonne en ik krijgen een hele serie vragen op ons afgevuurd. Lastig te beantwoorden. Ik breng de immunoloog in contact met mijn jongste zus die op bezoek is. Yvonne en ik hebben ondertussen een uitgebreid gesprek met dokter Marianne. Ze vertelt dat het heel moeilijk is om duidelijk vast te stellen dat Guusje kinderkanker heeft op basis van het materiaal dat gisteren tijdens de operatie is afgenomen. Daarom is besloten een immunoloog erbij te halen. Heeft onze dochter dan geen kanker? Dat zou kunnen. Moet ik nu een gat in de lucht springen? Nee, want het afgenomen materiaal wordt nog steeds onderzocht op kanker. Er worden alleen ook andere mogelijkheden onderzocht. In het gesprek passeren diverse mogelijkheden de revue. De enige zekerheid blijft onzekerheid. Wat is wel zeker? Guusje ligt op dit moment doodziek op de IC aan de beademing. Ze lijkt in het Emma Kinderziekenhuis in goede handen, maar gaan die handen haar ook genezen?

Na het gesprek komt er een dame langs met een apparaat om een echo te maken van Guusje's linkerlong. Daarnaast verschijnen ook nog de pedagogisch medewerkster en een maatschappelijk werkster aan haar bed. Tegen het einde van de middag krijgt Guusje een nieuwe verpleegkundige die haar verzorgt. Deze verpleegkundige houdt van Harry Potter. Guusje ook. Morgen verschijnt de laatste film op DVD. Er wordt al gesuggereerd dat ik morgen maar even naar de Media Markt moet om deze te kopen. Dat heeft Guusje wel verdiend. Sterker nog, in mijn ogen heeft ze inmiddels recht op de hele collectie, in goud. Ze is een taaie meid en laat het allemaal maar gebeuren.

's Avonds een stapje in de goede richting. Guusje ademt weer zelfstandig. Ze klaagt dat niemand bij haar mag blijven slapen. Sterker nog, ze krijgt praatjes. Fijn om te horen. Kinderen die praatjes krijgen voelen zich beter. Alleen is het moment van ècht beter zijn voor Guusje nog steeds ver weg.

Vrijdag 8 april

Om 7 uur in de ochtend loop ik vanuit het Ronald McDonald Huis naar de IC. Ik vraag me af wat we vandaag weer gaan beleven. Waar gaan we na de IC naar toe? Welke afdeling? Welk ziekenhuis? Gisteravond was er plotseling een arts die suggereerde dat we wellicht terug zouden gaan naar Utrecht of misschien zelfs Tilburg. Dat gehannes met mijn dochter moet maar eens afgelopen zijn, maar hier op de IC kan ze niet blijven. Ik begrijp al snel dat Guusje de komende uren wel op de IC zal blijven, want er wordt medicatie toegediend die niet mag worden gegeven op een normale afdeling.

Vroeg in de ochtend komt een clubje chirurgen binnen. Ze gaan midden op de

IC staan praten. Dan komt er plotseling een zwerm chirurgen naar Guusje's bed. Ze kijken even naar de drain uit haar linkerlong en … weg zijn ze weer. In een flits. Als een bijenkolonie zoemen ze de IC uit.

Ik zit op de gang te bellen, als Yvonne met Guusje's verzoek tot voorlezen komt. Als ik de afdeling binnenloop, eerst handen wassen. Ik was wel gewend om mijn handen te wassen, maar zo vaak op een dag lijkt haast een tikkeltje overdreven. Ik ga naast Guusje's bed zitten en vervolg de 'Grote Kleine Kapitein' op de bladzijde waar we stopten voor de operatie van woensdagmiddag. Ik ben nog maar net begonnen, als een team van immunologen en infectiespecialisten (vraag met niet wat het verschil is) zich meldt bij Guusje's bed. De immunoloog, die we gisteren ook al hebben gesproken, stelt ook nu weer een hele serie vragen. Het woord infectie is sinds vorige week vrijdag al heel vaak gevallen. Ik kan me dus voorstellen dat er nu infectiespecialisten aan Guusje's bed staan, maar het zijn weer andere artsen en dus weer nieuwe gezichten.

Als ik een tijdje aan het voorlezen ben, blijkt dat Guusje een ander bed krijgt. Ze lag op een speciaal bed dat hoort bij de IC. Gaan we naar een andere afdeling? Hopelijk niet naar een ander ziekenhuis. Het laatste hebben we al aan verschillende artsen doorgegeven. Je weet als leek niet wie nou precies aan de touwtjes trekt. Dokter Marianne is kinderoncoloog en zij heeft gezegd dat Guusje misschien toch geen kinderkanker heeft. De enige zekerheid is onzekerheid.

Het is 12 uur als de IC-verpleegkundige van Guusje aan ons doorgeeft dat F8 Noord heeft gebeld. We moeten haar kamertje op die afdeling leegmaken. Er liggen veel spullen. Volgens de verpleegkundige kunnen we van de gelegenheid gebruik maken om te lunchen, want tussen 12 en 2 gebeurt er niets op de IC. Het is rusttijd.

Tijdens het leegmaken van de kamer voeren we een telefoongesprek met juf Bianca van Guusje's school in Kaatsheuvel. Daarna lopen Yvonne en ik volgepakt met zware tassen door de gang. Ik heb geen arm vrij. We spreken een pedagogisch medewerkster en een arts die we tegenkomen. Er wordt ons meegedeeld dat dokter Marianne vandaag nog bij Guusje langs zal komen. Natuurlijk vraag je je meteen af wat deze dame ons komt vertellen, maar we zijn inmiddels gewend het allemaal op ons af te laten komen.

De weg naar het Ronald McDonald Huis is lang, als je met zware tassen sjouwt. Ook al is het Huis gelegen pal naast het AMC. We hebben besloten om alle spullen maar zolang te parkeren in onze kamer. Als we door het Huis lopen gaat mijn telefoon. 'Nee, geen telefoontjes! Daar hebben we geen tijd voor! En geen armen vrij!'

Vervolgens gaat ook Yvonne's telefoon over. We nemen niet op. Als we aankomen in onze kamer, kijk ik even op mijn telefoon. Er heeft iemand gebeld met kengetal 020. Dat is Amsterdam. Nee, dat is waarschijnlijk het Emma Kinderziekenhuis. Ik bel terug en krijg de IC aan de lijn. Er zal een foto gemaakt worden van Guusje's longen. Het is toch rusttijd. Nee dus!

Terwijl Yvonne spullen in onze koelkast gaat leggen, ga ik als een snelwandelaar richting de IC. Deze bevindt zich op de achtste verdieping. Bij de liften aangekomen blijkt dat deze zich allemaal bevinden op de zesde verdieping en hoger. Ik wacht …

en wacht … het duurt echt heel lang. Mensen om me heen beginnen opmerkingen te maken. Dan daalt er een lift naar de vijfde … vierde … derde … tweede …. eerste … begane grond. Ik schiet als eerste de lift in. De lift gaat naar boven en we stoppen bij de tweede verdieping. Er staat een bed voor de deur en dat bekent dat iedereen de lift moet verlaten. Een bed heeft altijd voorrang. Daar sta ik weer op de gang. Wat nu? Mijn overlevingsinstinct komt naar boven. Ik zoek snel de trappen en daar begint mijn klim naar boven. Dan blijkt dat die torens wel erg hoog zijn. De afgelopen jaren had ik best wat harder mogen werken aan mijn conditie. Als ik eindelijk op de IC arriveer, blijkt dat de 'fotografen' al aan Guusje's bed hebben gestaan, maar de verpleegkundige heeft ze eerst langs een ander patiëntje gestuurd. Sta ik eventjes naast Guusje's bed, komt Yvonne binnen. Ze kon meteen in de lift stappen en ging rechtstreeks naar de achtste verdieping.

Guusje heeft het benauwd. Ze heeft moeite met ademhalen. Yvonne en ik krijgen te horen dat onze dochter vandaag toch de hele dag op de IC zal blijven. Het heeft te maken met de medicatie die wordt toegediend. Er wordt een foto gemaakt. Ik kijk even mee op de monitor. De 'fotograaf' ziet dat ik niet vrolijk kijk naar het resultaat. Hij merkt meteen op dat ik geen conclusies mag trekken. Dat mag hij ook niet. Dat moeten artsen doen.

Het is 1 uur. We besluiten dat het tijd is voor de lunch. Guusje wil niet dat we weggaan. Ik haal broodjes en koffie. Yvonne en ik eten buiten de afdeling op de gang. De verpleegkundige weet ons te vinden, als er iets is. We nemen de situatie door. We hebben geen idee meer. We zijn ongerust. Het is misschien geen kinder-kanker. Moeten we nu blij zijn? We zijn nog geen stap verder. Onze zieke dochter ligt op de IC. Wij weten ook wel dat dokter Marianne 'onze lieve heer' niet is. Wij hopen echter wel dat ze 'onze lieve vrouw' voor Guusje gaat worden.

De voorleesmarathon gaat verder. Ik lees weer voor uit de 'Grote Kleine Ka-pitein'. Een dik boek. Ik maak meters deze middag. Dan komt de pedagogisch medewerkster met de kralen voor Guusje's KanjerKetting. Er komen weer heel veel kralen bij voor onze kanjer. Ze heeft het verdiend. Tegelijkertijd melden zich vrienden uit Zaandam met de nieuwste DVD van Harry Potter. Een mooi cadeau voor onze grote fan. Daarnaast hebben onze vrienden eten meegenomen.

Als iedereen weg is, ga ik verder met voorlezen. Plotseling staat dokter Mari-anne aan Guusje's bed. Ze grapt dat ze maar op het geluid van het voorlezen is afgegaan. Ze wil graag met Yvonne en mij spreken. Ik bel Yvonne op dat ze zo snel mogelijk naar de IC moet komen. Yvonne is met onze vrienden uit Zaandam in het Ronald McDonald Huis. Zij zullen onze kleding wassen. Nadat dokter Marianne enkele telefoontjes heeft gepleegd, is Yvonne gearriveerd. We trekken ons terug in de zogenaamde ouderkamer voor het gesprek. Ze heeft voor ons een lastige mededeling. Haar verhaal is complex. Het woord tumor komt er helaas in voor. Daarnaast veel moeilijke medische termen. Er is nog veel onzekerheid. Deze zit meer in de behandeling dan in de oorzaak. We voelen ons machteloos. Er zijn weer veel emoties. Toch voel ik me sterker dan vorige week donderdag. Toen viel het woord tumor voor het eerst.

De hele dag moet Guusje nuchter blijven. Pas na zessen geeft de IC-arts toestemming voor eten en drinken. Het is heel dubbel. Ze moet aansterken, maar er zijn al veel dagen geweest dat ze nuchter moest blijven. Om 7 uur gaan Yvonne en ik naar het Ronald McDonald Huis. De maaltijd van onze vrienden warmt Yvonne op in de magnetron. Wat zijn we blij met het bestaan van dit huis en met zulke goede vrienden. We praten uitgebreid met elkaar over Guusje, maar ook over onze andere kinderen. We zijn blij dat mijn oudste zus met haar man en Yvonne's ouders de dagelijkse zorg voor onze kinderen hebben overgenomen. Het lukte ons altijd alleen. Nu niet.

Na het eten snel terug naar Guusje. Ze geniet van de nieuwe film van Harry Potter. Ondertussen maak ik een praatje op de gang met een andere vader. We delen onze ervaringen. Een gesprek om niet vrolijk van te worden. Het is rond 10 uur als we Guusje een nachtzoen geven. Yvonne en ik worden met zachte hand weggestuurd. Er is nog veel leven in de brouwerij. Het is niet voor niets een IC. We hopen dat Guusje kan slapen.

Zaterdag 9 april

Om 7 uur loop ik door het AMC. Ik zie bij de kapsalon posters over pruiken voor kankerpatiënten. Deze week heb ik vaak het beeld gehad van een kale Guusje. Op F8 Noord lopen veel kale kinderen rond. Gisteren werd verteld dat Guusje waarschijnlijk geen chemotherapie krijgt, omdat haar ziekte zo niet kan worden bestreden. Moet ik blij zijn?

Als ik op de IC arriveer, zit Guusje rechtop in bed te slapen. Haar hoofd scheef. Volgens de verpleegkundige heeft ze goed geslapen, maar moet ze wel door haar houding een vette nekpijn hebben. Ik ga op de gang mijn blog bijwerken en bel Yvonne om te zeggen dat ze rustig aan kan doen. Het is bijna half 9, als Guusje's verpleegkundige de gang oploopt en meldt dat de patiënt wakker is. Hoe zal het met haar zijn?

Ik zie dat Guusje goed heeft geslapen, maar nog altijd een vermoeide indruk maakt. Yvonne stuurt me weg om ontbijt te regelen. Dan blijkt dat de Albert Heijn in het ziekenhuis op zaterdag pas om half 10 open is. Ook alle andere winkels en koffiecorners zijn gesloten. Om 10 uur zitten Yvonne en ik aan het ontbijt. We nemen de situatie door. We komen erachter dat we moeten denken in kleine stapjes. De eerste stap is aansterken en de infectie bestrijden. In de loop van de ochtend spreek ik een kinderoncoloog. Hij maakt me inderdaad duidelijk niet teveel vooruit te denken. Er zullen momenten zijn in het proces dat we pas op de plaats moeten maken. Carte blanche. Alles op een rijtje zetten. Opnieuw het te volgen pad uitstippelen.

Het is een ochtend van voorlezen, maar ook van heimwee. Guusje mist het thuisfront. Ik begin met haar een e-mail te maken voor klasgenoten. Tijdens de lunch zegt Yvonne ook dat ze heel graag naar huis wil, maar dan wel met Guusje. Ik stel voor dat we ontslag nemen en naar huis vertrekken. Was het maar zo makkelijk.

's Middags komen Yvonne's ouders op bezoek samen met Hans en Anton. Ik ontmoet ze in de hal. Anton meldt vrolijk dat hij de afgelopen week niets met pasta heeft gegeten. Hij is degene die een aantal weken geleden een top drie heeft samengesteld van smerig voedsel: lasagna, spaghetti en macaroni. Ik vertel hem dat het komende week Italiaanse week is in de Van Beurdenstraat.

Opa en oma blijven bij Guusje. Yvonne en ik nemen Hans en Anton mee naar het Ronald McDonald Huis. Het zijn jongens. Dus meteen spelen. Het is prettig om de mannen om ons heen te hebben. Alleen hun aanwezigheid al doet ons goed. Ik kijk nu ook uit naar morgen. Dan komen Lisa en Loes.

Op de IC mogen slechts twee personen aan het bed. Hans en Anton zien hun zusje maar kort, maar ik zie duidelijk dat ze onder de indruk zijn. Bij het afscheid zoenen ze hun zus. Dat doen ze anders nooit vrijwillig.

Yvonne en ik komen om half 10 aan in onze kamer in het Ronald McDonald Huis. Het is niet de bedoeling dat ouders blijven slapen op de IC. Yvonne weet niet hoe snel ze in bed moet kruipen. Ik vraag haar wat dit te betekenen heeft. Zo vroeg al naar bed. Yvonne zegt dat de IC-verpleegkundige haar heeft aangespoord om mij vroeg in bed stoppen. Ik heb 's middags liggen snurken in een tuinstoel naast Guusje's bed. Hoe is het mogelijk? Die vijf minuutjes dat ik mijn ogen sloot.

Tien minuten later slaapt Yvonne. Ik vraag me af wie er hier nou eigenlijk snurkt van ons twee. Verveeld zap ik langs enkele zenders op TV. Dan gaat plotseling de telefoon. Een van ons moet naar de IC komen. Ik kleed me snel om. Als ik om half 11 aankom op de IC, ligt Guusje te draaien in haar bed. Ze heeft hoge koorts. Ik neem plaats in een tuinstoel naast het bed. Een vriendelijke verpleegkundige biedt me koffie aan. Zou hij weten dat het een lange nacht gaat worden?

Zondag 10 april

De uren tikken voorbij. Ik denk na. Probeer positief te blijven. Ik zie veel op de IC. Een vader die ijsbeert rond het bed van zijn dochter. Een kind dat meervoudig gehandicapt is en aan de beademing ligt. De IC is een behoorlijk bedreigende omgeving voor kinderen. Het is er donker en er zijn veel apparaten met piepgeluiden.

Om 3 uur krijg ik een deken. Van twee tuinstoelen maak ik een bed. Ik probeer te slapen. Ook Guusje wordt rustiger. We slapen tot 7 uur. Dan verschijnt Yvonne. Ik loop slaapdronken naar het Ronald McDonald Huis en slaap tot half 10. Mijn telefoon ben ik vergeten aan te zetten. Gelukkig maar, want rond 8 uur is er gebeld. Het is mijn broer. Tijdens het ontbijt voer ik met hem een kort gesprek.

In de loop van de ochtend wordt de drain bij Guusje verwijderd en arriveren Lisa en Loes samen met mijn oudste zus en haar man. Guusje voelt zich nog steeds heel beroerd. Daarom zien Lisa en Loes hun zusje maar kort. Het is heel prettig de meiden bij ons te hebben. Loes speelt lekker in de speeltuin bij het Ronald McDonald Huis. Lisa vertelt wie er thuis profiteren van onze afwezigheid. Het zonnetje schijnt. Eigenlijk een mooie dag.

Voor het eerst sinds onze aankomst in Amsterdam verloopt de dag verder rustig.

Guusje verhuist van de IC naar een gewone verpleegafdeling. Het is H8 Noord. Hier liggen de kinderen van 1 tot en met 10 jaar. Guusje ligt alleen op een tweepersoonskamer. We richten het kamertje in. We behangen de muren met kaarten. Meer dan honderd. In de avonduren ontmoeten we verpleegkundige Marij. Ze zorgt voor Guusje. Er is een klik tussen Marij en onze dochter.

We hebben inmiddels drie torens gehad in het Emma Kinderziekenhuis. Eerst de achtste verdieping van de F-toren (Kinderoncologie). Daarna de achtste verdieping van de G-toren (IC). Nu een kamer op de achtste verdieping van de H-toren (Grote Kinderen). Als je bij de deuren komt van deze afdeling, zie je een opschrift hangen: deuren gesloten houden in verband met 'weglopende' kinderen. Alsof Guusje weg zou kunnen lopen met al die infuuspompen en registratieapparatuur.

Hoop

11 april – 5 mei

● ●

Maandag 11 april

Het is 7 uur in de ochtend. Mijn bed heb ik ingeklapt. Ik zit in een tuinstoel bij Guusje's bed. Ze slaapt. De verpleegkundige heeft haar nachtdienst er bijna opzitten. Ze loopt binnen. Volgens haar had Guusje een matig nachtje. Ik weet niet beter de laatste dagen. Ik voel me brak. Ik verlang naar lekkere koffie. Niet die slappe bak van het ziekenhuis.

H8 Noord. Een nieuwe afdeling. Er passeren vandaag weer veel nieuwe gezichten. Negen verpleegkundigen, een masseur, een fysiotherapeut, een pedagogisch medewerkster en een arts. Allemaal mensen die bij deze afdeling horen. Allemaal nieuw voor ons. Met iedereen voeren we een gesprek. Soms lang, soms kort. Daarnaast spreken we vandaag weer enkele oude bekenden waaronder dokter Marianne en een microbioloog. Een maatschappelijk medewerker staat zelfs twee keer klaar om met ons een gesprek te beginnen, maar kan er gewoonweg niet tussenkomen.

Ik zeg: 'Welkom op de kermis van het Emma Kinderziekenhuis.'
Yvonne zegt: 'Ik had geen kaartjes voor het spookhuis besteld.'

Tijdens het avondeten maak ik tegen Yvonne de opmerking dat we qua uiterlijk snel zullen verouderen door deze ervaring in het ziekenhuis. Waarschijnlijk ogen we beiden dodelijk vermoeid. Yvonne zegt dat ze niet voor zichzelf kan spreken, maar als ze naar mij kijkt, mijn opmerking wel kan bevestigen. Dankjewel schat.

We hopen natuurlijk dat Guusje eindelijk wat gaat opknappen. Aansterken en vrij zal zijn van infectie. Ik heb voor Guusje een e-mailadres aangemaakt. Vanavond heeft ze haar eerste e-mails verstuurd. Naar juf Bianca van school en haar zus Lisa. Tussen alle kaarten hangt een foto van ons gezin. Ik heb er alle namen bij geschreven. Zo krijgt iedereen die aan Guusje's bed verschijnt een beter beeld van ons gezin en vooral natuurlijk van dat blonde meisje dat zo graag beter wil worden.

Het is half 10 als ik de laatste bladzijden voorlees uit de 'Grote Kleine Kapitein'. Bijna vierhonderd bladzijden dik. En nu slapen Guusje. Graag de hele nacht. Slaap lekker. Welterusten. Tot morgen. Doei dag.

Als ik 's avonds mijn mailbox open, zie ik een brief voor ouders die morgen mee-gegeven wordt op Guusje's school. Niet alleen in haar groep. Ook in de groep van Anton. Onze zoon wordt voor en na school lastig gevallen door ouders met belang-stellende vragen over zijn zusje. In de brief wordt gevraagd dit soort vragen over Guusje niet meer bij Anton neer te leggen. Goede actie van de school.

Dinsdag 12 april

Vaak krijg ik de vraag of ik al iets weet. Helaas weet ik nog niets. De ontknoping in deze slechte ziekenhuisserie lijkt nog ver weg. Vandaag aflevering twaalf van ons kleine blonde meisje in het Emma Kinderziekenhuis.

Gisteravond hoopte ik dat Guusje een rustige nacht zou krijgen. Helaas sliep ze pas om half 2. Om half 5 was ze weer wakker. Guusje had veel pijn. Soms moest ze overgeven. Conclusie: weer een matige nacht. Ook voor mij.

Vele nachten slecht slapen leidt tot lage irritatiegrenzen. Ik erger mij aan opmer-kingen van verpleegkundigen. Stoor mij aan het ontbreken van een goed dagpro-gramma voor Guusje. Snap het nut niet van fysiotherapie. Heb geen begrip voor gehannes met sondevoeding. Wil medicijnen die wèl de pijn bestrijden. Wil verpleeg-kundigen die kunnen luisteren in plaats van praten. Heb genoeg van al dat gepraat en gepraat en gepraat. Ik erger me kapot. Ook aan Yvonne. Zij komt te laat binnen deze ochtend. Ik ben niet van plan mijn mening onder stoelen of banken te steken. Er dreigt ontploffingsgevaar.

Yvonne kent me. Ze legt met weinig woorden uit wat mijn probleem is: slaapte-kort. Het ontploffingsgevaar vermindert, maar er hangt wel spanning in de lucht. Ik uit mijn gevoelens.

Yvonne stuurt me naar het Ronald McDonald Huis. Ze wil dat ik ga slapen. Als ik aankom bij het huis, ben ik de kamersleutel vergeten. De deur wordt toch voor me opengemaakt. Voor de zoveelste keer. Inclusief de opmerking dat dit niet de bedoe-ling is. Ik ga niet slapen. Ik neem een hele lange douche.

Er verandert het een en ander voor Guusje. Weinig onderzoeken vandaag. Wel een dagprogramma: rondleiding, schilderen en school. Het laatste is anders dan thuis. Er is een klaslokaal vlakbij H8 Noord. Guusje krijgt een uur een-op-een les van een lieve onderwijzeres. Soms zijn er twee of drie kinderen. Meestal alleen Guusje. Het is goed om onze dochter bezig te zien met activiteiten. Misschien schrijft ze straks niet meer aan klasgenoten: het is hier saai.

Ook deze dag passeren weer veel mensen haar bed. Nieuw is een pompje waar-mee ze zelf de dosering van pijnmedicatie kan regelen.

In Guusje's klas in Kaatsheuvel is vandaag een brief uitgedeeld met daarin Guus-je's e-mailadres. Ze heeft aan het begin van de avond meer dan tien nieuwe mailtjes bij het openen van haar inbox. Ik zie dat ze geniet bij het lezen en beantwoorden van mailtjes.

Om 10 uur vertrek ik naar het Ronald McDonald Huis. Guusje slaapt. Onderweg maak ik een babbeltje met een verpleegkundige van F8 Noord. Zij wil weten hoe het met Guusje gaat. Als ik dan eindelijk bij het Ronald McDonald Huis arriveer, ben ik de sleutel vergeten. Er volgt toch nog een ontploffing. Aan het einde van de dag.

Woensdag 13 april

Als artsen of verpleegkundigen horen dat we uit Kaatsheuvel komen, dan gaat het gesprek al snel over de Efteling. De achtbaan Joris & De Draak is een van Guusje's favoriete attracties. Onze situatie wordt door veel mensen vergeleken met een roller-coaster. Voor ons gaat deze vergelijking niet op. Guusje en ik zijn gek op achtbanen. Echte thrillseekers.

Guusje heeft vandaag een leuk programma. 's Ochtends speelkamer en school. Ze voelt zich goed. 's Middags een quiz van Emma TV. Toch weer pijn. Daarna het avondeten. We willen dat Guusje zoveel mogelijk calorieën binnenkrijgt. Ze klaagt over het eten. Elke avond. Ik neem een hapje en bevestig haar oordeel. Dit is ècht slecht. Als je wil afvallen, dan is het Emma Kinderziekenhuis avondeten een aanra-der. Dan nog een tegenvaller voor haar. Ze zal nog vaak worden geprikt voor bloed-afname. Weer een kraal erbij aan haar KanjerKetting.

Dokter Marianne bespreekt met Yvonne en mij de stand van zaken. De eerste stappen zijn: pijn onderdrukken, infectie bestrijden en aansterken. Het traject daarna hangt van onzekerheden aan elkaar. De woordcombinatie 'zou kunnen' voert de boventoon.

's Middags krijgen we bezoek van Yvonne's broer met zijn vrouw. Ze brengen veel cadeaus en kaarten. Helaas heeft Guusje veel pijn. Ik blijf alleen met onze doch-ter op haar kamer. Ik lees voor. Boek nummer zeven: 'Matilda'. Het verhaal van een intelligent en krachtig meisje.

's Avonds voelt Guusje zich weer beter. We lezen de nieuwe kaarten. Meer dan dertig. Twee leuke boeken waaronder 'Raveleijn', gesigneerd door Paul van Loon. Guusje straalt.

Ik bel met Hans en Lisa. Ze hebben op school hun rapport gehad. Ze zijn rasver-kopers en prijzen zelf hun eigen prestaties. Lisa probeert het door een samenvatting te geven van haar rapport. Nee meisje. Lees alle vakken en cijfers maar gewoon een voor een voor. Als ze een onvoldoende noemt, valt de verbinding weg. Ik bel terug. Lisa vraagt waarom de verbinding wegvalt. Ik zeg dat ze bij Vodafone ook zijn geschrokken van haar resultaten. Hans noemt eerst de onvoldoendes voor talen. Daarna hele hoge cijfers voor exacte vakken. Hij leidt het gesprek. Hij begint met een vier voor Frans en Duits. Slim door Hans bedacht, maar ik trap er niet in. Dat zijn twee verschillende vakken. Dus twee onvoldoendes. Twee vieren zelfs. Als ik hierover begin, praat Hans gewoon door.

Vanavond zouden Yvonne en ik samen met de kinderen naar een optreden van Ronald Goedemondt gaan. Vrienden nemen nu de plaatsen in van Yvonne en mij. Ik zeg tegen Hans en Lisa dat ze niet te veel mogen lachen, want dat doen wij in het AMC ook niet.

Genieten als er cavia's zijn

Donderdag 14 april

Wielrenner Lance Armstrong overleefde zijn strijd tegen kanker. Van hem is onderstaande uitspraak.

Anything is possible.
You can be told that you have a 90% chance
or a 50% chance
or a 1% chance,
but you have to believe,
and you have to fight.

Vandaag komt Janneke terug van uitwisseling in de VS. Ze landt om kwart over 7 in de ochtend op Schiphol. Ik verheug me op mooie verhalen. We drinken samen koffie. Bij Starbucks natuurlijk. Volgens Janneke zijn de Nederlandse prijzen hoger dan de Amerikaanse. Als we om 9 uur in het Emma Kinderziekenhuis arriveren, blijkt dat Guusje's infuuspomp de halve nacht van slag is geweest. De zoveelste matige nacht voor het kleine blonde meisje.

's Ochtends gaat Guusje naar school. Yvonne en ik drinken koffie met Janneke die dolenthousiast vertelt over haar belevenissen in de VS. 's Middags zijn er konijnen, cavia's en geiten op de afdeling. Leuke afleiding voor zieke kinderen.

Aan het einde van de middag komt mijn collega Dennis. Hij brengt namens mijn collega's van Avans Hogeschool het boek 'De Rode Prinses' van Paul Biegel. Dat wordt nog meer voorlezen. Dennis zorgt ervoor dat Janneke veilig thuis komt. Morgen weer gewoon school, ook voor haar.

Als ik Dennis en Janneke heb uitgezwaaid, slaapt Guusje. Dat is prettig. Ze wordt wakker. We spelen een kaartspelletje en ik lees voor uit 'Matilda'. Guusje eet ook nog een tosti tussendoor. Ze houdt van een hartige hap.

Het is half 10 en ik geef Guusje een nachtzoen. Nieuw t-shirt aan en een kettinkje om. Cadeaus van Janneke. Op het hangertje staat: anything is possible. Ik geloof in ons kleine blonde meisje.

Vrijdag 15 april

Het is tegen het einde van de ochtend. Guusje's vriendinnen Nikki en Ina zijn gearriveerd. Nikki's papa is hun begeleider. Ze komen de kamer binnen. Ik zie dat ze schrikken van onze zieke dochter. Ze hebben een heel groot mooi knutselwerk bij zich. Gemaakt door Guusje's klas. Nikki heeft samen met haar mama een heerlijke appeltaart gebakken. Het bezoek wordt een klein feestje.

Guusje heeft dagen uitgekeken naar dit bezoek. Ze heeft er zelf om gevraagd. Het liefst had ze al haar vriendinnen uitgenodigd. Eindelijk geen volwassenen met alleen maar grote mensenpraat.

Eerst appeltaart. Daarna filmpje kijken. Alleen op Guusje's kamer. Zonder volwassenen. Daarna naar de speelzaal. Ik zie Guusje opleven. Bezoek van vriendinnen is een prima medicijn. Toch blijkt ook nu weer dat bezoek niet te lang mag blijven. De pijn komt terug. Dat is jammer. Net voor het moment van afscheid.

In de loop van de dag lees ik voor uit 'Matilda'. Het is tegen etenstijd, als het boek uit is. Guusje vraagt of ik wil beginnen in 'Raveleijn'. Het nieuwe boek van Paul van Loon. Ik heb geen zin meer in voorlezen. Het wordt een ware onderhandeling. Ze slaagt erin me te laten beloven dat ik vanavond het eerste hoofdstuk voorlees. Maar alleen het eerste hoofdstuk. Tegen het slapengaan begin ik in Raveleijn. Het blijft niet bij het eerste hoofdstuk. Kinderen, je geeft ze een vinger.

Zaterdag 16 april

Gisteravond ging Guusje rustig slapen. Helaas werd het een onrustige nacht. Vaak kwam de pijn terug. Ik vind het frustrerend dat het niet lukt om de pijn te onderdrukken. 's Ochtends voel ik me brak. Te vaak wakker.

We praten gezellig na over het bezoek van vrijdag. Dit is het bezoek waar Guusje op zit te wachten: vriendinnen. Vandaag komt er ook leuk bezoek. Haar twee broers en jongste zus. Ze worden in de ochtend gebracht en in de avond weer opgehaald.

Het is heerlijk voor Yvonne en mij om onze kinderen om ons heen te hebben. Knuffelen met Loes. Kaartje leggen met Anton. Lachen om de praatjes van Hans. Hans zou graag in camouflagekleding over straat gaan. Hans wordt in Kaatsheuvel belaagd met de vraag: hoe is het met Guusje? Goed bedoeld. Onmogelijk te beant-woorden.

In de loop van de dag familie en vrienden. Er komen weer cadeaus, kaarten en voedsel. Morgen eten we verse worst, aardappelen en witte bonen in tomatensaus. Besteld door Guusje. Meegebracht voor haar.

's Ochtends zetten Yvonne en ik Guusje in een rolstoel. We rijden onze dochter rond door het AMC. Zo ziet Guusje meer dan alleen haar kamertje. Yvonne merkt op dat ze nog niet naar buiten mag. Hierop zegt Guusje: 'Ik ben toch buiten.'

Op een dag gaat Guusje echt naar buiten. Onbezorgd rondspringend. Dat is mijn wens.

Zondag 17 april

Het is bijna 8 uur in de ochtend. Yvonne zoent me in mijn nek. Goedemorgen. Ik word wakker. Guusje slaapt. Ze is slechts twee keer wakker geweest. Ik herinner me lichte paniek midden in de nacht. Het knutselwerk van haar klas was plotseling verdwenen. Te zwaar voor plakband. 's Ochtends maken we het vast aan de muur met punaises. Schijnt niet te mogen, maar onze verpleegkundige komt zelf met een gereedschapskist aansjouwen.

We ontbijten samen met Guusje. Als wij vandaag eens niks doen. Dat zingt Guus Meeuwis op de radio. Een heerlijke gedachte. Ik ben momenteel nergens in geïnteresseerd. Afgelopen week zette ik al na vijf minuten de TV uit. Ik koop geen kranten. Weet dat ik ze toch niet lees. Gisteravond surfte ik op internet. Heel kort. Rusteloos. Niks doen is ineens een aantrekkelijke gedachte. Als iemand tegen mij zou zeggen dat ik vandaag alleen uit het raam mocht staren, zou ik ermee instemmen. Beetje staren naar de skyline van Amsterdam. In de verte de Arena. Vliegtuigen die dalen en opstijgen. Treinen en metro's die stoppen bij station Holendrecht. Het wordt zonnig. Het wordt een mooie dag. Alsof er niets is gebeurd.

Guusje wordt gewogen. Ik heb het idee dat ze niet echt zwaarder wordt. Ze was altijd meer model Spillebeen dan Holle Bolle Gijs. Het is belangrijk dat Guusje aan-sterkt. Op medisch gebied is het rustig, wat onderzoeken betreft. Dokter Marianne heeft ons verzekerd dat er veel gebeurt op de achtergrond. Zij gebruikt telkens weer die twee woorden: zou kunnen.

De hele ochtend hangt er een donkere wolk in de kamer. De verpleegkundige kondigt al heel vroeg aan dat de naald in Guusje's portacath vandaag moet worden vervangen. Dit gebeurt wekelijks. De hele ochtend ziet Guusje er tegenop. Pas om kwart over 1 verschijnt de arts. Voor de zoveelste keer komt er niets terecht van haar rustuurtje. Daar baal ik behoorlijk van. Rust is belangrijk voor Guusje.

Om 2 uur arriveert Yvonne's broer. Samen met zijn vrouw en vier kinderen. Ca-deaus en pizza. We gaan naar beneden een ijsje eten. Guusje's kamer is op de ach-ste verdieping. We rijden onze dochter rond in een rolstoel. De kinderen bewonderen haar kleurige KanjerKetting. Om half 4 ga ik met Guusje weer naar boven. Ze geeft aan dat ze graag terug wil naar haar kamer. Ze is moe en heeft pijn. Ze controleert of haar ketting wel aan de infuuspaal hangt.

De KanjerKetting is heel belangrijk voor Guusje. Voor elke behandeling krijgt ze een kraal. Ze heeft al kralen voor prikken, scans, echo, röntgen, beenmergpunctie, narcose, radioactieve behandeling, opname IC, etc. Meer dan vijfenzestig kralen hangen aan haar ketting. Hoeveel zullen het er worden?

's Avonds eten we witte bonen in tomatensaus met worst. Guusje vindt dit erg lekker. Heel fijn dat mensen eten meenemen. We eten samen met haar. Dat vinden we belangrijk. Waarom eten in sommige ziekenhuizen kinderen apart van de ouders? Ik snap het niet.

Na het avondeten wil Guusje naar beneden. Mama heeft een cadeautje beloofd. Beneden drinken Yvonne en ik cappuccino. Guusje Dubbelfris. Als we teruglopen hangt er aan haar rolstoel een hele grote ballon. Twee dolfijnen in een hartje.

Maandag 18 april

Ik slaap net rustig. Guusje roept me wakker. De sondevoeding is niet goed aangesloten. Het bed zit onder. De verpleegkundige verschoont het bed. Ik trek Guusje een schone pyjama aan. De rest van de nacht piept de monitor vaak. Weer een onrustige nacht.

Om 10 uur gaat Guusje naar school. Yvonne en ik zitten nog even te praten in Guusje's kamer. Dokter Marianne komt onaangekondigd binnen. Dat zijn we inmiddels gewend. Bijna dagelijks komt ze even naar Guusje kijken. Ze bespreekt met ons de situatie. We zijn meer dan twee weken in het Emma Kinderziekenhuis. Er zijn al verschillende diagnoses gesteld. Steeds aangepast op basis van nieuwe inzichten. Al meer dan een week gaat dokter Marianne echter uit van dezelfde diagnose. Hoogstwaarschijnlijk is er sprake van een vasculaire tumor. Het heeft dus te maken met bloedvaten. Gezien Guusje's leeftijd een zeldzame tumor. Er is geen standaardbehandelplan. Een chirurgische ingreep wordt overwogen, maar zal niet voldoende zijn. Daarom wordt ook medicatie toegediend. Voor nu geldt: infectie verminderen, aansterken en pijn bestrijden. De infectie lijkt minder te worden. Een stap in de goede richting. Morgen staat een röntgenfoto op het programma. Onzekerheid zal er de komende tijd blijven. Dat weet ik zeker. Wat ik ook zeker weet: ik geloof in Guusje. De afgelopen weken heeft ze laten zien dat ze 'een harde' is. Ze kan veel pijn verdragen.

Ook vandaag toont Guusje haar wilskracht. 's Morgens gaat ze naar school. Daarna gaan we naar buiten. Het mag van de arts. Wel onder begeleiding van verpleegkundige Margje. Zij heeft in korte tijd een goede band met Guusje opgebouwd. Guusje wil het Ronald McDonald Huis zien. Dat is te ver volgens Margje. Guusje houdt vol. We zien het Ronald McDonald Huis.

's Middags oefeningen met een fysiotherapeut. Daarna werkt Guusje mee aan een programma van Emma TV. Ze oogt moe. Toch wil ze naar beneden. Weg van haar kamer. We gaan naar beneden. Eten een ijsje. Kortom, ze gaat ervoor.

Dinsdag 19 april

De afgelopen nacht was helaas weer matig. Een aantal nachten achter elkaar heb ik bij Guusje geslapen. Dit eist zijn tol. Komende nacht slaap ik maar weer eens in het Ronald McDonald Huis.

Opgenomen zijn in het Emma Kinderziekenhuis betekent elke dag afhankelijkheid en onvoorspelbaarheid. Wie zijn vandaag onze verpleegkundigen? Wie zullen er vandaag aan Guusje's bed komen? En wanneer? Dat is elke ochtend weer de vraag van vandaag. In de loop van de ochtend passeren diverse mensen Guusje's bed. Onaangekondigd.

Ook bij een eenvoudige röntgenfoto is weinig zeker. We gaan vandaag een foto maken. Dat is zeker, maar dat is dan ook het enige. Wanneer wordt de foto gemaakt? Wanneer krijgen we de uitslag? Het is afwachten. Als je ongeduldig bent, dan ben je in het AMC aan het verkeerde adres. Wachten leer je hier. 's Ochtends vroeg is er geen tijdstip bekend. Later in de ochtend hoor je dat het waarschijnlijk 11 uur wordt. Dan is het 11 uur en gebeurt er niets. Je zit te wachten. Loopt er iemand binnen met de mededeling dat het 2 uur 's middags wordt. Dan is het 2 uur en dan wordt de foto gemaakt. Dan heb je geluk. Het had gerust half 5 kunnen worden. Hier lijkt alles mogelijk. Dat leer je in twee weken AMC.

's Avonds komt plotseling dokter Marianne binnenstappen. Ik gebruik het woord plotseling, hoewel ze bijna dagelijks langskomt. Toch voelt het elke dag weer als een verrassing. We weten nooit wanneer ze binnenkomt. Haar bezoek wordt nooit aangekondigd. Elk moment is mogelijk. Zij is een bijzondere dame. Een zorgzame arts. Een fijn mens. Zij zet de lijnen uit. Zij informeert ons. Hoe ingewikkeld en zeldzaam

Guusje kan veel pijn verdragen

ook de ziekte van onze dochter mag zijn, dokter Marianne weet ons haarfijn uit te leggen welke stappen worden gezet en waarom. Zij zegt ook wat ze niet weet. Ze neemt ons mee. Stap voor stap. Ook vandaag neemt zij rustig door wat ze weet en wat er de komende dagen gaat gebeuren. Zij maakt zich zorgen over Guusje. Zij is lief voor onze dochter. Zij is begripvol richting ons. Zij heeft ons vertrouwen.

Woensdag 20 april

Het is warm in Nederland. Meer dan twintig graden. Drie weken geleden droeg ik een trui. Nu is een polo voldoende. Met Guusje gaat het steeds beter met het opbouwen van haar conditie. Achteraf lijkt het bezoek van haar vriendinnen een kantelpunt. Ze ging plotseling vanuit haar rolstoel staan tijdens een potje tafelvoetbal. Nu, vijf dagen later, gaat Guusje alleen nog in bed liggen als ze moe is. Er staat een heerlijke tuinstoel voor haar klaar om in te zitten. Het zou nog mooier zijn, als die stoel buiten stond. Heerlijk in het zonnetje. Helaas. Je kunt niet alles hebben. Tel je zegeningen.

's Ochtends gaat Guusje naar school. Daarna wil ze naar de speelzaal. Voor het eerst lunchen we aan tafel. Plotseling staat ze op en loopt zelf met haar infuuspaal naar het toilet. Voor de eerste keer zelfstandig. Zonder begeleiding.

's Middags komen vrienden uit Kaatsheuvel op bezoek. Ze hebben hun dochter meegebracht. Fijn voor Guusje. Samen spelen ze ballontennis bij de fysiotherapie. Daarna treden ze samen op in een programma van Emma TV. Yvonne en ik aanschouwen het tevreden. 's Avonds trekt Guusje haar gympies aan. Voor het eerst geen rolstoel. We gaan naar beneden. Daar eten we een ijsje. Ze loopt heen en terug. Weer een stapje verder.

Twee weken geleden werd Guusje geopereerd. Dat was een hele turbulente dag. 's Ochtends wisten we toen nog niet dat onze dochter die dag zou worden geopereerd. Yvonne en ik waren blij dat een jonge arts aanbood om bij onze dochter te blijven in de operatiekamer. Ik noemde haar toen Onze Engel. Vandaag staat ze weer aan Guusje's bed. Om afscheid te nemen. Ze wil Guusje nog één keer zien voordat ze vertrekt naar een ander ziekenhuis. Ze heeft voor Guusje een cadeautje meegenomen. Een betrokken arts met een hart van goud.

Gisteravond las ik 'Raveleijn' uit. Drie broers en twee zussen komen via een geheimzinnige poort in de Middeleeuwen. Later in het verhaal keren ze terug in onze tijd. Een van de hoofdpersonen heeft het over een parallelle werkelijkheid.

Rationeel gezien weet ik dat wat hier gebeurt de realiteit is. Gevoelsmatig ligt het anders. Het AMC lijkt een parallelle werkelijkheid. Alsof ik op 1 april bij het binnenkomen op F8 Noord, de afdeling Kinderoncologie, door een poort ben gestapt en zo terecht ben gekomen in een andere wereld. Een vreemde wereld met mensen en verhalen die ik voorheen niet kende. Graag wil ik terug naar die andere wereld. Naar onze andere kinderen, onze hond, onze familie, onze straat en al die mensen die ons het beste wensen. Dat is onze echte wereld. Daar horen wij thuis. Waar is de poort terug?

Donderdag 21 april

Vandaag mag ik uitslapen. Als het mag, dan lukt het niet. Ik word om half 7 wakker. Kijk op de wekker. Ik moet en zal uitslapen. Hoe compenseer ik het enorme slaaptekort van de afgelopen weken? Het lukt niet. Of toch wel? Nog even slapen. Het moet. Om 7 uur word ik weer wakker en val ik niet meer in slaap. Met open ogen slaap ik verder. Om half 9 sta ik op. In de tuin van het Ronald McDonald Huis is het al heel warm. Met een kop koffie geniet ik van het ochtendzonnetje. Hier zit ik dan helemaal alleen op een doodgewone doordeweekse dag. Onwerkelijk.

Om 10 uur arriveert Yvonne. Guusje is naar school. Afgelopen nacht heeft Yvonne bij onze dochter geslapen. Een zeer onrustige nacht op H8 Noord. Guusje's monitor stond een groot deel van de nacht te piepen. Het leek wel of deze op hol was geslagen. Na lang piepen werd de monitor uiteindelijk vervangen. Dan was er ook nog een baby die huilde. De hele nacht. Elke kamer is voorzien van een intercom, zodat de verpleegkundigen goed kunnen horen wat er in elke kamer gebeurt. Het geluid van de huilende baby werd door de intercom versterkt. Yvonne verzekert me dat ik vanavond bij Guusje zal slapen. Ik hoop dat die baby vandaag wordt ontslagen.

Yvonne is pissig. De pedagogisch medewerkster heeft haar gevraagd waarom wij zo nodig met twee personen continu bij Guusje aanwezig zijn. Wij hebben toch ook nog vijf kinderen thuis? Waar bemoeit ze zich mee? Onze kinderen worden thuis uitstekend opgevangen. Doordeweeks door de ouders van Yvonne en in het weekend door mijn oudste zus en haar man. Dat is geen eenvoudige opgave. Dat weten wij ook wel. We hebben ervaring met het runnen van een groot gezin.

Gezien de onzekere situatie rondom Guusje's ziekte willen we beiden vierentwintig uur per dag bij haar zijn. We zijn hier voor haar en voor elkaar. De afgelopen tijd zijn er steeds konijnen uit de hoge hoed gekomen. Elke dag is onvoorspelbaar. Yvonne en ik hebben nog steeds het gevoel dat we ronddobberen in een klein bootje. We hebben slechts één roeispaan. We worden alle kanten opgeblazen. Het kompas hebben de artsen nu gevonden. Zal het mogelijk zijn om hiermee de juiste richting te vinden? We weten het niet zeker. We hopen het vurig.

Zullen er vandaag nog onderzoeken plaatsvinden? Zal dokter Marianne met nieuwe inzichten langskomen? Het zijn vragen die Yvonne en mij bezighouden, als we in de ochtend samen koffie drinken. Als Guusje terug is van school, krijgen we bezoek van een psycholoog. Zij spreekt met Yvonne en mij over Guusje. Jammer dat we ook deze afspraak niet vooraf goed hebben kunnen plannen, want halverwege het gesprek arriveren Jan en Wil. Liever praten we met hen dan met een psycholoog. Jan en Wil zijn lotgenoten. Ze zitten al heel lang in hetzelfde schuitje als Yvonne en ik. Jan heeft levercelkanker. Ze hebben lekkere broodjes meegebracht. Ik geniet enorm van Jan's humor. Later arriveren Yvonne's ouders. Zij brengen weer veel kaarten en cadeaus mee uit Kaatsheuvel. Als ik al die gekregen boeken moet voorlezen aan Guusje, dan zitten we rond de zomervakantie nog in het Emma Kinderziekenhuis. Geen aantrekkelijke gedachte.

We constateren dat Guusje zich steeds beter voelt. De opgaande lijn van de afgelopen dagen zet zich voort. Ze ligt nauwelijks meer in bed. We zijn gewend dat Guusje rond 4 uur een inzinking krijgt, maar vandaag blijft zelfs een klein dipje uit. Ze verlangt naar iets lekkers. Ze wil op stap. We mogen nog niet met Guusje naar buiten. Het is vijfentwintig graden. We besluiten om illegaal, net buiten het ziekenhuis, op een bankje te genieten van de middagzon. Ik voel me gelukkig bij elk stapje vooruit.

Na het avondeten heeft Guusje zin in een ijsje. Aangezien geldt dat elk pondje door het mondje gaat en Guusje zoveel mogelijk moet aansterken, gaan we meteen op haar verzoek in. Even later zit Guusje aan een grote beker ijs. Ik bedenk dat we vandaag dokter Marianne niet hebben gezien. Zou ze misschien wel bij Guusje's kamer zijn geweest? We zijn vanaf half 4, afgezien van het avondeten, alleen maar op stap geweest. Zou ze nog nieuws in petto hebben?

Terwijl ik zit te peinzen, zie ik dokter Marianne plotseling lopen. Het lijkt erop dat ze naar huis gaat. Ze neemt echter een stoel en komt rustig bij ons aan het tafeltje zitten. Ze vindt het prettig dat Guusje een grote beker ijs eet. Als ik vertel dat we illegaal op een bankje buiten het ziekenhuis in de zon hebben gezeten, glimlacht ze bemoedigend. Ze verzekert ons dat er op de achtergrond druk wordt gewerkt aan het 'project Guusje'. Opereren is nog steeds niet zeker. Daarover wordt nagedacht. De komende vier dagen kunnen we rekenen op rust. Er zal niets gebeuren. Deze opmerking geeft aan waar we nu zo naar verlangen: rust.

Rust! Hoe durf ik het te beweren? Onze andere vijf kinderen komen logeren. Dat geeft allesbehalve rust. Het geeft inderdaad geen rust, maar het geeft wel waar Yvonne en ik zo ontzettend naar verlangen: ons eigen gezinnetje om ons heen. Een heerlijke gedachte. Pasen met Janneke, Lisa, Hans, Anton, Guusje en Loes. Laat die rust maar zitten.

Vrijdag 22 april

Zo goed als het gisteren met Guusje ging, zo slecht gaat het vandaag. In de nacht van donderdag op vrijdag word ik rond 3 uur wakker. Guusje ligt in bed. Klaarwakker. Ze heeft weer veel pijn. Zo erg dat ik inga op haar verzoek tot voorlezen. Midden in de nacht lees ik een hoofdstuk voor uit 'De Rode Prinses'. Een leuk verhaal, maar niet voor midden in de nacht.

's Ochtends ligt er een ziek vogeltje in bed. Verpleegkundige Marij vindt dat het nu maar eens afgelopen moet zijn met pijn lijden in de nacht. Dat vind ik al heel lang. Ze heeft het Pijnteam gebeld. Medewerkers van dit team zullen vandaag langskomen. Dat zal ook het enige medische bezoek zijn vandaag. Het is Goede Vrijdag. Dat betekent zondagsdienst in het hele AMC. Dus ook in het Emma Kinderziekenhuis. Ik neem een douche in het Ronald McDonald Huis. Als ik terugloop naar Guusje's kamer, zie ik dat het parkeerterrein leeg is. Zelfs de lift gaat vandaag rechtstreeks van de begane grond naar de achtste verdieping. Heerlijk een rustige dag. Toch een ontevreden gevoel. Gisteren ging het zo goed. Vandaag zo slecht. Waarom toch die pijn?

Aan het einde van de ochtend komen onze vrienden uit Zaandam. Zij zullen bij Guusje blijven, als Yvonne en ik inkopen gaan doen voor komend weekend. De eerste keer dat we samen buiten het terrein van het AMC komen. De eerste keer in drie weken. Yvonne en ik regelen bij het Ronald McDonald Huis slaapplaatsen voor alle kinderen. We krijgen een extra kamer.

We nemen de metro naar de Arena. Daar is een winkelcentrum. Het is vijfentwintig graden. Yvonne en ik zijn veel te warm gekleed. We zijn moe. Als ik in de speelgoedwinkel sta, word ik duizelig van alle kleuren. Snel naar buiten. Ik voel me onrustig en kan niet genieten van een terrasje.

We weten dat Guusje in hele goede handen is bij onze vrienden. We kunnen niet beter wensen. Toch hebben we het gevoel zo snel mogelijk terug te willen naar het ziekenhuis. We weten dat onze dochter pijn heeft. Dat doet ons zeer.

Als we om 3 uur terugkeren in het ziekenhuis, wordt Guusje door onze vrienden rondgereden in een rolstoel. Het ziet eruit alsof we enkele dagen terug zijn gegaan in de tijd. Weer die pijn. Weer dat witte koppie. Weer die rolstoel. Het Pijnteam is bij Guusje geweest. Ze krijgt nu andere medicatie voor de nacht. Weer een pilletje erbij.

Zaterdag 23 april

Het is 7 uur. Ik word wakker in het Ronald McDonald Huis. Het liefst zou ik meteen Yvonne bellen om te vragen of Guusje een goede nacht heeft gehad. Ik durf niet te bellen of te sms'en. Laat de dames maar slapen, als ze slapen. Als ik om half 9 naar het ziekenhuis loop, ontvang ik de volgende sms:

Neem koffie mee. Wij sliepen pas om 5 uur. De dokter is langs geweest. xxxx

Lukt het dan nooit om die pijn te onderdrukken! Als ik het ziekenhuis binnenloop, realiseer ik me dat het zaterdag is. Alles is nog gesloten. Geen koffie.

Guusje slaapt. Yvonne en ik laten haar liggen. We ontbijten op de gang. Yvonne gaat boodschappen doen. Achter station Holendrecht is een supermarkt. Ze is net weg. Mijn oudste zus belt vanuit Kaatsheuvel. Vader is zojuist met een ambulance naar het ziekenhuis vervoerd. Ook aan het thuisfront is ineens alles onvoorspelbaar. Ik probeer mijn jongste zus en broer te bellen. Geen contact. Ik weet het niet meer. Ik doe maar even niets. Wacht af.

Om half 11 belt mijn oudste zus vanuit het ziekenhuis in Tilburg. Het lijkt mee te vallen met vader. Waarschijnlijk een allergische reactie op nieuwe medicijnen. Onze kinderen arriveren. Ik breek het telefoongesprek af. Yvonne en ik zijn blij. Na drie weken eindelijk een weekend met alle kinderen samen.

In het begin van de middag hoor ik dat mijn vader weer naar huis mag. Daarna is het vandaag rustig. Yvonne en ik eten een ijsje met onze jongste vier kinderen. Onze twee oudste dochters gaan naar het winkelcentrum bij de Arena. Het zijn dames. Er wordt gekocht. Schoenen natuurlijk.

Samen met verpleegkundige Marij gaan we met onze vier jongste kinderen naar de tuin van het Ronald McDonald Huis. We nemen een jong patiëntje mee in een buggy. Zijn ouders zijn niet in het ziekenhuis. Bijna nooit. Ik probeer Loes duidelijk te maken dat dit haar nieuwe broertje is. Ze kijkt me ongelovig aan. Ze blijft om bevestiging vragen dat het niet waar is. Hans en Anton vermaken zich met hun nieuwe broertje. Hij heeft een andere huidskleur dan wij. Guusje heeft het niet makkelijk. Het liefst zou ze de speeltuin ingaan bij het Ronald McDonald Huis, maar ze kan het niet. Ze wil rust. Hoewel ik geniet van mijn kinderen, blijf ik me zorgen maken. Waarom gaat die pijn niet weg?

De avond verloopt ook rustig. Friet eten, cadeautjes van Guusje voor haar broers en zussen, koffie drinken, ijsjes eten, TV kijken, chips en fris en dan naar bed. Bijna een gewone zaterdagavond in een doodgewoon Nederlands gezin. Alleen op een vreemde locatie.

Zondag 24 april

Het is nacht. Vanuit mijn bed zie ik verpleegkundige Marinka naast Guusje's bed zitten. Ze houdt Guusje vast. Ze heeft haar hoofd op Guusje's kussen gelegd. Ze spreekt op rustige toon. Marinka is een lieve verpleegkundige die onze dochter een beetje troost biedt. Als ik 's morgens opsta, zie ik dat er een boek op het nachtkastje ligt. Er zit een wenskaart in met de volgende tekst:

> *Mijn Griezelbus is al zo oud dat die een beetje uit elkaar begint te vallen. Maar ik hoop dat je het boek toch met veel plezier gaat lezen. Je mag het houden. Je bent ècht een kanjer. Fijne Pasen.*
> *Liefs, Marinka*

Een mooi begin van Eerste Paasdag. Helaas gaat het met Guusje vandaag weer niet goed. Ze heeft pijn. Ze is misselijk. Ik voer een gesprek met een verpleegkundige. Ze vindt het verstandig dat Yvonne en ik beurtelings bij Guusje slapen. Anders zouden we het volgens haar nooit volhouden. Dat klopt, maar hoe houdt Guusje het dan vol? Dat moet wel pure wilskracht zijn! Guusje is een kanjer!

Er zijn veel zorgzame verpleegkundigen. Als ze goed voor je kind zorgen, wil je als ouder graag iets terugdoen. Wanneer ik tijdens het ontbijt koffie ga tappen, hoor ik een verpleegkundige bellen. Ze informeert of andere afdelingen paasbrood hebben gekregen. Het verplegend personeel krijgt elk jaar paasbrood. Dit jaar niet. Ik haast me naar het Ronald McDonald Huis. Daar zijn tien paasbroden bezorgd van elk een meter lengte. Ik vertel de dame achter de balie over het gesprek dat ik heb opgevangen. Even later loop ik met een paasbrood van een meter door het AMC. De reactie van de verpleging is uitbundig. De dames zijn dolblij en zullen het brood delen met andere afdelingen. Eerste Paasdag wordt nog mooier.

Er zijn weinig patiënten op Guusje's afdeling. Er heerst een vrolijke stemming. Twee verpleegkundigen, waaronder Marij, spelen tafelvoetbal met onze kinderen.

Daarna nemen Yvonne en ik het over. Tijdens het spel passeert De Piloot. De chirurg die Guusje eerder opereerde. We raken in gesprek. De Piloot houdt zich bezig met de planning van de operaties. Het spelletje tafelvoetbal valt stil. Kan Guusje worden geopereerd?

De Piloot deelt mee dat Guusje misschien in de week na Koninginnedag wordt geopereerd. Yvonne en ik weten niet goed hoe we moeten reageren. Moeten we blij zijn? Als de chirurg weg is, zijn er veel vragen. Toch lijkt de mededeling van de chirurg op een blijde paasboodschap: Guusje kan worden geopereerd. Yvonne en ik zijn opgelucht. Onze grootste angst was dat Guusje niet kan worden geopereerd.

We weten dat er nog meer moet gebeuren dan alleen maar opereren. Alleen een operatie zal niet voldoende zijn. Voor nu moeten we daar maar niet aan denken.

Denk in kleine stapjes
Elke zegening telt
Eerste Paasdag is een mooie dag

Maandag 25 april

Tweede Paasdag. Er gebeurt weinig. We ontbijten samen. Vandaag is het vier weken geleden dat Guusje werd opgenomen in het Twee Steden Ziekenhuis in Tilburg. Sinds die dag ben ik maar heel even thuis geweest. Dat was op donderdagavond 31 maart. Om het vreselijke nieuws van Guusje's ziekte mee te delen aan onze kinderen. Daarom is het zo fijn dat dit weekend alle kinderen bij Yvonne en mij logeren. Het klinkt vreemd. Logeren bij je eigen ouders.

We genieten van onze kinderen. Daarom is het jammer dat we om 4 uur afscheid nemen. Yvonne's broer en zijn vrouw brengen onze kinderen terug naar huis. Daar zijn opa en oma. Fijn om te weten dat er goed voor onze kinderen wordt gezorgd. Dat geldt overigens niet alleen voor de kinderen. Zelfs over schone kleding hoeven we ons geen zorgen te maken. Onze vrienden uit Zaandam doen de was. We krijgen veel hulp. Hard nodig. Zeker nu.

Guusje voelt zich vandaag niet lekker. 's Ochtends is er even sprake van een opleving. De rest van de dag ligt ze in een tuinstoel. Ze voelt zich misselijk. Ik zou willen dat de opgaande lijn terugkwam.

Tot gisteren was de grote vraag: is het mogelijk om Guusje te opereren? Na gisteren weten we dat er een operatie gaat plaatsvinden. We weten alleen niet wat er dan precies gaat gebeuren. Dat is de vraag die ons vandaag bezighoudt. Waarschijnlijk ook de volgende dagen. Er blijft veel onzeker.

Regelmatig denk ik aan een moeder die ik begin april tegenkwam op F8 Noord. Ik vertelde haar dat er veel onzekerheid was omtrent de ziekte van onze dochter. Ze zei toen: 'Wen er maar aan. Dat zal voorlopig wel zo blijven. Ik loop hier al maanden rond. Ook voor mij is er nog steeds heel veel onzekerheid.' Deze moeder heeft gelijk. Ik zal er aan moeten wennen. Hoe moeilijk het ook is. De onzekerheid blijft.

Dinsdag 26 april

Yvonne slaapt bij Guusje op H8 Noord. Om half 9 word ik wakker. Ik kan niet in mijn bed blijven liggen. Zal er vandaag meer bekend worden over een operatie? Ik besluit om niet te haasten. Rustig neem ik een douche. Als ik me aankleed, lees ik een sms van Yvonne. Er is al een röntgenfoto gemaakt. Zo vroeg al? Wat is er aan de hand? Al snel blijkt dat Guusje om 3 uur 's nachts wakker is geworden. Ze moest hoesten en kon er niet mee ophouden. De dienstdoende arts was dokter Lonneke. Ze kent Guusje van F8 Noord. Om half 7 is er bloed afgenomen en een röntgenfoto gemaakt.

Om half 10 stapt dokter Marianne binnen. Ze deelt ons mee dat er voor de komende dagen een aantal onderzoeken wordt gepland. Over een mogelijke operatie doet ze geen mededelingen. Ook niet als wij erover beginnen. Weet ze al dat er een operatie voor Guusje is gepland? Haar gezicht is moeilijk leesbaar.

Belangrijk is dat Guusje niet de hele dag in haar stoel hangt. Gelukkig gaat ze in de ochtend naar school en komt de fysiotherapeut langs. 's Middags wordt er geknutseld. Verder help ik haar bij het beantwoorden van e-mails en lees ik voor uit de 'Griezelbus'.

Guusje heeft moeite met lopen. Ze wil het liefst in haar rolstoel zitten. Ze voelt zich niet lekker. Ze drinkt alleen water. Ik voel me een machteloze toeschouwer.

Aan het einde van de middag komt de diëtiste langs. Vorige week dacht ik dat we zouden spreken over het verminderen van de sondevoeding. Omdat Guusje de afgelopen dagen misselijk was, heeft ze weinig gegeten. In plaats van minder wordt er nu gesproken over meer sondevoeding. Een tegenvaller.

Tijdens het avondeten neemt Guusje een beetje vlees en een toetje. Daarna gaan we naar beneden. Yvonne stimuleert Guusje om te lopen. Ik duw een lege rolstoel. Als we beneden zijn, merk ik dat Guusje zich nog steeds niet lekker voelt. In plaats van een ijsje bestelt ze een kopje thee. We spelen een spelletje kaart. Dan zegt Guusje dat ze erg moe is. Ik duw de rolstoel terug naar haar kamer. Dit keer met Guusje erin.

E-mails beantwoorden van vriendinnen

Als ik denk dat ik Guusje een nachtzoen ga geven, stelt verpleegkundige Marinka voor dat papa een verhaaltje moet voorlezen. Ik kan er niet onderuit. Ik lees een hoofdstuk voor uit de 'Griezelbus'. Als het verhaal uit is, zie ik Marinka zitten. Ze heeft de hele tijd zitten luisteren. Pretoogjes. Jeugdsentiment.

Ik zit in de ouderlounge. Het is tijd om te gaan slapen. Ik wil opstaan om naar Guusje's kamer te gaan, als dokter Lonneke passeert. Ze had afgelopen nacht dienst. Dokter Lonneke komt naast me zitten. We spreken over Guusje. Ze maakt zich zorgen over onze dochter. Er moet inderdaad iets gaan gebeuren. Zoveel slechte nachten op een rij. Guusje's hartslag is veel te hoog. Dat houdt geen mens vol. Ook onze dochter niet. Ik zeg dat ik trots ben op Guusje's wilskracht. Kinderen moeten respect hebben voor hun ouders. Hier is het andersom. Ik heb respect voor Guusje. Ik ben trots op haar. Dokter Lonneke reageert: 'Dat mag u terecht zijn. Trots op uw dochter.'

Ik ben van slag. De strijd van Guusje is een uitputtingsslag. Ik ben moe. Ik moet slapen. Verpleegkundige Marij komt aanlopen. Ze neemt een stoel. We raken in gesprek. We praten lang over Guusje. Onduidelijkheid en onzekerheid voeren de boventoon.

Guusje heeft een redelijke nacht. Ze wordt enkele keren wakker, maar het aantal uren slaap is meer dan in voorgaande nachten. Dat doet me goed. Guusje moet immers wel overeind blijven in deze uitputtingsslag.

Woensdag 27 april

Guusje is hangerig. Ze heeft geen trek in ontbijt. Ook op weg naar school bespeur ik weinig enthousiasme. Vandaag komen twee vriendinnen op bezoek. Dat zou haar juist positieve energie moeten geven. Ik zie helaas het tegenovergestelde.

Volgende week is het vakantie. Er is dan geen school. Ook niet in het Emma Kinderziekenhuis. Dit is jammer. Het is belangrijk dat Guusje activiteiten krijgt aangeboden. Dat houdt haar op de been. Voorkomt dat haar gedrag omslaat in lamlendigheid. Als Guusje terugkomt van school zie ik wel een dergelijke houding. Ze zit lusteloos in haar rolstoel. Yvonne en ik verzinnen diverse activiteiten. Allemaal zonder succes. Pas als ik voorstel om kuikentjes te gaan aaien veert ze op. In het kader van Pasen wordt elk jaar op F8 Noord een kas neergezet met kuikens. Kinderen mogen deze op schoot nemen. Een klein geel kuikentje warmt zich aan haar lijfje. Guusje vervult de rol van Moeder Kloek met verve. Als ik haar rolstoel terugduw naar haar kamer op H8 Noord, geeft ze aan een lekker broodje te willen eten. Zo'n broodje dat papa en mama volgens haar altijd gaan eten, als zij moet rusten. We gaan met haar naar beneden. Ze eet een broodje gezond. Yvonne en ik genieten. We zien levenslust.

Als na de middagrust de vriendinnen Nikki en Annabel arriveren, voelt Guusje zich niet lekker. Haar vriendinnen zijn zichtbaar onder de indruk van onze zieke dochter. Ze is stil en oogt witjes. Jammer. Ze heeft zo uitgekeken naar het bezoek van haar vriendinnen.

Nikki en Annabel willen weten hoeveel kaarten Guusje heeft gekregen. Ze tellen meer dan tweehonderd kaarten. Dan zijn sms'jes en e-mails nog niet meegerekend. Elke dag ontvangen we woorden van steun en hoop. Er branden vele kaarsjes. Er wordt veel gebeden. Heel veel mensen leven met ons mee.

Guusje vindt het fijn dat Nikki en Annabel gekomen zijn, maar kan het niet uiten. Natuurlijk hadden we gehoopt op een zelfde beeld als bij het vorige bezoek van vriendinnen. Toen kon echt gesproken worden van een keerpunt. Guusje kreeg energie van het bezoek. Het mag deze keer helaas niet zo zijn.

Toch is het vreemd. Een uurtje na het vertrek van de vriendinnen leeft Guusje op. Yvonne en ik gaan samen met haar eten. Ze zit rechtop in haar stoel. Ze heeft zin in een broodje hamburger. Dan stelt ze plotseling een vreemde vraag. Ze wil weten of het verblijf in het ziekenhuis duur is. Kost het papa en mama veel geld? We stellen haar gerust. Ik probeer uit te leggen wat een ziektekostenverzekering is. Ik zeg dat het eigenlijk niet uitmaakt. Het gaat niet om geld. Zij moet beter worden. Dat is alles wat telt. Ik geef haar een kus op haar voorhoofd.

Ik zit 's avonds laat te schrijven, als er een verpleegkundige komt aanlopen. Guusje heeft me nodig. Ze heeft pijn in haar zij. Ze wil graag een wandeling maken. Dat hielp vorige keer ook.

Rond middernacht wandel ik met Guusje door de gangen van het Emma Kinderziekenhuis. We praten over de operatie die gaat komen. Ik probeer haar uit te leggen wat een tumor is. Guusje zit met vragen. We gaan zitten aan een tafel. Ik geef haar een kopje thee. Ik stel voor de vragen op te schrijven. We kunnen deze stellen aan een chirurg. Samen komen we tot het volgende overzicht van vragen:
- Waar word ik wakker na de operatie?
- Hoe lang duurt de operatie?
- Voel ik meteen iets na de operatie?
- Heb ik na de operatie een slang uit mijn lijf?
- Word ik na de operatie beademd?

Dit zijn de vragen van ons kleine blonde meisje. Gemaakt in de nacht. Ik leg haar in bed. Geef haar een zoen. Al jaren hebben we hetzelfde ritueel van woorden voor het slapengaan. Zij zegt: 'slaap lekker. Welterusten. Tot morgen. Doei dag.' Ik herhaal: 'slaap lekker. Welterusten. Tot morgen. Doei dag.'

Het is 2 uur 's nachts. Ik lees voor uit de 'Griezelbus'. Guusje kan niet slapen. Ze is wakker geworden. Ze heeft pijn. Ik wil dit niet, maar ik heb niets te willen. Weer een moeilijke nacht.

Donderdag 28 april

Vroeg in de ochtend ruziet Guusje met verpleegkundige Marij. Volgens Marij heeft onze dochter niet meer dan twee uur geslapen. Volgens Guusje is het aantal uren slaap meer dan twee. Ze zou best eens gelijk kunnen hebben. Het maakt niet uit wie gelijk heeft. Het is te weinig.

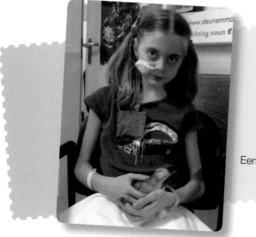

Een heel lief kuikentje

Vandaag wordt er onder andere een scan gemaakt. Hierdoor vervalt school. Dat is jammer voor Guusje. Fysiotherapie gaat wel door. Bewegen is belangrijk. Tijdens de fysiotherapie wordt vooral aandacht besteed aan het hoesten. Al een aantal dagen zit er iets vast bij Guusje. Het wil maar niet loskomen.

Yvonne en ik ontmoeten Karel en Marleen uit Tilburg. Karel heeft mij vorige week een e-mail gestuurd. Hij houdt net als ik een blog bij over de ziekte van zijn zoon Pieter. Op woensdagmiddag 30 maart kwamen we elkaar voor het eerst tegen in het Wilhelmina Kinderziekenhuis in Utrecht. Ik lette niet echt op Karel en Marleen en hun zoon Pieter. Ik was bezig met Guusje.

Een week later kwam ik Karel en Marleen weer tegen, maar toen in het Emma Kinderziekenhuis. Ik twijfelde eerst nog of het wel dezelfde mensen waren. Voor mijn gevoel kon het niet waar zijn. Yvonne raakte met Marleen in gesprek. Ook zij hadden op donderdag 31 maart te horen gekregen dat ze de volgende dag werden verwacht op F8 Noord. Yvonne en ik kregen het vreselijke nieuws te horen in een gesprek met artsen. Karel en Marleen ontvingen een telefonische mededeling. We spreken elkaar kort. Er zijn veel verschillen. Pieter heeft chemo. Wij hopen op een operatie. Er is ook een overeenkomst die ons bindt. Sinds 31 maart zijn onze werelden definitief veranderd.

Er zijn een aantal leuke momenten vandaag. 's Ochtends aait Guusje kuikentjes. 's Middags konijnen en cavia's. Knuffelen met dieren vindt onze dochter fantastisch. Vandaag is ook de dag dat het aantal opgevraagde pagina's van mijn blog de magische grens van tienduizend overschrijdt. Ik kan het nog steeds niet geloven dat zoveel mensen met ons meeleven.

Vandaag ontvang ik per e-mail een update van Wil's blog over haar zieke man

Jan. Wil heeft een bericht gepubliceerd waarin onze dochter Guusje voorkomt. Het is een mooi verhaal. Het geeft me een vreemd en warm gevoel.

Ik ben Wil heel dankbaar. Dankzij haar houd ik een blog bij. Het is alleen jammer dat ik pas zo goed ben gaan begrijpen wat Wil schrijft over de ziekte van haar man Jan sinds Guusje zo ziek is geworden. Er is zoveel veranderd de afgelopen vier weken.

Ik had een onbezorgd leven
Slechts enkele trieste gebeurtenissen
Mijn lieve tante Nel die veel te jong overleed
Mijn oudste zus die erg ziek werd
Mijn vader die niet meer kon lopen na een ongeval

Een lieve vrouw
Een fijn gezin
Samen zes gezonde kinderen

Alles is nu anders

Mijn dochtertje is erg ziek
Ik wilde het woord 'erg' weglaten
Het paste niet in het plaatje van mijn leven
Mijn beeld heb ik moeten aanpassen
Ingehaald door de hardheid van de realiteit

Mijn wereld veranderde op 31 maart
Sinds die dag ervaar ik onzekerheid
Kan ik huilen
Leef ik tussen hoop en vrees
Weet ik dat het leven ongrijpbaar is
En onrechtvaardig kan zijn

Maar niet altijd

Yvonne en ik zitten met Guusje aan een tafeltje. Er komen twee bouwvakkers naar ons toe. Enorme kerels. Ze hebben een grote beer bij zich. Net gekocht in het winkeltje. 'Die is voor jou, meisje.' Ik kijk op. 'Wij hebben ook kinderen, meneer.' Twee ruwe bolsters. Onbekende mensen. Het leven kan onverwacht mooi zijn.

Vrijdag 29 april

Ik slaap in het Ronald McDonald Huis. De telefoon op het nachtkastje. Om 2 uur schrik ik wakker. Het geluid van een binnenkomende sms. Ik kijk snel naar de afzender. Laat het Yvonne niet zijn. Het is Janneke. Waarom sms't die mij om 2 uur 's nachts? Ik lees de volgende boodschap:

Kan ik maandag met twee vriendinnen op bezoek komen?

Moet ze me daarvoor midden in de nacht wakker maken? Wat doet de jeugd van tegenwoordig om 2 uur 's nachts? Iets anders dan slapen.

Ik word niet blij van nachtelijke sms'jes. Toch word ik vrolijk, als ik vroeg in de ochtend Guusje's kamer binnenstap. Ze heeft een goede nacht gehad. Heerlijk geslapen. Na weken van matige en soms zelfs hele slechte nachten. Ik verkeer in feeststemming.

Guusje's dag is goed gevuld. 's Ochtends fysiotherapie, school en onderzoeken. 's Middags skypen met haar klas in Kaatsheuvel en knutselen. Tussendoor eet ze goed. Ze zit niet in haar rolstoel. Ze loopt en duwt zelf haar infuuspaal. Als ik grapjes maak, dan lacht ze weer. Ik zie de oude Guusje.

Toch is het vreemd. Onze vrienden uit Zaandam nodigen ons uit om beneden te gaan eten. Er is een terras in de hal. Guusje loopt vrolijk met haar infuuspaal naar beneden. Beneden aangekomen heeft ze geen trek. Ze voelt zich plotseling misselijk. Haar vrolijke uitstraling verdwijnt. Het goede gevoel komt niet meer terug. Zelfs niet als 's avonds BN-er Ralph Mackenbach verschijnt bij een opname van Emma

Een bord vol fruit is lekker

TV. Ze gaat natuurlijk wel met Ralph op de foto. Haar zussen jaloers maken. Die kans laat je niet schieten.

Naast de goede nachtrust is er vandaag nog meer nieuws. Bij de lift komen we De Piloot tegen. Eerste Paasdag vertelde hij dat hij voor onze dochter een operatie heeft gepland. De planning is niet gewijzigd. Guusje wordt donderdag 5 mei geopereerd. Het is bij Yvonne en mij nog steeds niet bekend wat de operatie concreet inhoudt. Chirurgen dienen ons dat uit te leggen, maar niet vandaag. Zij zijn er maandag pas weer. Misschien krijgt Bevrijdingsdag voor ons dit jaar wel een heel bijzondere betekenis. Zal het lukken Guusje te verlossen van de pijn? We hebben hoop.

Zaterdag 30 april

Ik word om 8 uur gewekt door Yvonne. Hilariteit bij de verpleging. Ik heb geslapen als een blok. Zij zijn druk. Vanaf 4 uur ligt Guusje niet meer in bed. Ze loopt rond of zit half slapend in een stoel.

Koninginnedag. Geen vlaggen in de Van Beurdenstraat. Geen rommelmarkt bij buurthuis Pannehoef. We zitten vast in het Emma Kinderziekenhuis. Vast aan Guusje's infuuspaal. Zonder infuus zouden we kunnen gaan en staan waar we willen.

De verpleegkundigen vertellen regelmatig dat zij vragen krijgen over de medicatie van Guusje. Het zijn medicijnen die nooit gebruikt worden op een 'normale' kinderafdeling. Gisteren was er geen voorraad van een bepaald medicijn. Zelfs niet in het hele AMC. Er is toen een koerier ingeschakeld om het medicijn zo spoedig mogelijk hier te krijgen vanuit een ander ziekenhuis.

In de hal bij H8 Noord is een markt met spelletjes. Er zijn weinig patiënten op een dag als vandaag. Toch worden er voor alle pechvogels leuke activiteiten georganiseerd. Tijdens de markt spreek ik een vader. Zijn dochter heeft leukemie. Ze wordt al enkele maanden behandeld op F8 Noord. Een traject van twee jaar. Je komt hier nauwelijks mensen tegen waarvan je denkt dat de ziekte van hun kind wel meevalt. We zitten allemaal in hetzelfde schuitje.

De vader beklaagt zich over het gebrek aan steun van zijn werkgever. Gelukkig is dat bij Yvonne en mij anders. Wij hebben meelevende werkgevers. Wij krijgen ruimte om bij Guusje en bij elkaar te kunnen zijn.

Met Guusje gaat het goed tot halverwege de middag. Ze krijgt last van buikpijn. Yvonne en ik denken dat het te maken heeft met de sondevoeding. Wel jammer. Haar vriendin Nikki wil graag met haar praten via Skype. Guusje ligt stilletjes in een stoel. Ze kan echt niet meer.

Zondag 1 mei

Ik lig in bed in het Ronald McDonald Huis. Het is 8 uur. Ik word wakker. Pak de telefoon van het nachtkastje. Even mijn e-mail checken. Een berichtje. Een foto van Guusje met een verpleegkundige. Gemaakt met een apparaat op de gang bij de intensive care. Hiermee kun je een foto met een berichtje mailen. Guusje kijkt vrolijk met haar grote ogen in de camera. Samen met een lachende verpleegkundige. Er staat een tekst bij:

Ik ben een stukje aan het wandelen.

Tijdstip van verzenden is kwart voor 3. Wat moet ik hiervan denken? Geen idee. Het is duidelijk dat er de afgelopen nacht meer gebeurd is dan alleen maar slapen. Als ik Yvonne bel, hoor ik direct aan haar stem dat zij een slechte nacht heeft gehad.

Een groot deel van de nacht is Guusje aan de wandel geweest. Ze moppert. Ze heeft last van haar rug. 's Ochtends wordt een speciaal matras bezorgd. Dat matras heeft verpleegkundige Marij voor Guusje geregeld. Ik hoop dat onze dochter nu beter kan slapen. Vrijdagochtend was ik heel blij, omdat ons meisje na weken eindelijk een keer een goede nachtrust had gehad. Nu heeft ze weer twee slechte nachten erop zitten.

's Ochtends wordt Guusje's temperatuur gecontroleerd. Ze heeft verhoging. Ik schrik. Zeker met het oog op de geplande operatie. Laat deze operatie nu niet in gevaar komen door een infectie of een andere boosdoener. 's Middags is Guusje's temperatuur weer normaal. De verhoging in de ochtend is waarschijnlijk het gevolg van een medicijn dat ze gebruikt. Ik haal opgelucht adem.

Lisa, Hans, Anton en Loes logeren deze week in Den Haag bij mijn jongste zus en haar man. Zij hebben drie dochters. Een drieling. We hoeven ons geen zorgen te maken. Onze kinderen zijn in goede handen. Ik weet zeker dat ze zullen genieten van deze week vakantie bij mijn altijd vrolijke zus.

We krijgen zelfs hulp van het verplegend personeel van de afdeling. Een verpleegkundige, die avonddienst heeft, haalt onze dochter Lisa bij mijn zus op. Zo hebben Yvonne en ik een leuke avond met onze dochter. Ook makkelijk voor Guusje bij het beantwoorden van e-mails en chatten. Lisa is ervaren in cyberspace.

Janneke logeert niet bij mijn jongste zus. Zij vermaakt zich thuis met twee vriendinnen. Een heerlijk weekje vakantie in haar eigen huis. Geen last van ouders, broers of zussen.

Dan hebben we ook nog een hond. Misschien is hij wel de gelukkigste van ons allemaal. Een heerlijk weekje vakantie bij onze buurman thuis. Wat voor kinderen een weekendje Disneyland is, is voor Balou een weekje bij zijn grote vriend, onze buurman.

Het is avond. Ik denk aan morgen. Hopelijk vertellen de chirurgen dan wat ze hopen te bereiken met de operatie die gepland staat voor donderdag. Dat is al over vier dagen. Ondertussen ga ik even kijken bij Guusje. Ik durf haar geen kus te geven. Ze slaapt. Ik wil niet dat ze wakker wordt. Laat haar slapen. De hele nacht.

Maandag 2 mei

Om half 6 word ik wakker van een piepende monitor naast Guusje's bed. Ik roep tegen Guusje dat ze moet bellen. Vrij snel komt een verpleegkundige binnen om de monitor uit te zetten. Zoals vaak met piepende monitoren, is het loos alarm. Dan realiseer ik me dat Guusje de hele nacht heeft doorgeslapen. Zou het dan toch werken? Dat andere matras.

Als de verpleegkundige de kamer verlaat, zie ik dat Guusje weer rustig slaapt. Als een roos. Op de monitor een rustig kloppend hartritme. Niet meer zo hoog als voorheen. Ik kan niet meer slapen. Ik geniet van onze slapende dochter en van haar rustige hartslag.

Guusje heeft moeite met wakker worden. Om half 10 gaat ze zich wassen. Vandaag staan er onderzoeken en gesprekken op het programma. Tijdstippen onbekend. Zo is het leven in het Emma Kinderziekenhuis.

Ik kijk door het raam. In de verte de Arena. Op de radio de stem van Guus Meeuwis. Geef mij nu je angst. Ik geef je er hoop voor terug. Ik kijk naar alle kaarten in de kamer. Ineens voel ik de strekking van de woorden. Zoveel mensen die onze angst willen verminderen en ons hoop willen geven.

Guusje heeft goed geslapen. Ze zit goedgehumeurd te tekenen. Yvonne en ik knikken tevreden naar elkaar. Niks zeggen. Lekker laten spelen.

Als Yvonne informeert naar de tijd waarop een scan moet plaatsvinden, krijgt ze te horen dat de afspraak nog niet is gemaakt. Tien minuten later wordt meegedeeld dat de scan aan het einde van de middag wordt gemaakt. Guusje zegt dat ze graag beneden met ons een broodje wil gaan eten. Ze wil van haar kamer af. We gaan naar beneden. Daar aangekomen worden we gebeld. De scan is toch al over drie kwartier. Zo gaat dat in het Emma Kinderziekenhuis.

Bij de scan mag een van de ouders aanwezig zijn. Ik wacht op de gang. Naast me zit een dochter met haar moeder. De dochter is ongeveer zestien jaar en kaal. Ze draagt een muts op haar hoofd. We kijken elkaar aan en zien meteen dat we lotgenoten zijn. Bij het meisje is net voor afgelopen kerst kanker geconstateerd met uitzaaiingen in een vergevorderd stadium. De chemotherapie slaat aan, tot nu toe. De laatste drie woorden zijn standaard. Ze staan voor de onzekerheid die horen bij een grote ziekte als kanker.

Het meisje merkt op dat ze vaak de vraag krijgt hoe ze zich voelt. Ze vindt dit een vervelende vraag. Ze weet niet hoe ze zich voelt. Ze heeft een punt. Ook ik zou de vraag voor mezelf nu echt niet kunnen beantwoorden. Lowie, hoe gaat het met je? Vraag het me niet. Ik weet het niet.

Als we terug zijn in Guusje's kamer, loopt de maatschappelijk werkster binnen. Deze dame komt regelmatig met ons praten. Het zijn zinvolle gesprekken. Ik haal er veel uit voor onze toekomst na het ziekenhuis. Ik krijg overigens steeds meer het idee dat ontslag uit het ziekenhuis ver weg is. Ook daarna zal het ziekteproces niet ophouden. Zal de onzekerheid blijven. Ik wil echter niet vooruit kijken. Niet verder dan donderdag. Als alles goed gaat, wordt Guusje die dag geopereerd. Ik weet nog steeds niet wanneer we een chirurg te spreken krijgen. De zaalarts had beloofd vandaag. Waar blijft die zaalarts? Het duurt me te lang.

Ik moet nu niet boos worden. Janneke komt met haar vriendinnen op bezoek. Ze zijn met de trein en zeulen een enorm groot cadeau met zich mee. Guusje laat het allemaal rustig over zich heen komen. Zo goed als Guusje zich vanmorgen voelde, zo stilletjes zit ze nu voor zich uit te staren. Janneke en haar vriendinnen hebben lol. Toch zie ik dat ze aangeslagen zijn. Guusje is heel erg ziek.

Het is gezellig met Janneke en haar vriendinnen. Plotseling komt de zaalarts binnenlopen. Ik zie meteen dat zij zich opgelaten voelt. Het lukt haar niet om het gesprek met de chirurgen te regelen. Hoogstwaarschijnlijk niet vandaag. Misschien dinsdag … of woensdag. Ik probeer rustig te blijven, maar in mijn onderbewustzijn klinken krachttermen. Ik maak duidelijk dat woensdag geen optie is. Dinsdag vind ik al te laat. We hebben er recht op om vooraf te weten wat de artsen met de operatie denken te bereiken. We weten al meer dan een week dat Guusje wordt geopereerd, maar meer ook niet. Wat is het doel van de operatie? Daarnaast heeft Guusje enkele vragen voor de chirurgen. Zij is degene die geopereerd wordt. De zaalarts belooft haar best te doen, maar ik merk dat ook zij afhankelijk is van de wil van chirurgen. Ik spreek regelmatig andere ouders en ik hoor bijna nooit positieve opmerkingen over de communicatieve vaardigheden van chirurgen. Volgens mij doen die lui gewoon waar ze zelf zin in hebben en dat is niet het voeren van gesprekken met ouders.

De diëtiste zou vandaag langs komen. Misschien ook nog de chirurgen. Hoewel ik het laatste betwijfel. Moeten we nu op Guusje's kamer gaan zitten wachten? Guusje wil graag beneden met ons koffie gaan drinken. Ik loop naar de verpleegkundige. Ze heeft ons telefoonnummer. Als er iets is, kan ze me bellen. We zijn dan binnen twee minuten weer terug op de achtste verdieping. We gaan naar beneden.

Als we goed en wel zitten, wordt er gebeld door de verpleegkundige. Yvonne en ik nemen snel afscheid van Janneke en haar vriendinnen. Zij moeten immers terug naar huis. Ze hebben nog een lange treinreis voor de boeg.

Boven aangekomen blijkt dat de diëtiste ons graag wil spreken over de sondevoeding, maar ze is inmiddels door naar een andere patiënt. Yvonne en ik zitten op Guusje's kamer te balen. We hebben razendsnel afscheid genomen van onze dochter en haar vriendinnen. Nu zitten we hier weer te wachten. Altijd maar wachten. Waarom die haast?

Na ongeveer een kwartier komt de diëtiste en hebben we een goed gesprek over de sondevoeding. Guusje krijgt vanaf vandaag een versie die minder zwaar op de maag ligt. Daarnaast wordt de sondevoeding pas gegeven na het avondeten. Ik ben tevreden. De afgelopen dagen merkte ik steeds een omslag in het gedrag van Guusje na het aansluiten van de sondevoeding. Deze omslag hield in dat Guusje zich misselijk voelde. Niet een beetje misselijk, maar echt heel erg.

Onze vrienden uit Zaandam arriveren. Ze brengen schone kleding en ze hebben eten meegenomen. Guusje zegt dat ze graag met ons vieren wil eten. Even later zitten we met vijven aan een tafeltje. Guusje eet goed. Zelfs een ijsje toe. Dat is beter dan sondevoeding.

Guusje gaat tijdig slapen. Ik hoop dat ze weer een goede nachtrust heeft. Voor het slapengaan moet ik voorlezen. 'Drakeneiland' van Lydia Rood. Ik houd het bij drie hoofdstukken. Guusje vindt het prima. Ze is op. Ik zie het. Als ik haar een zoen geef, kijk ik naar het speciale matras. Ik zie het meteen. Dit is type 'Doornroosje'.

Dinsdag 3 mei

Guusje had een redelijke nacht. Als ik alle uren slaap optel, dan kom ik aan zes uur-tjes. Zonder piepende monitor was het aantal hoger geweest. De herrie op de gang werkt ook niet mee. De meeste kinderen zijn veel te vroeg wakker. Hun geluiden worden versterkt weergegeven. Elke kamer heeft een intercom. Als ik zoveel herrie in de avond schop, wordt iedereen boos. Om 6 uur 's ochtends is het voor niemand een probleem.

Al enkele dagen zijn Yvonne en ik in de ban van de volgende vraag: wanneer spreken we een chirurg die ons kan voorbereiden op de operatie? Nog maar twee dagen. We hebben als ouders toch recht op informatie. Het is onze dochter die wordt geopereerd. Het is van de zotte. We weten dat er een operatie is, maar we weten niet wat die operatie inhoudt.

De onbeantwoorde vragen over de komende operatie in combinatie met een steeds groter wordende vermoeidheid leidt tot hele lage irritatiegrenzen. We erge-ren ons bijvoorbeeld steeds vaker aan verpleegkundigen die staan te klungelen aan Guusje's bed. Gisteravond hadden we een dame die Yvonne vroeg hoe bepaalde medicijnen moesten worden toegediend en hoe lang een bepaalde behandeling moest duren. Daar worden wij niet vrolijk van.

Om 10 uur hebben we een afspraak met een psycholoog. Zij meldt zich pas te-gen half 11. Yvonne heeft aan een pedagogisch medewerkster gevraagd om iets te regelen voor Guusje tijdens dit gesprek. Ook dit gebeurt niet. Ik voel dat Yvonne en ik steeds sneller boos worden om kleine dingetjes. Zou er vandaag een ontploffing volgen? Of zakt de spanning in de loop van de dag?

Het gesprek met de psycholoog is zinvol. Deze dame kan goed luisteren en geeft waardvolle adviezen. Ze maakt ons bijvoorbeeld duidelijk dat het niet vreemd is dat onze wereld op z'n kop staat. Als ouders voor het eerst het woord tumor of kanker horen, dan is het eerste wat door hun hoofden schiet de angst dat ze hun kind ver-liezen. De grootste nachtmerrie van elke ouder. De dood van je kind.

We spreken over verschillende zaken waar Yvonne en ik tegenaan lopen. Zo geef ik bijvoorbeeld aan dat ik momenteel niet verder wil denken dan donderdag. Volgens de psycholoog is dat een verstandige keuze. Als ik verder ga denken dan de operatie, ga ik me druk maken over zaken die ik toch niet kan beïnvloeden. Kinderen staan volgens de psycholoog anders in hun ziekteproces. Ik wil niet ver-der denken dan donderdag. Vanuit het volwassenenperspectief een goede keuze.

Guusje maakt tijdens dit gesprek een cadeautje voor Moederdag. Voor haar gaat het leven gewoon door. Ook na de operatie. Kinderlijke eenvoud. Voordeel van kind zijn. Guusje neemt de situatie zoals deze komt. Dat moet ik ook doen. Volwassenen laten zich teveel meevoeren in donkere scenario's door gepieker over de toekomst.

Yvonne's ouders arriveren rond het middaguur met lekkernijen. Yvonne's vader is vandaag jarig. Ook mijn jongste zus is onderweg. Samen met een vriendin en onze kinderen Hans, Anton en Loes. Veel bezoek dus. Terwijl ik in de gang sta te bellen, passeert dokter Marianne. Ze deelt mee dat we om 3 uur een gesprek zullen hebben met een chirurg. Eindelijk het is zover. Terug naar het bezoek. Ik kan ik er niet echt van genieten. Ik voel dat ik enorm gespannen ben voor het gesprek dat komen gaat.

Om 3 uur hebben Yvonne en ik dan eindelijk het langverwachte gesprek met een van de chirurgen die Guusje gaat opereren. Ook dokter Marianne is aanwezig. Het gesprek valt uiteen in twee delen. Het eerste deel is met Guusje. Het tweede deel is zonder haar.

Al mijn vooroordelen over chirurgen worden onderuit gehaald. Deze chirurg is een bijzonder aardige man. Hij is heel menselijk. De Chirurg met Gevoel vertelt Guusje waarom ze moet worden geopereerd. Hij legt rustig uit wat de artsen hopen te bereiken. Daarnaast beantwoordt hij alle vragen van Guusje. Het valt me op dat hij erg open is. Ook tegen onze dochter. Natuurlijk wordt er in het tweede deel met alleen Yvonne en mij meer technisch ingezoomd op details, maar ook dan is er geen sprake van enige arrogantie. Er wordt ruim de tijd genomen. Alle vragen worden beantwoord. Er blijkt veel onzeker te zijn, maar niets doen is geen optie.

Wekelijks spreekt een groot team van artsen over jonge kankerpatiënten. Soms bestaat het team uit wel veertig mensen. Guusje is vaak besproken. Dokter Marianne heeft de afgelopen tijd ontzettend haar best gedaan om zoveel mogelijk informatie te verzamelen. Het gaat bij Guusje om een zeldzame vasculaire tumor. Deze kan waarschijnlijk het beste worden bestreden met een chirurgische ingreep.

De operatie staat gepland voor donderdagmiddag. Na de operatie mist Guusje een deel van haar linkerlong. Hopelijk kan zoveel mogelijk van de aanwezige tumor worden verwijderd. Na de operatie zijn er altijd nog plekjes aanwezig in de rechterlong. Hiervoor krijgt Guusje medicijnen. Het effect hiervan is nog niet duidelijk. Ook kan geen zekerheid worden gegeven dat Guusje na de operatie vrij is van pijn. Er is geen garantie. Enkel hoop.

Na het gesprek ben ik even alleen met Yvonne. We houden elkaar stevig vast. Emoties komen boven. Weinig tijd om samen te praten. Het bezoek zit beneden. Daar eten we samen een ijsje. We praten met familie. Na een uurtje nemen we afscheid. Het is goed zo. Even samen. Dat moet nu. Met Guusje alles nog eens doornemen. Ook met elkaar. We hebben vertrouwen dat het goed komt. Hoe en wat? We weten het niet. Het komt zoals het komt. Het doordenken van scenario's voor de toekomst heeft geen zin. Denk als een kind. Leef in het nu.

Pieker nu niet over morgen
Het komt zoals het komt

Woensdag 4 mei

Niemand zei dat het eenvoudig zou zijn
Niemand heeft beloofd dat het vanzelf zou gaan

Het is hier zo gezellig. Dat hoor ik vaak zeggen, als mensen Guusje's kamer binnenstappen. De muren zijn behangen met enorm veel kaarten. De vensterbank en het bed zijn bezaaid met knuffels. De hele dag muziek. Guus Meeuwis is favoriet. Hij zingt mooie woorden die mij raken. Hierboven twee zinnen uit 'Niemand'. Ik trek deze zinnen wel uit het verband. Het lied gaat over relatieproblemen. Voor mij gaan bovenstaande zinnen over deze tijd van hoop en vrees.

Half 6. Ik ben wakker. Guusje slaapt. Ik moet niet piekeren. Dat is makkelijker gezegd dan gedaan. Ik kan niet voorspellen hoe uw dochter uit de operatie komt. Deze zin spookt door mijn hoofd.

Guusje heeft een tumor. Geen makkelijk te bestrijden tumor. Een rigoureuze aanpak is nodig. Een grote operatie.

Het is een illusie om te verwachten dat de hele tumor kan worden verwijderd. Dat is al eerder gezegd door de oncoloog. Niets doen is geen optie.

Er zijn ook plekjes. Die worden bestreden met medicijnen. Het is onduidelijk of deze aanpak succesvol is.

Het proces gaat hoogstwaarschijnlijk langzaam. Een voordeel. Beslissingen kunnen weloverwogen worden genomen.

Onze dochter Guusje heeft een grote ziekte. Een zeldzame vasculaire tumor. Wekelijks heeft een team van soms wel veertig bollebozen meegedacht over de juiste aanpak. De artsen gaan niet over één nacht ijs. Dat is duidelijk.

Ik zie Yvonne tijdens het gesprek van gisteren. Een enorme medaille op haar borst. Gekregen van onze dochter Loes. Alvast voor Moederdag. Als ouders hebben wij in dit verhaal een bijrol. De hoofdrol is voor Guusje. Ons kleine blonde meisje. Ik ben enorm trots op haar. Onze kanjer.

Hoe zal onze dochter uit de operatie ... STOP! Niet over nadenken. Ik kan het toch niet beïnvloeden. Ik vertrouw de artsen. Zeker dokter Marianne en ook de Chirurg met Gevoel. Het komt goed. Kijk haar daar eens liggen. Ze slaapt nog. Zo rustig.

Vandaag staat in het teken van voorbereiding van de operatie: intake anesthesie en rondleiding IC. Tussendoor fysiotherapie en bezoek van cliniclowns. De KanjerKetting wordt aangevuld op basis van de onderzoeken van de afgelopen dagen. Meer dan negentig kralen telt de ketting.

Aan het einde van de middag stuurt Yvonne mij naar het Ronald McDonald Huis. Volgens haar oog ik ontzettend vermoeid. Dat is ook zo. Ik ben op. Als ik na een uurtje rusten terugkeer, blijkt een van de beste chirurgen van Nederland op bezoek te zijn geweest. Hij heeft Guusje en Yvonne gerustgesteld. Jammer dat ik dit gesprek heb gemist. Fijn dat Yvonne vertrouwen heeft in deze man die morgen een belangrijke rol heeft bij Guusje's operatie.

Guusje is de hele dag door gespannen. Dat zien we. Tijdens het avondeten vraagt ze om nog eens te vertellen wat er morgen gaat gebeuren. Voor het slapengaan lees ik voor. Dat geeft afleiding. Het boek 'Drakeneiland' gaat uit. Ze wil meerdere nachtzoenen. Ze blijft ons kussen. Nu moet ze slapen.

Het is na twaalven. Ik zit in de zogenaamde ouderlounge. Klinkt luxe. Het is niet meer dan een eenvoudige tafel met stoelen in de hal op de achtste verdieping van het AMC. Afdeling H8 Noord van het Emma Kinderziekenhuis. Vlakbij Guusje's kamer. Zoals bijna elke avond zit ik hier met mijn laptop. Zojuist een mailtje gestuurd naar Wil naar aanleiding van een bericht op haar blog. Vervolgens nog even kijken naar Karel's blog. Ik ben totaal verrast. Hij heeft een bericht met mooie warme woorden geplaatst over Guusje.

Sinds vandaag komt er een stroom mailtjes en sms'jes op gang. Fijne woorden van lieve mensen. Ik moet gaan slapen. Vooral niet piekeren. Elke keer als er een gedachte opkomt, waarvan ik weet dat deze gaat over dingen in de toekomst die ik toch niet kan beïnvloeden, dan roept een stemmetje in mijn hoofd keihard: 'stop!' Het werkt. Als ik in mijn bed stap, slaap ik al na tien minuten.

Donderdag 5 mei

Niemand zei dat het eenvoudig zou zijn
Niemand heeft beloofd dat het vanzelf zou gaan
Wij zijn bijzonder en jij bent het waard
Soms mag je rusten maar opgeven nooit

Het is een onrustige nacht. Ik slaap licht. Zoals ik deed toen we nog in de kleintjes zaten. Om half 7 sta ik op. Dit is de grote dag voor Guusje. De dag waar we zo intens naar hebben toegeleefd. Ik kijk naar de honderden kaarten in de kamer. We zijn niet alleen. Vandaag branden er veel kaarsjes.

Ik ga douchen in het Ronald McDonald Huis. Guusje zit in een stoel. Ik zie dat ze gespannen is. Ze wordt snel groot. Ze moet niet piekeren. Afleiding is noodzaak. Ik zet een luisterboek voor haar op. Dan heeft ze iets te doen, als ik weg ben.

Ik neem de lift naar beneden. Een eerste sms komt binnen. Ik heb mijn leesbril niet bij me. Met moeite kan ik de tekst lezen. Pure vermoeidheid. Volgens Yvonne maak ik de laatste tijd spelfouten. Ze zegt dat ze daaraan kan zien dat ik echt heel erg moe ben. Dat klopt. Ik sta in de overlevingsstand.

Terwijl Yvonne doucht, kijk ik naar het Journaal op TV. Er is een wereld buiten deze cocon. Gisteravond was het Dodenherdenking. Niets van meegekregen. Osama is dood. In mijn tas zit een krant die ik een aantal dagen geleden heb gekocht. Speciaal hierover. Nog altijd ongelezen. We zitten vast in de wereld van het Emma Kinderziekenhuis. Fysiek en mentaal. Er is geen wereld buiten. Niet voor ons.

Yvonne en ik lopen samen van het Ronald McDonald Huis naar Guusje's kamer op H8 Noord. Ik zeg: 'Hoeveel van Guusje's long wordt er nu eigenlijk verwijderd?' Dat is een vraag die we nog niet hebben gesteld. Yvonne merkt op: 'Misschien we-

Gespannen voor
de operatie

ten ze dat nu nog niet precies. Je linkerlong is overigens kleiner dan je rechterlong.'
Hoe weet Yvonne dat? Ze geeft uitleg. Ik ben de afgelopen tijd onder de indruk
geraakt van de kracht van onze kanjer. Nu ook nog van de kennis van mijn vrouw.

We ontbijten niet bij Guusje. Zij moet nuchter blijven. We eten afwisselend in het zitje
op de gang. Ik laat Guusje een DVD en een boek uitkiezen. Het wordt 'Peter Pan'
en 'De stille dief'. We moeten haar gedachten proberen te manipuleren. Zo weinig
mogelijk stilstaan bij de operatie.
    Ook Yvonne en ik mogen niet piekeren. Alleen ons bezighouden met zaken die
we kunnen beïnvloeden. Zorgen bijvoorbeeld dat Guusje's matras type 'Doornroosje' meegaat naar de IC. Dan ligt ze na de operatie comfortabel.
    Het is 9 uur. Guusje kijkt naar 'Peter Pan'. Heel geconcentreerd. Dat zie ik graag.
Vanaf 10 uur stoppen met drinken. Ik heb het idee dat we nu echt gaan aftellen. Ik
ben ingesteld op 12 uur. Ik weet dat het later kan worden.
    Om half 11 gaat Guusje naar de speelkamer. De aanwezige vrijwilligster doet
enorm haar best, maar kan niets aanbieden waarvan onze dochter enthousiast
wordt. Op de vraag wat ze dan in hemelsnaam wel wil, antwoordt ze met een schuin
oog kijkend naar mij: 'Voorlezen.' Even later zitten we weer in Guusje's kamer. Ze laat
zich meevoeren in het verhaal van 'De Stille Dief'.

Het is half 1 als het sein wordt gegeven dat we ons klaar kunnen gaan maken voor
de OK. Guusje krijgt een speciaal schort aan. Ze is enorm gespannen. De hele och-

tend al. We gaan richting de OK. Weer moeten we wachten. Ik ga maar verder met voorlezen in 'De Stille Dief'. Aangekomen op bladzijde 69 sla ik het boek dicht. De anesthesist meldt zich. Yvonne neemt afscheid. Ze kust Guusje. Ik ga mee naar de OK. Yvonne knijpt in mijn hand. Ik zeg dat het goed komt.

Om 2 uur komen Guusje en ik de OK binnen. Als ze overstapt van haar eigen bed naar de operatietafel, kijkt de Chirurg met Gevoel naar Guusje. Hij zegt meer pijn te zien dan hij had verwacht. Net voor het moment van slapen spreek ik over vakantie in Spanje. Zwemmen onder de zon.

Dan begint het ijsberen. Ik zit weer in de ouderlounge. Plotseling komt de Chirurg met Gevoel aanlopen. Het is pas 4 uur. Hij schrikt. Verwacht mij niet hier. Ik zie meteen dat het niet goed is. Hij zegt dat het onmogelijk is om de tumor te verwijderen. Hij wil ons dadelijk spreken. Samen met dokter Marianne. Als de chirurg weg is, vallen Yvonne en ik elkaar in de armen. Emoties lopen hoog op. Op 31 maart vielen we in het ravijn. We krabbelden langzaamaan omhoog. Vandaag worden we teruggegooid. Komen we ooit nog boven?

Even later hebben we een gesprek met de Chirurg met Gevoel, dokter Marianne en verpleegkundige Marij. Het is niet mogelijk geweest om de tumor te verwijderen. Deze is verbakken met alle andere organen. Er is geen beginnen aan. Wat nu? Alle hoop was gericht op deze operatie. Het is stil. Iedereen kijkt verslagen. Dokter Marianne staart wezenloos voor zich uit. Er is niemand die het weet. Ik vraag of we Guusje gaan verliezen. Weer is het stil. Heel stil.

's Avonds zijn Yvonne en ik bij Guusje, als ze wakker wordt uit de narcose. Even later zit ze te tekenen in haar bed op de IC. Yvonne en ik vertellen haar dat de tumor niet kan worden verwijderd. We spreken niet over de toekomst. Guusje geeft aan dat ze geen gevoel heeft op de plaats van de tumor. Er is een epiduraal geplaatst. Een tijdelijke oplossing voor enkele dagen die ervoor zorgt dat Yvonne en ik onze oude Guusje zien. Ze wil niet praten. Ze wil tekenen. Ze eet en drinkt goed. Yvonne en ik hebben een kort gesprek met de Chirurg met Gevoel. Hij legt ons nog eens uit waarom opereren niet mogelijk is. Ik zoek een strohalm om me aan vast te klampen, maar die is er niet. Om 11 uur kussen we Guusje. Slaap lekker. Welterusten. Tot morgen. Doei dag.

Roze kraal

6 mei – 23 mei

● ●

Vrijdag 6 mei

Om 6 uur word ik wakker naast Yvonne in het Ronald McDonald Huis. Guusje ligt op de IC. Ouders mogen daar niet blijven. Ik heb geslapen als een blok, maar word wel wakker met stevige hoofdpijn. Welkom in 'the day after'.

Gisteren heb ik slechts enkele telefoontjes gepleegd. Nadat ik had meegedeeld dat opereren niet mogelijk is, volgde steevast de volgende vraag: 'En wat nu?' Een hele goede vraag en toch … het irriteerde me. Ik kon deze vraag niet beantwoorden. Ook de artsen niet. Alle hoop was gericht op een operatie, waarbij de tumor grotendeels zou worden verwijderd. Een zogenaamd plan B, als plan A mislukt, ligt niet op tafel.

Guusje doet het goed op de IC. Bij aankomst krijgen we te horen dat ze zo snel mogelijk terug zal gaan naar haar 'eigen' kamer op H8 Noord. Dat is goed nieuws. De IC is een bedreigende omgeving voor jonge kinderen.

Ik moet mijn broer bellen. Ik heb hem gisteren amper een minuut gesproken. Het is heel lastig om een geschikte plaats te vinden voor een telefoongesprek. Het bereik is slecht in deze betonnen bunker. Dan loopt er ook nog een troep asocialen rond. Familie Flodder heeft naast een ziek kind ook hun gezonde kroost meegenomen naar het ziekenhuis. Kinderen lopen om 9 uur in de gang al tegen een bal te trappen met een fles cola in hun hand. Dan ligt er ook nog een peuter op Guusje's kamer. Veel te jong voor onze dochter. Allemaal slecht voor mijn bloeddruk. Ik heb het helemaal gehad met het Emma Kinderziekenhuis. Al weken lopen ze hier met ons kind te hannesen zonder resultaat. Ik begin heel negatief te worden. Ik wil naar huis.

Kort na aankomst van Guusje in haar 'eigen' kamer komt dokter Marianne binnen. Ze geeft aan dat we nu geen antwoorden van haar mogen verwachten. We weten na gisteren dat verwijderen van de tumor door middel van een operatie niet mogelijk is. Dat is een feit. Bij de operatie is weefsel afgenomen. Dit weefsel wordt door pathologen hier in Amsterdam onderzocht. Misschien zelfs opgestuurd naar andere onderzoekscentra in de wereld. De komende weken zullen resultaten van deze onderzoeken bekend worden. Deze resultaten zullen samen met de bestaande kennis van dit soort zeldzame tumoren de basis gaan vormen van wat we nu maar Plan B zullen noemen. Garanties zijn niet mogelijk. Onzekerheid is de constante factor. Dokter Marianne benadrukt weer dat we moeten denken in kleine stapjes. Dat heb ik de afgelopen weken heel vaak gehoord. Het went nooit, maar we zullen wel moeten.

Iedereen om ons heen, ook verpleegkundigen en artsen, zijn geraakt door de pijn die Guusje heeft. Ze heeft al weken enorm veel pijn. Tijdens de operatie is een tijdelijke oplossing bewerkstelligd voor enkele pijnvrije dagen. Vanaf volgende week zal moeten worden gewerkt aan een permanente oplossing. Yvonne en ik willen graag naar huis met een dochter die geen pijn lijdt. Wij verlangen zo enorm naar het rondspringende kleine blonde meisje dat lekker op straat speelt met haar vriendinnen. Graag voor haar verjaardag.

Zaterdag 7 mei

Yvonne en ik ontvangen veel fijne berichtjes. Soms zijn mensen bang dat hun woorden verkeerd vallen. Die angst had ik vroeger ook. Niet weten wat je moet schrijven. Bang zijn dat je woorden verkeerd worden uitgelegd. Ik weet nu dat dit niet nodig is. Alle woorden zijn er om te steunen. Ieder mens is anders. Ieder mens schrijft ons vanuit het hart. Als je met liefde schrijft, dan valt de boodschap altijd goed.

Sinds donderdag zijn er weer tranen. Heel veel tranen. We hadden zo gehoopt op een succesvolle operatie. We gingen er vanuit dat niet de volledige tumor kon worden verwijderd. Maar helemaal niets? Dat hadden we niet verwacht. Zeker nadat besloten was om te gaan opereren. Een enorm harde klap. Ik zie het gezicht voor me van de Chirurg met Gevoel die vanuit de lift naar mij toe komt lopen met het vreselijke nieuws. De blik in zijn ogen vergeet ik nooit.

De hele nacht is het onrustig. Guusje spuugt en heeft koorts. Ik kan niet slapen. Midden in de nacht drink ik thee met verpleegkundige Marinka. Ik vertel haar over de stemming die is omgeslagen. Het lukt me maar niet om donkere scenario's uit mijn hoofd te zetten. Marinka vraagt tijdens het gesprek of de afgelopen jaren met Guusje de moeite waard waren. Ik kan enkel bevestigen dat het leven mooier was door Guusje. Deze gedachte blijft me bij. De hele dag.

In de vroege ochtend wil Guusje alleen maar slapen. Haar hoofd rust op haar linkerschouder. Het hoofdeind van het bed omhoog. Zo ligt ze al weken. De verpleging is bezorgd. Er moet een kinderarts komen. Guusje heeft eindelijk geen pijn op de plaats van de tumor. Nu heeft ze hoofdpijn en voelt ze zich niet lekker.

Guusje wil graag voor haar verjaardag een iPod Touch. Een veel te duur cadeau. De afgelopen weken is ze zo ongelofelijk dapper geweest. Ze krijgt haar iPod Touch vandaag. Dubbel en dwars verdiend. Wat een kanjer. Even op en neer naar de Media Markt bij de Arena. Deze is slechts twee metrohaltes verwijderd van het AMC.

Als ik terugkom in Guusje's kamer, geef ik haar het cadeau. Ze is dolblij. Ze zou ons het liefst allebei om de nek vliegen, maar haar lichamelijke toestand verhindert dat. Er is geen verbetering opgetreden. Het gaat eigenlijk alleen maar slechter.

Aan het begin van de middag weer een kinderarts. Deze pakt Guusje vast en dat doet enorm veel pijn. De kinderarts overlegt met chirurgen, kinderoncologen en anesthesisten voor een plan van aanpak. Er wordt een röntgenfoto gemaakt en extra medicatie voorgeschreven voor pijnbestrijding. Guusje beweegt als een oud vrouwtje. De hele dag hangt ze in haar stoel tussen twee grote kussens. Ze is heel erg ziek. Yvonne en ik beseffen dat Guusje zo nooit naar huis kan. Daar zullen we ons bij neer moeten leggen.

Marinka zorgt voor Guusje de komende nacht. Dat is fijn. Er is een vertrouwensband. Dit is vriendschap. Marinka weet precies wat er met onze dochter aan de hand is. Ze is erg betrokken. Guusje gaat heel ziek de nacht in. Marinka geeft haar zorg, warmte en aandacht.

Mijn leven is een eenrichtingsstraat
Wat geweest is, komt nooit meer terug
Het wordt nooit meer helemaal zonnig
Nooit meer onbezorgd strak blauw

Er is maar één baan in deze straat
Geen tweede baan ernaast
Geen tweede werkelijkheid,
waar ik ook had kunnen rijden
Er is geen werkelijkheid
waarin geen zieke dochter is
Guusje's ziekte hoort bij mijn leven

Zondag 8 mei

Om 7 uur word ik wakker van gerommel naast mijn bed. Ik zie Marinka met onze dochter van het toilet komen. Een totaal andere Guusje dan gisteren. Ik geef Marinka een compliment. Betere zorg voor onze dochter kan ik me niet voorstellen.

Al vroeg zit Guusje te spelen met haar nieuwe cadeau, de iPod Touch. Ze zit rechtop. Geen scheef hoofd rustend op haar linkerschouder zoals gisteren. Als ik vraag of ze pijn heeft, schudt ze haar hoofd. Ik hoop op een mooie dag.

In de loop van de ochtend passeren een kinderarts en een oncoloog. Ze zijn verbaasd. Is dit hetzelfde meisje als gisteren? Later stapt een chirurg de kamer binnen. Deze heeft een plan van aanpak voor onderzoeken paraat. Dat gaat niet door. Guusje is pijnvrij. Ze zit lekker in haar vel. Yvonne en ik realiseren ons dat het tijdelijk is, maar toch ... een mooier cadeau voor Moederdag bestaat niet.

Om 12 uur arriveren onze kinderen. Helaas zijn er net op dat moment problemen met de pijnbestrijding. Het alarm van de infuuspomp blijft piepen. Omdat de anesthesist niet naar Guusje's kamer kan komen, moeten we naar de verkoever.

Dit betekent een uurtje wachten voor ons bezoek. Er zijn elke dag verrassingen. We zijn het gewend. Je kunt hier niets plannen.

Het is Moederdag en heel mooi weer. Door de medicijnen aan de infuuspaal kunnen we met Guusje alleen onder begeleiding naar buiten. Gelukkig zorgt Marij vandaag voor Guusje. Ze neemt ons mee. Samen met nog een ander kind dat alleen in het ziekenhuis verblijft. Dit klinkt vreemd, maar ik heb inmiddels ervaren dat er meerdere kinderen zonder ouders op de afdeling zijn. We genieten van de zon en eten een ijsje. Met Marij hebben we een hele goede band. Afgelopen donderdag ging ze meteen mee naar Guusje op de IC. Ze begroette onze dochter met een welgemeende zoen. Een spontane uitdrukking van betrokkenheid.

's Avonds heb ik een lastig telefoongesprek met een van onze kinderen. Ik heb het idee dat deze er moeite mee heeft dat Guusje een iPod Touch heeft gekregen. Niemand krijgt zomaar dure cadeaus binnen ons gezin. Hebben ze thuis wel in de gaten hoe ernstig ziek hun zusje is?

Aan het einde van de avond concluderen Yvonne en ik dat het een mooie dag was. Zeker voor Guusje. Gisteren nog doodziek en vandaag kiplekker. Dit had ik gisteren nooit geloofd. Als het vandaag ijzig koud is met storm en regen, dan geloof je meestal ook niet dat het morgen tropisch warm is met volop zon. Zo is het wel met Guusje. Elke dag onvoorstelbaar anders.

Maandag 9 mei

Het is 5 uur in de ochtend. Gerommel naast mijn bed. Guusje en Marinka zijn druk. Ik zie dat Marinka de dromenvanger losmaakt en meeneemt de kamer uit. Ik heb geen idee wat hier gaande is. Ik heb geen kennis van dromenvangers. Als ze terugkomt en de dromenvanger terughangt, vraag ik wat de betekenis is van deze handeling. Marinka vertelt me dat een dromenvanger altijd moet worden uitgeklopt buiten het raam. Dat is in het ziekenhuis niet mogelijk. Ze heeft de dromenvanger uitgeklopt in de verpleegsterskamer. Als de verpleegkundigen van de dagdienst chagrijnig zijn, dan weet ik wat de oorzaak is.

Om 7 uur zit Guusje aan een boterham. Ik besluit om op te staan. Vroeg uit de veren. Ik hoop dat onze dochter vandaag een goede dag heeft, maar ik zie al meteen dat ze haar hoofd laat rusten op haar linkerschouder. Dat is geen goed teken. Haar bewegingen zijn houterig.

Na een week vakantie is het weer school. Dat is fijn. Guusje vindt het prettig om activiteiten aangeboden te krijgen. Daarna volgt fysiotherapie. Hoe gaan we ervoor zorgen dat Guusje niet de hele tijd haar hoofd op haar linkerschouder laat rusten? De fysiotherapeut constateert dat onze dochter een houding aanneemt gericht op het compenseren van pijn. We krijgen tips om haar zoveel mogelijk te corrigeren.

's Middags geniet Guusje van bezoek van haar vriendinnen Nikki en Veerle uit Kaatsheuvel. Een middag met veel leuke momenten. Meedoen aan Emma TV. Nikki die zingt en gitaar speelt. Als Guusje zich goed voelt, kan ze genieten. Dat is duidelijk. Daarom is het zo belangrijk dat er een permanente oplossing komt tegen de pijn. Nu profiteert ze van een tijdelijke oplossing die aangebracht is tijdens de operatie van afgelopen donderdag.

Morgenochtend is er overleg tussen dokter Marianne en anesthesisten van het Pijnteam. We hopen vurig dat zij een goede oplossing kunnen bedenken die het mogelijk maakt om naar huis te gaan. Wanneer we naar huis kunnen? Niemand die het weet. Natuurlijk wil Guusje graag haar verjaardag thuis vieren. Wij gunnen haar dat allemaal. Toch kan niemand zekerheid geven. Vroeger kon ik haar geruststellen en beloven dat het zou lukken. Nu kan ik enkel zeggen dat ik hoop dat we dan thuis zijn. Wat een onmacht.

Guusje kan niet worden geopereerd. Iedereen vraagt: 'En wat nu?' Als ik antwoord dat niemand het weet, gaat men doorvragen. Alsof er een antwoord MOET zijn. Vanuit goede bedoelingen gaan mensen met hun gedachten op de loop. Het plaatje invullen. Erop los fantaseren. Op zoek naar schijnzekerheid. Niemand heeft een antwoord. Zelfs artsen niet. Ze hebben enkel vermoedens. Ze denken in kleine stapjes. Het eerste stapje voor nu is dat Guusje moet herstellen van haar operatie.

Op de achtergrond gebeurt veel. Weefsel wordt onderzocht. Dokter Marianne denkt diep na. Ze communiceert veel met andere knappe koppen. Ook buiten Nederland. Ondertussen krijgt Guusje medicijnen die zouden kunnen helpen. Zeker is dat niet. Er zijn geen garanties. Alleen onzekerheid.

In onze moderne tijd eisen wij voor alle problemen een oplossing en snel. Kanker past niet in dat plaatje.

Het is bijna middernacht. Ik zit te schrijven in de ouderlounge op H8 Noord. Een verpleegkundige komt me halen. Guusje heeft pijn. Ik lees voor uit 'Abeltje'. Na twee hoofdstukken ben ik moe. Ik zeg tegen Guusje dat ze nu echt moet gaan slapen. Ik vraag me af hoe het mogelijk is. Hoe kun je slapen met pijn?

Dinsdag 10 mei

Guusje had een redelijke nacht. Ze was al heel vroeg aan de wandel samen met een verpleegkundige. Onze dochter had een raar gevoel in haar armen. Ik herinner me dat ik verschillende keren wakker ben geweest. Op het nachtkastje staat een bord met cakejes, koekjes en spekjes. Speciaal voor Guusje gemaakt door een verpleegkundige.

's Ochtends koop ik meestal koffie in de hal beneden. Personeelsleden kopen koffie tegen gereduceerde prijs. Ik loop al veel te lang rond in het AMC. Als ik koffie bestel, krijg ik steeds vaker personeelskorting.

Guusje gaat naar school. Yvonne en ik komen in de lift de Chirurg met Gevoel tegen. Als we de lift uitlopen, stel ik enkele vragen. Hij neemt rustig de tijd om deze te beantwoorden. Is het een juiste beslissing geweest om te gaan opereren? Hij denkt dat deze vraag positief kan worden beantwoord. We weten nu immers zeker dat het niet mogelijk is om de tumor door middel van een chirurgische ingreep te verwijderen.

Elke dinsdag komt een aantal verpleegkundigen op vrijwillige basis creatieve activiteiten ondernemen met zieke kinderen. Vandaag gaat Guusje etsen. Het is fijn voor haar dat er zulke leuke activiteiten worden aangeboden. Door vrijwilligers in plaats van pedagogisch medewerksters. Ik erger mij aan de pedagogisch medewerkster van Guusje. Zij heeft de afgelopen weken met onze dochter alleen maar een dromenvanger gemaakt. Ik zie haar veel praten met ouders en weinig activiteiten ondernemen met kinderen.

's Middags komt een arts langs van het Pijnteam. Zij gaat onderzoeken of het mogelijk is om onze dochter te verlossen van haar pijn. Geen eenvoudige opgave. We moeten geduld hebben. Dat hebben we. Een comfortabel leven voor Guusje gaat nu voor alles.

Guusje heeft na de lunch een uurtje geslapen. 's Avonds wil ze niet naar bed. Ze mag opblijven. Lekker naar 'Glee' kijken. De favoriete serie van haar zussen Janneke en Lisa.

Als ik Guusje een nachtzoen geef, kijk ik naar de monitor. Haar hartslag is laag. Dat is lang geleden. Op de vraag of ze pijn heeft, schudt ze haar hoofd. Slaap lekker. Welterusten. Tot morgen. Doei dag.

Woensdag 11 mei

We hebben een gesprek met een arts van het Pijnteam. Guusje heeft momenteel nauwelijks pijn. Ze profiteert van een tijdelijke oplossing. Dit heet een epiduraal. Hiermee worden pijngevoelens onderdrukt na een operatie.

Vanavond wordt gestart met een andere vorm van medicatie die Guusje zoveel mogelijk moet bevrijden van pijn op permanente basis. Men spreekt van chronische pijnbestrijding.

Morgenochtend stopt de epiduraal en gaan we volledig over naar chronische pijnbestrijding. Dat wordt spannend. Zal het lukken om de pijn zoveel mogelijk te onderdrukken? Kan Guusje comfortabel leven zonder pijnmedicatie via een infuus? Weer gaan we afwachten. Hopen op een positief resultaat.

Ik bel mijn oudste zus. Ik bespreek met haar de mogelijkheid om thuis de kamers van de kinderen te veranderen. Guusje heeft samen met haar zus Loes een slaapkamer op zolder. Een grote fijne speelzolder. Toch is het beter, als de jonge meiden weer terugkeren naar hun kleine slaapkamer op de eerste verdieping. Verder is Guusje alleen maar in staat te slapen in een aangepast bed. Thuis moeten kamers worden veranderd voordat we terugkeren. Gelukkig kan ik ook nu weer rekenen op mijn oudste zus. Zij neemt de leiding in deze 'bedroom makeover'.

Het voelt vreemd om met mijn zus te spreken over naar huis gaan. Ik had me naar huis gaan heel anders voorgesteld.

Ga ik binnenkort wel naar huis? We zetten stapjes in die richting.

Wanneer gaan we naar huis? Niemand die het weet.

Ben ik blij om naar huis te gaan? Ik weet het niet.

Ik weet al heel lang niet meer wat ik moet voelen.

Voor Guusje zijn er deze middag vele leuke activiteiten. Een vriendin komt op bezoek. Ze lachen samen om de cliniclowns, treden op in Emma TV en etsen met een vrijwilliger.

Toch heeft Guusje het vandaag niet naar haar zin. Ze weigert overdag te gaan slapen en is behoorlijk chagrijnig. Yvonne en ik krijgen de indruk dat onze dochter er doorheen zit. Guusje heeft het gehad. Ze is er klaar mee. Het blijft maar duren. Er komt geen einde aan deze vervelende polonaise. Heeft ze na weken eindelijk geen pijn. Moet het zo nodig weer anders. Het is weer niet zeker dat het werkt. Waarom kan er niemand gewoon iets vooraf beloven? Waarom zeggen ze hier steeds alleen maar: we hopen?

Terwijl ik zit te schrijven in de ouderlounge, komt Guusje naar me toe. Ze beweegt als een oud vrouwtje. Ze kan niet slapen. Spoken in haar hoofd. Ik ben al vele nachten bij Guusje geweest. Ik zeg niets. Word niet boos. Voel dat mijn geduld op is. Ik bel Yvonne. Zij komt terug uit het Ronald McDonald Huis. Vannacht slaapt zij bij Guusje.

Dan is er vandaag ook nog dat vervelende sms'je uit Kaatsheuvel. Het slaat in als een bom. De hele dag denk ik eraan. Onze overbuurman heeft kanker. Die man waarmee ik altijd gezellig kan babbelen en lachen. Hij ook al. Waarom hij?

Donderdag 12 mei

Een spannende dag. Vandaag proberen om de epiduraal te stoppen. Ik arriveer vroeg in Guusje's kamer. Er zijn al vijf verpleegkundigen bij Guusje geweest met de opmerking dat het spannend wordt vandaag. Is het verstandig om het belang zo te benadrukken? Ik heb zo mijn twijfels. Wel fijn dat het personeel zo betrokken is. Zal enkel chronische pijnbestrijding succesvol zijn?

De hele dag is het een carrousel van ziekenhuispersoneel. In willekeurige volgorde: pijnbestrijders, verpleegkundigen, zaalartsen, oncoloog, pedagogisch medewerkster, diëtiste, fysiotherapeut en masseur. Onze dochter gaat 's morgens naar school en 's middags naar de dieren. Hoe is het mogelijk dat Guusje zo weinig rust krijgt? Dat vraagt men zich wel eens af. Ik vind het niet vreemd. Bovenstaande personen komen allemaal zonder afspraak binnenvallen. In de tweede helft van de middag zet ik voor Guusje de film 'Briefgeheim' aan. Tot zes keer toe pauzeer ik de DVD, omdat er iemand binnenkomt van het ziekenhuispersoneel die aandacht nodig heeft.

Halverwege de middag krijgen we bezoek van dokter Marianne. We bespreken de situatie en de stappen voor de korte termijn. Guusje pijnvrij krijgen heeft prioriteit. Dan kan onze dochter naar huis. Graag voor 23 mei. Dat is haar verjaardag. Het zou fijn zijn om deze thuis te vieren. Daarna worden de behandelingen voortgezet. Hoogstwaarschijnlijk chemotherapie op F8 Noord.

Later in de middag krijgt Guusje weer last van ondraaglijke pijnen. Ze gaat door de grond. Besloten wordt om de epiduraal weer in werking te stellen. Zeker tot maandag.

Het is ver na middernacht als ik in gesprek raak met een verpleegkundige. We bespreken het falen van de chronische pijnbestrijding, het voorbereiden van onze thuiskomst en het ontbreken van rust. Guusje is erg ziek. Ze heeft veel behoefte aan rust. Het moet morgen echt anders dan vandaag. De verpleegkundige raadt me aan om vaker het bord 'niet storen' op de deur te plakken. Laten we hopen dat het helpt.

Vrijdag 13 mei

Ook in het Emma Kinderziekenhuis bestaat vrijdag de dertiende. Ik word om 4 uur 's nachts gewekt door een verpleegkundige. Ze deelt mee dat Guusje al een tijdje wakker is. Onze dochter heeft heel veel pijn. Ze zit in de verpleegsterkamer film te kijken. Haar handje trilt. Het verplegend personeel kan het niet aanzien. Ik ook niet.

Er is contact geweest met het Pijnteam. We moeten met Guusje in bed naar beneden. Even later arriveren we op de verkoever. Er lopen vier mensen in blauwe outfit rond en er liggen enkele patiënten in bedden. Het AMC slaapt nooit. Ik krijg koffie. De medicatie wordt aangepast. Guusje wordt rustig. Drie uur later keren we terug op H8 Noord. Veel drukte op de gang. De dag is begonnen.

Het begrip tijd heeft voor mij de afgelopen weken een andere invulling gekregen. Een exact tijdstip afspreken. Snel iets doen. Het gebeurt hier nooit.

Ik wil nu echt een dagje rust voor Guusje. Ik hang een plaat op de deur: niet storen. Ik bel Yvonne. Zij is in het Ronald McDonald Huis. Ze wil meteen naar het ziekenhuis komen. Ik verzoek haar om daar te blijven en uit te slapen. Guusje is toe aan slaap. Ik ben toe aan slaap. We zijn alle drie toe aan rust.

Yvonne arriveert om 9 uur. Vandaag proberen we zoveel mogelijk mensen buiten Guusje's kamer te houden. Het valt niet mee, maar het lukt wel. Zeker dankzij het 'niet storen' op de deur. 's Ochtends heeft Guusje veel pijn. 's Middags gaat het beter. Het wordt een heel spannend avontuur om Guusje voor haar verjaardag thuis te krijgen. Artsen en verpleegkundigen doen hun best.

Zaterdag 14 mei

Wanneer ik vrijdagavond in bed stap, hoop ik echt op meer slaap dan vorige nacht. Al snel zijn er problemen bij het vervangen van de vulling van een infuuspomp. Het euvel is niet snel op te lossen. Pas rond half 3 is het gerommel rond Guusje's bed afgelopen. Gelukkig kan onze dochter slapen tot 9 uur. Uitslapen hoort bij zaterdagochtend.

's Ochtends zijn er weer die vreselijke momenten van pijn. We kunnen als ouders niets anders doen dan toekijken en troosten. Duidelijk is dat men vanuit het Pijnteam de zaak heeft onderschat. Inmiddels wordt gewerkt aan het verhogen van de pijnbestrijdingmiddelen. Zal het genoeg zijn? Lukt het komende week om Guusje's pijn voldoende te onderdrukken, zodat wij haar mee kunnen nemen naar huis? Er is niemand die deze vragen wil of kan beantwoorden. We kunnen enkel hopen.

Vandaag proberen we zoveel mogelijk rust te creëren voor onze dochter. 's Morgens gaan we met Guusje naar beneden onder begeleiding van verpleegkundige Marinka. De laatste moet mee, omdat een van de infuuspompen kuren heeft. Zonder begeleiding mogen we niet van de afdeling af.

's Middags kijken we naar een film van de toneelvoorstelling 'The Beauty & The Nerd'. Guusje zou hierin hebben meegespeeld. Haar rol is overgenomen door Hans. Haar broer speelt de sterren van de hemel.

Verder komen Yvonne's ouders op bezoek. Oma wil graag met Guusje een spelletje doen, maar onze dochter is te moe.

Zaterdagavond wordt in het AMC een collegezaal omgetoverd tot bioscoopzaal. Toch zijn we hier nog nooit geweest. We kunnen alleen naar de bioscoop onder begeleiding vanwege de infuuspompen. Op zaterdagavond zijn er geen verpleegkundigen over die even met patiënten naar de film kunnen gaan. Yvonne en ik maken van Guusje's kamer een minibioscoop waarin vanavond Harry Potter wordt vertoond. Het laatste half uur van de film slaapt ze. Kijk ik naar rechts, zie ik geen Harry Potter maar de Sleeping Beauty.

Ondertussen wordt in Kaatsheuvel met man en macht gewerkt aan het veranderen van de slaapkamers. In de avonduren spreek ik met mijn oudste zus, de projectleider van de 'bedroom makeover'. Ze hebben pauze. Morgen gaan ze verder. Ik krijg het gevoel deelnemer te zijn in een Amerikaans televisieprogramma. Onze naasten werken zich uit de naad om voor ons iets moois te realiseren. Wij mogen niet weten wat er precies gebeurt in ons huis. Als ik vraag hoe een en ander eruit gaat zien, krijg ik geen antwoord. Verrassing bij thuiskomst.

Yvonne en ik realiseren ons dat het nog maar de vraag is of we Guusje's verjaardag thuis kunnen vieren. Ook wij verlangen enorm naar thuis. Na weken eindelijk weer samen met onze kinderen. Gewoon papa en mama met hun zes kinderen. Geen gezinsleven zoals voorheen. Dat beseffen we ook. Een van onze kinderen is heel erg ziek. Daarom kijken we uit naar rust. Ook straks thuis.

We keren niet terug in Kaatsheuvel met een gezonde dochter. We gaan thuis uitrusten. Bijkomen van alle spanning. Na een korte 'break' gaan we terug naar het Emma Kinderziekenhuis. Dan zal weer een poging worden ondernomen om de tumor te bestrijden.

Guusje heeft veel ingeleverd van haar conditie. We kunnen niet stellen dat ze er beter aan toe is dan twee maanden geleden. Ze heeft heel veel meegemaakt. Het bewijs is haar KanjerKetting met meer dan honderd kralen.

Guusje heeft laten zien dat ze dapper is. Ze zeurt niet over pijn. Wij zien de pijn. Ze dwingt respect af. Ze is moedig. Een klein blond meisje om trots op te zijn.

Zondag 15 mei

's Ochtends hebben we bezoek. De leiding van Guusje's scoutinggroep brengt een bijzonder cadeau. Een DVD speciaal voor Guusje gemaakt door de kinderen en de leiding. Veel hilariteit en leuke liedjes.

's Middags kunnen we een bezoek brengen aan de bioscoop. Dit is een grote verrassing voor Guusje. Er is een verpleegkundige beschikbaar die ons begeleidt. De film 'Gnomeo & Juliet' wordt vertoond. Er is gratis fris en popcorn. Helaas moeten we tien minuten na de pauze afhaken. Guusje heeft heel veel pijn. We gaan snel terug naar de afdeling. Daar krijgt ze extra medicijnen.

De hele dag vraag ik me af hoe het 'bedroom makeover' project thuis verloopt. We mogen niet weten wat er wordt veranderd. Je zou er bijna achterdochtig van worden. Zeker als je 's avonds een sms krijgt van Lisa. Hierin staat dat de muren zijn uitgebroken, een dakkapel is geplaatst en de keuken is vernieuwd.

Het is hier in het Emma Kinderziekenhuis voor ons een rustige zondag. Precies zoals we het willen voor onze dochter. Alleen die pijn. Die wil maar niet echt weggaan. Ik zie geen vooruitgang gedurende het weekend. Steeds meer ga ik twijfelen aan de haalbaarheid van Guusje's wens om thuis haar verjaardag te vieren.

Het is na middernacht. Ik loop Guusje's kamer in. Heel voorzichtig. Ik wil haar niet storen. Ze is nog wakker. We maken een praatje. Ik geef haar een zoen. Daarna ga ik op het opklapbed liggen. Ik voel dat ik de slaap niet kan vatten. Na tien minuten besluit ik weer uit bed te gaan. Als ik opsta, begint Guusje meteen tegen me te praten. Ik vraag waar ze aan denkt. Thuis is haar antwoord.

Midden in de nacht nemen Guusje en ik de statistieken door. Op 16 maart werd ze voor de eerste keer opgenomen in het ziekenhuis. De artsen dachten toen aan een longontsteking. Dat is vandaag twee maanden geleden.

Op maandag 28 maart werd ze voor de tweede keer in het ziekenhuis opgenomen. Dat is vandaag zeven weken geleden. Ook toen dachten we nog steeds aan een longontsteking. Wie had ooit gedacht dat we zo lang in het ziekenhuis zouden zijn?

Tijdens het gesprek geeft Guusje aan dat ze heel erg graag naar huis wil. Ik baal. Ik kan haar niets beloven. Vroeger zou ik hebben gezegd dat we zeker thuis zouden zijn op haar verjaardag. Nu is dat niet mogelijk. Alleen als het lukt de pijn te onderdrukken, kunnen we naar huis. De laatste dagen heb ik helaas mijn twijfels gekregen. Ben ik dan toch niet de optimist die ik zo graag wil zijn? Heeft de realiteit me ingehaald? Zegeviert het pessimisme in mij?

Na dit gesprek kan ik onmogelijk de kamer verlaten. Ik ga in bed liggen. Slapen wordt moeilijk. Het spookt in mijn hoofd. Zeven weken geleden een longontsteking. Toen werd het kinderkanker. Daarna een enorme infectie. Uiteindelijk een zeldzame tumor in de linkerlong met uitzaaiingen in de rechterlong en in de benen. Een zeldzame vasculaire tumor. Nooit eerder gezien bij kinderen. Geen snelgroeier. Wel destructief. Niet operatief te verwijderen. Een tumor die ook nog eens enorm veel pijn veroorzaakt. Al weken zelfs. Een tot op heden niet te onderdrukken pijn. Het kan zomaar een snelgroeier worden, met slechte vooruitzichten. Ik haat kanker. Wat een ellende.

Het is Guusje's grootste wens om haar verjaardag thuis te vieren. De voorbereidingen zijn in gang gezet om naar huis te gaan. Yvonne en ik leren hoe we sondevoeding kunnen geven. Daarnaast krijgen we instructie over het toedienen van injecties. Thuis worden de slaapkamers aangepast.

Maandag 16 mei

Als ik opsta, voel ik me brak. Ik heb liggen malen. Ik kijk naar Guusje. Ze is stil. Ik zie haar denken. Zij maalt ook.

Aan het begin van de dag vragen Yvonne en ik ons af wat er allemaal gaat gebeuren. Vandaag zal een tweede poging worden ondernomen om de epiduraal te stoppen. Zal het deze keer wel lukken om volledig over te gaan op chronische pijnbestrijding? Ik heb het gevoel dat er een wonder moet gebeuren.

Guusje gaat altijd om kwart voor 10 naar school. Voor die tijd wil men de epiduraal stopzetten. Niemand weet echter de code van de infuuspomp. Als de verpleegkundigen hierover paniekerig gaan doen, besluit ik om toch maar snel te zeggen wat de code is. Ik kon het gisteren niet laten om even te mee te kijken toen een anesthesist de code instelde.

Als Guusje terugkomt van school, staat er een aantal witte jassen in haar kamer. Er wordt druk gesproken over de mogelijkheid om naar huis te gaan, want het lijkt de goede kant op te gaan met de onderdrukking van de pijn. Toch een wonder?

Onze dochter is onzeker. Ze heeft zoveel vertrouwen gekregen in de verpleegkundigen dat ze zonder hen niet naar huis wil. Zal het wel goed gaan thuis? Stel je voor dat de pijn terugkomt. Wat dan?

Er volgt een verwarrend gesprek tussen onze dochter en de artsen. Dan zegt de hoofdarts dat er deze week maar één ding belangrijk is: Guusje haar verjaardag thuis laten vieren. Daar hoort natuurlijk een cadeau bij: een week thuis, geen ziekenhuis. Dan gebeurt er iets bijzonders. Guusje gaat huilen. Voor het eerst in weken. Er komen tranen. Enorm veel. Een huilbui zonder einde. Tranen van ellende of tranen van geluk? Zeven weken ziekenhuis worden uitgejankt. Guusje heeft ineens het gevoel dat er eindelijk eens iemand naar haar luistert. Een ongewone uitspraak voor een kind volgt: 'Met die arts kan ik goed praten.' Eindelijk een arts die niet zegt 'zou kunnen' of 'hopen'. Hier heeft ze wat aan.

's Middags wordt Guusje losgemaakt van haar infuuspaal. Even pijn lijden bij het verwijderen van vervelende pleisters. Dan eindelijk het gevoel van vrijheid. Gewoon gaan en staan zonder steeds die vervelende paal mee te moeten zeulen. Voor het eerst in zeven weken.

Het blijft de hele dag spannend. Er wordt een aantal keren enorm gehuild. Guusje heeft heimwee. Steeds gaat het over Balou, onze lieve labrador. Hij is symbool voor thuis.

Zal het goed blijven gaan met het onderdrukken van de pijn? Het blijft spannend. De afgelopen tijd hebben we al meer tegenslagen gehad. Alles is mogelijk. Niets is zeker.

Wanneer Guusje 's avonds in bed ligt, kijk ik terug op een hele bijzondere dag.

Dit had ik nooit verwacht. Gisteren was ik heel negatief. Vanavond ben ik ineens positief. Er is veel gebeurd. Een klein wonder. Het vooruitzicht naar huis te gaan is echt fantastisch. Niet alleen voor Guusje. Voor ons hele gezin. Voor onze familie. Voor iedereen die met Guusje meeleeft. Aan de andere kant moet ik ook reëel zijn. We gaan naar huis voor slechts een week. Misschien zelfs minder. Een week waar we enorm aan toe zijn. Het mooiste geschenk voor dit moment. Meer kunnen we nu niet wensen.

Dinsdag 17 mei

De afgelopen nacht was heel onrustig. Guusje was vaak wakker. Wat de oorzaak is weet niemand? Heimwee naar thuis? De haven in zicht?

Vroeg in de ochtend heeft Guusje koorts. Dat is wel vaker, als ze de avond ervoor een injectie heeft gekregen. Hoogstwaarschijnlijk een bijwerking van het medicijn. Gisteravond heeft Yvonne voor het eerst een injectie gegeven. Hierbij werd ze aangemoedigd door een verpleegkundige die zei: 'Niet denken! Doen!'

Yvonne en ik maken ons zorgen over het beschikbaar zijn van de medicijnen in onze eigen apotheek in Kaatsheuvel. We hebben niet het idee dat deze op voorraad zullen zijn. Misschien is er zelfs sprake van lange levertijd. We willen niet meemaken dat we een dag zonder medicijnen voor pijnbestrijding zitten.

We zijn druk vandaag. Een verpleegkundige geeft les over sondevoeding. Een transferverpleegkundige regelt thuiszorg voor ons. Een fysiotherapeut oefent traplopen met Guusje. Vrijwilligers schilderen samen met onze dochter. Een psycholoog bespreekt met Yvonne en mij het gezinsleven met een heel ziek kind. Er is ook nog een diëtiste. Die besluit om morgen terug te komen, want we zijn steeds in gesprek. Als iedereen weg is, heeft Yvonne last van 'information overload'. Zij niet alleen. Ook Guusje. Zij valt na het avondeten in slaap. Het is een hele vermoeiende dag. Volledig in het teken van het ontslag uit het ziekenhuis. Gepland voor vrijdag.

Het ziet er naar uit dat het dus echt gaat gebeuren: Guusje gaat thuis haar tiende verjaardag vieren. Mijn inschatting is dat we thuis geen tijd hebben voor het kopen van een verjaardagscadeau. Gelukkig is de Media Markt bij de Arena in de avonduren geopend. Even snel met de metro. Het verjaardagscadeau is alvast gekocht. Laten we hopen dat het maandag thuis wordt geopend.

Woensdag 18 mei

Gisteren was er een overleg tussen verschillende disciplines over onze dochter. Er is toen de vraag gesteld welk beroep vader uitoefende. Het zal wel iets met computers zijn. Die man zit elke avond achter zijn laptop. Het personeel weet niet dat ik dan een blogbericht schrijf. Aan het einde van de dag zet ik op een rij wat er is gebeurd. Meestal heel erg veel. Er komt slechts een deel terug in dit verhaal.

Toen ik begon met deze blog schrok ik vaak van het grote aantal verschillende zorgverleners dat op een dag aan Guusje's bed verscheen. Inmiddels ben ik er aan gewend. Ik zeg wel eens tegen Yvonne: 'We kunnen om 8 uur 's morgens naast Guusje's bed gaan zitten. Dan zien we de zorgcarrousel voorbij komen.'

Dit is een dag met weinig zorgverleners. Toch zet ik het even op een rijtje. Na het ontbijt komt de kinderarts langs. Zij is niet alleen. Ze wordt vergezeld door twee artsen in opleiding. Er staan dus al heel vroeg in de ochtend drie witte jassen in Guusje's kamer. Na het wassen gaat Guusje naar school. Daarna ontvangen Yvonne en ik de spullen voor het geven van sondevoeding thuis. Een dame legt ons alles uit. Van aansluiting van het systeem tot bestelling van de voeding. Als Guusje uit school is, verschijnt de fysiotherapeut. Zij oefent samen met Guusje. Gisteren traplopen. Vandaag zijwaarts liggen in bed. Klinkt als hele gewone bewegingen. Dat zijn het ook, maar niet meer voor onze zieke dochter. Als de fysiotherapeut weg is, komt er een anesthesist binnen. We bespreken de hoeveelheid medicijnen die nodig zal zijn in de periode thuis. Yvonne en ik zijn een aantal malen op de verkoever geweest. We hebben gezien dat anesthesisten goed kunnen hoofdrekenen. Toch merkt Yvonne op dat er een rekenfoutje is gemaakt. Kan iedereen gebeuren, maar zou in dit geval betekenen dat we thuis te weinig medicijnen hebben. Pijnmedicatie is heel erg belangrijk. Guusje kan geen dag zonder. Vervolgens komt de diëtiste op bezoek. Zij legt uit hoe de sondevoeding dient te worden geprepareerd. De voeding voor Guusje wordt niet in standaardverpakking geleverd. Deze mensen komen langs voor half 2. Yvonne klaagt. Ze heeft weer last van 'information overload'. Oh ja, we hebben nog steeds niet geluncht. Snel naar beneden om een broodje te halen.

Wat doen Yvonne en ik de hele dag in het ziekenhuis? Ambassadeur zijn van Guusje en heel veel mensen ontvangen. Naast het bovenstaande overzicht hebben we dagelijks sowieso te maken met drie verschillende verpleegkundigen.

Vandaag zijn er vijf bijzondere gebeurtenissen. De eerste is tegen 12 uur. Ik ontvang een e-mail over onze overbuurman. Hij hoorde een week geleden dat hij kanker heeft. Vandaag de uitslag van de kweek. Het worden drie chemokuren. Dat hakt erin.

Na de lunch volgt de tweede bijzondere gebeurtenis. Er komt een meisje voorbijgereden op een fietsje. Op de kinderafdeling rijden kinderen met fietsjes door de gangen. Plotseling staat Guusje op en rent achter het meisje aan. Even later rijdt ze zelf op een fietsje voorbij met een ander kind achterop. Het lijkt of ik droom. Onze dochter doet plotseling wat elk ander normaal kind doet. Gewoon lekker spelen. Het geluk is niet van lange duur. Ze heeft waarschijnlijk wel erg veel van haar conditie ingeleverd de afgelopen tijd.

Derde bijzondere gebeurtenis is halverwege de middag. Guusje stapt de kamer binnen in het gezelschap van twee verpleegkundigen. Heel officieel krijgen Yvonne en ik een diploma overhandigd. We worden gehuldigd als dappere ouders door onze dochter en de verpleging. We ontvangen een diploma voor op de schoorsteenmantel.

Vierde gebeurtenis is het bezoek aan F8 Noord. De laatste weken hebben zich afgespeeld op H8 Noord. Na een weekje thuis zullen we terugkeren op F8 Noord. Dit is de afdeling Kinderoncologie. Onze eerste dagen in het Emma Kinderziekenhuis brachten we hier door. Het lijkt zo lang geleden. Het was begin april. Terwijl ik er rondloop komen er heftige herinneringen boven. Ik voel de emotie van toen.

De vijfde en laatste bijzondere gebeurtenis is in de avonduren. Ik geef Guusje voor het eerst een injectie met medicijnen. Ik had nooit verwacht dat ik dit ooit zou doen. Ik had ook nooit gedacht dat ik ooit zo'n zieke dochter zou hebben.

Donderdag 19 mei

De hele dag staat de voorbereiding centraal van het vertrek uit het ziekenhuis. Hoewel onze exacte vluchttijd in de ochtend niet bekend is, hoop ik dat we morgen echt naar huis kunnen. Dan zijn we hier precies zeven weken. Morgen zal blijken dat alles wat we hier meemaken geen boze droom is geweest, maar keiharde realiteit. Yvonne en ik nemen een zieke dochter mee naar huis. Een grote ziekte die voor altijd een enorme impact zal hebben op ons gezinsleven. De ziekte die kanker heet.

De hele ochtend en middag draait de carrousel van zorgverleners weer op volle toeren. Ik ben uren bezig met het opruimen van de kaarten. Dat ligt niet aan de enorme hoeveelheid. Terwijl ik bezig ben met opruimen, passeren een kinderarts, een chirurg, een fysiotherapeut, een anesthesist, een psycholoog, een masseur, een maatschappelijk werkster, een pedagogisch medewerkster en diverse verpleegkundigen de revue. Ondertussen mail ik met de huisarts en met twee juffen van de basisschool. Dit alles vindt plaats voor 3 uur. Yvonne en ik worden overladen met informatie en krijgen nauwelijks tijd om te lunchen.

Om 3 uur hebben we een afspraak met twee kinderartsen over het vervolg van Guusje's behandelingen op F8 Noord. Dokter Marianne is ziek. Zij is betrokken op de achtergrond vanaf haar huisadres.

Guusje gaat echt haar tiende verjaardag thuis vieren. Ook de dagen erna blijven we thuis. Cadeautje voor Guusje. Voorwaarde is wel dat de pijn onder controle blijft. Daarna wordt onze dochter verwacht voor een korte chemokuur. Een exacte datum hiervoor is niet bekend. We maken wel een concrete afspraak over het tijdstip van vertrek: morgen om 11 uur!

Marij zorgt vanavond voor Guusje. Ze heeft voor onze dochter alvast een verjaardagscadeau meegenomen: een mooie grote schelp. Ze omhelzen elkaar innig. We willen graag dat Marij bij onze dochter de sonde vervangt. Guusje vindt deze behandeling akelig. Wij weten dat Guusje Marij vertrouwt. Onze dochter protesteert. Ze vindt Marij veel te aardig om zulke vervelende handelingen bij haar te verrichten. Dan zie ik dat Marij rode ogen krijgt.

Na het avondeten lees ik Guusje voor uit Chemo Kasper en Radio Robbie. Het eerste boekje gaat over chemotherapie. Het tweede over bestralen. Beide boekjes leggen op heldere wijze aan kinderen uit wat kanker is en hoe deze kan worden bestreden. Bij elke bladzijde stelt Guusje vragen.

De avond verloopt rustig. Onze vrienden uit Zaandam komen op bezoek. Zij hebben ons de afgelopen weken enorm gesteund. Niet alleen met woorden. Ook met eten en schone kleding. Ook zij hebben alvast een cadeautje gekocht voor Guusje's verjaardag: een armbandje met een klavertje vier en een hartje. Geluk en liefde voor Guusje.

De meeste spullen zijn ingepakt. Zal alles wel in de auto passen? Het lijkt wel of we morgen terugkeren van vakantie. Wel een hele slechte vakantie. We zijn zeven weken lang nauwelijks buiten geweest. We leefden binnen de muren van het ziekenhuis. Eerder een gevangenis dan een resort. We zijn doodmoe en moeten nog veel verwerken van wat er hier de afgelopen weken is gebeurd.

Yvonne en ik komen morgen naar huis. Eindelijk weer samen met onze andere vijf kinderen. We hebben ze enorm gemist. Ons kleine blonde meisje nemen we mee. Samen met haar KanjerKetting. Deze telt honderddrieëntwintig kralen. Elke kraal heeft een betekenis. Een roze kraal voor morgen. We gaan naar huis. Eindelijk een goede dag.

Vrijdag 20 mei

Onze verwachte vertrektijd is 11 uur. Het leegmaken van Guusje's kamer en de kamer in het Ronald McDonald Huis verloopt voorspoedig. Het verblijf in het Ronald McDonald Huis is niet gratis. De prijs is vijftien euro per nacht waarvan ik verwacht dat onze ziektekostenverzekering een deel vergoedt. Om half 11 lopen we naar de apotheek in de polikliniek. Hier kunnen we de medicijnen ophalen voor thuis. Dit kan niet eerder, want de patiënt moet eerst ontslagen zijn. We komen binnen in een enorme apotheek met wel tien loketten. Slechts twee ervan zijn bezet. Waar is het personeel? Er is een lange wachttijd. Het is dus een echte apotheek. We gaan 11 uur niet halen.

De afgelopen dagen heeft de verpleging heel erg haar best gedaan om ervoor te zorgen dat er voldoende medicijnen meegaan voor twee weken thuis. We worden immers pas terug verwacht na het volgende weekend. Welke dag is onbekend. Het kan dus ook pas over twee weken zijn. Toch zijn niet alle medicijnen aanwezig voor deze twee weken. We krijgen een herhalingsrecept mee. Daar balen we behoorlijk van. Dit betekent dat we op korte termijn al aan moeten kloppen bij onze eigen apotheek in Kaatsheuvel. Om half 12 verlaten we de apotheek. De verwachte vertrektijd is een gepasseerd station.

We gaan terug naar de verpleegafdeling. Daar controleren we of we alle medicijnen hebben. Omdat het medicijn voor de injectie van vandaag nog wel op de afdeling aanwezig is, prik ik Guusje. Dit is de tweede keer dat ik onze dochter een injectie geef. Het voelt niet vreemd. Gewoon doen.

Dan is het tijd om afscheid te nemen. Het personeel van de afdeling heeft enorm goed voor ons gezorgd. Ze waren erg zorgzaam voor onze dochter. Ze leefden enorm met haar mee. Met enkele verpleegkundigen hebben Guusje, Yvonne en ik een band gekregen. Met name Marij, Marinka en Margje.

We verlaten het ziekenhuis en stappen in de auto. Achterin liggen onze winterjassen. Het lijkt alsof de tijd voor ons twee maanden heeft stilgestaan. Alleen de omgeving is veranderd. De bomen zijn groen. Geen idee dat het al eind mei is. Yvonne zet haar zonnebril op en zegt dat ze zich niet blij voelt. We gaan na een veel te lange ziekenhuisopname eindelijk naar huis en toch is er geen vreugde.

Om half 2 komen we aan in de Van Beurdenstraat. Ik steek de sleutel in het slot. De voordeur gaat open. Daar staat Balou. Even lekker knuffelen met onze hond. We worden hartelijk begroet door onze dochters, opa en oma. Onze zonen zijn op school.

We krijgen een rondleiding. De meubels in de woonkamer hebben een andere plaats gekregen. De buurt heeft gezorgd voor bloemen in ons tuintje. Guusje en Loes hebben een mooie meidenkamer. Een aangepast bed voor Guusje. De jongens profiteren van de situatie. Zij hebben de grote zolderkamer. Er is hard gewerkt.

Yvonne's broer en zijn vrouw hebben gezorgd voor taart. Dat hoort bij een feestelijke thuiskomst. Er liggen kaarten en cadeautjes klaar. Guusje moet huilen. Ze is blij dat ze thuis is.

Even later lig ik met Guusje op de bank te slapen. De school is uit. Haar vriendin Annabel staat aan de deur. Vraagt of ze binnen mag komen. Guusje neemt Annabel mee naar boven. Laat haar nieuwe bed en kamer zien. Lekker kletsen met haar goede vriendin. Na een tijdje ga ik naar boven. Bezoek is leuk maar niet te lang.

Na het avondeten maak ik een korte wandeling met Hans in de bossen. Balou vermaakt zich prima met een andere hond. Thuis zitten onze andere kinderen film te kijken. We zijn weer een doorsnee gezin.

Het is later in de avond. Onze jongste drie kinderen liggen in bed. Onze oudste drie kinderen zijn verdiept in de boekjes van Chemo Kasper en Radio Robbie. We zijn toch geen doorsnee gezin. Daar worden 's avonds geen boekjes over kanker gelezen.

Zaterdag 21 mei

Als ik vroeg in de ochtend in Guusje's slaapkamer kijk, ligt ze te slapen op haar zij. Zo heb ik Guusje al heel lang niet zien liggen. Heerlijk in haar nieuwe bed. Geen monitor om de hartslag te registreren. Geen infuuspalen. Ook ik heb heerlijk geslapen. Eindelijk weer eens een keer gewoon naast Yvonne. Dat is lang geleden.

Het is een rustige zaterdag. Boodschappen doen. Bezoek met Guusje en Loes aan mijn ouders. Emotioneel voor deze oude mensen. Ze hebben hun kleindochter weken niet gezien. Veel gesprekken met buurtbewoners. Misschien dat mensen het moeilijk vinden om ons aan te spreken. Dat is niet nodig. We kunnen er goed over praten.

Als je een bepaalde auto koopt, dan kom je overal hetzelfde type tegen. Zo is het nu ook met Guusje's ziekte. In de supermarkt lopen we een moeder van een klasgenootje tegen het lijf. Ze heeft kanker en is kaal geworden door de chemo. We maken een praatje. We doen boodschappen en gaan weer naar huis. We lopen de straat in. We zien de overbuurman. Hij komt thuis. Terug uit het ziekenhuis van een chemokuur.

's Middags geeft vriendin Nikki een tuinconcert voor klasgenootjes. Nikki kan goed gitaar spelen en zingen. Yvonne en ik gaan er met Guusje naar toe. Onze dochter geniet enorm van het weerzien met haar vriendinnen. Als ik na een tijdje bezorgd informeer of het gaat, geeft Guusje duidelijk aan dat ze niet naar huis wil.

Tijdens het avondeten is het ouderwets gezellig. Onze oudste kinderen praten honderduit over hun middelbare school. Daarna ga ik met enkele kinderen de hond uitlaten in de bossen. Het oude leven weer een beetje oppakken. Het is mooi weer. Ik schrijf mijn blog buiten in de tuin. Guusje zit met haar broers en zussen binnen op de bank. Lekker film kijken op zaterdagavond. Doe mij maar een Grimbergen. Dat is lang geleden. Proost op het leven.

Zondag 22 mei

De hele nacht slaap ik onrustig. Ik ben vaak wakker. Geen idee hoeveel uren ik werkelijk slaap. Regelmatig kijk ik even bij Guusje. Ze kon gisteravond de slaap niet vatten.

Als ik opsta, zie ik een stapel post op mijn bureau. Nadeel van acht weken weg zijn. Ik blader even door de stapel. Lijkt me geen klusje voor vandaag of morgen. Meer iets voor dinsdag of later in de week. Dan trek ik de la van mijn bureau open. Nog meer post. Geen klein klusje dus maar een hele grote klus.

's Ochtends krijgen we bezoek van onze huisarts, bel ik met juf Bianca, kijken we naar een documentaire over kanker en gaat het gesprek vooral over Lisa's spijkerbroeken. Onze dochter beklaagt zich over het missen van twee broeken. Ze heeft gezocht in de kasten van haar zussen, maar zonder resultaat. Ook een telefoontje naar oma, die de afgelopen weken de was heeft gedaan, levert niets op. Vreemd. Hoe raken twee broeken zoek? Als Hans terugkomt van de hond uitlaten, merkt Yvonne op dat hij wel een hele wijde broek draagt. Zeker op de heupen. Het zal toch niet. Jawel hoor. Onze zoon draagt een spijkerbroek van zijn zus. We liggen allemaal in een deuk. Zo ken ik onze kinderen weer. Heerlijk om weer thuis te zijn.

's Middags gaat het mis. We krijgen bezoek van familie. Allemaal mensen die ons heel erg hebben geholpen en waarvan ik heel veel hou. Toch kan ik het niet opbrengen om te luisteren naar 'social talk'. Moe van de spanning. Moe van het slaaptekort. Bezorgd over de pijnbestrijding. Bezorgd over de grote ziekte. Kortom, moe en bezorgd. We vragen het bezoek om weg te gaan. Het is een moeilijk besluit. Liever geen bezoek. Niet voor mij. Ik wil wel praten, maar niet over alledaagse dingetjes. Niet nu.

Ik maak een boswandeling. Samen met Hans, Anton en Loes. Ze hebben geluk. De ijscoman staat bij de IJsbaan. Ze willen twee bolletjes. Voor mij is één genoeg. Daar snappen onze kinderen niets van. Hoe kun je nu één bolletje ijs genoeg vinden?

Met Anton heb ik eind maart een spreekbeurt voorbereid. Deze ging niet door. Zijn zusje werd plotseling erg ziek. Ik vraag Anton wanneer hij zijn spreekbeurt moet doen? Als Guusje beter is, is zijn antwoord. Wat moet je dan zeggen? Dat hij nooit zijn spreekbeurt zal houden?

Na het avondeten wil Guusje naar buiten. Yvonne en ik gaan een stukje rijden met haar in de rolstoel. Dan is morgen naar school niet de eerste keer. Het voelt vreemd om zo met Guusje op stap te gaan in ons eigen dorp. Het duwen is lastig. Ligt niet aan de rolstoel. Die is prima. De straten in het centrum zijn niet rolstoelvriendelijk.

Morgen is Guusje jarig. Ze is onzeker. Zal morgen haar stoel wel versierd zijn? Hebben we wel een cadeautje geregeld? Wordt er morgenochtend wel gezongen? Lieve schat. Maak je geen zorgen. Ga gewoon lekker slapen. Morgen wordt misschien wel de mooiste verjaardag ooit.

Maandag 23 mei

Het is 7 uur. Drie zussen, twee broers, vader en moeder staan voor de deur. Daar gaat ie. Lang zal ze leven. Cadeautjes uitpakken. Naar beneden. Slingers. Versierde stoel. Verjaardagskaarten.

Guusje's verjaardag. Nog nooit werd er zo naar uitgekeken. Nog nooit door zoveel mensen. Nog nooit was het zo spannend. Nog nooit zo onzeker.

Als iemand mij een week geleden had gevraagd of ik erin geloofde dat we Guusje's verjaardag vandaag thuis zouden vieren, dan had ik deze persoon teleurgesteld. Toch gebeurde er een week geleden iets ongelofelijks. Het lukte de artsen om de pijn onder controle te krijgen.

Ik ben zo blij voor Guusje. De vlag wappert vrolijk in de wind. Iedereen mag het weten. We hebben feest. Het mooiste cadeau voor ons kleine blonde meisje: haar verjaardag thuis.

Meer dan twee maanden is Guusje niet meer op school geweest. In de rolstoel brengen Yvonne en ik onze dochter naar school. Heel spannend voor haar. De eerste keer na lange tijd. Er wordt gezongen. Ze trakteert. Haar klasgenoten hebben tekeningen gemaakt. Daarna het schoolplein op. Vriendinnen om haar heen. Ondertussen drinken Yvonne en ik een kopje koffie met de leerkrachten.

Na het speelkwartier al naar huis. Een uurtje is genoeg vandaag. Guusje is ondersteboven van de enorme drukte. De lastige vragen van klasgenootjes. Thuis eten we taart. Er zijn veel verjaardagskaarten. Ze blijven binnenstromen. Iedereen is blij voor Guusje. Heel hartverwarmend.

Yvonne haalt Anton en Loes op van school voor de lunch. Als ze binnenkomen, moet Guusje mee naar buiten. Een bijzonder cadeau van een buurtbewoner. Hij heeft een grote vlieger gemaakt en opgelaten. Tien kleine vliegers aan de staart. Voor Guusje's tiende verjaardag.

Na de lunch gaat Guusje rusten. Ze is heel moe en valt in een diepe slaap. Na school komen klasgenootjes met cadeautjes. Het is gezellig. Gewoon zoals het hoort. De jarige job tussen vriendinnen. Lekker snoepen.

Dokter Marianne belt. Zij heeft enorm haar best gedaan om ervoor te zorgen dat Guusje vandaag thuis is. Ook zij is blij. Het is gelukt.

's Avonds mag Guusje kiezen wat we eten. Het wordt voor haar een Happy Meal. Als we eten bestellen, maken Hans en Lisa grappen over de collectebus van het Ronald McDonald Huis. Of ik even wat geld wil storten voor mijn eigen goede doel.

Het is 8 uur als Guusje's ogen dichtvallen. Ik lees een paar bladzijden voor uit 'Juf Rommelkont'. Daarna het gebruikelijke ritueel. Een nachtzoen. Slaap lekker. Welterusten. Tot morgen. Doei dag. Het was een fantastische verjaardag. Door al die mooie wensen van al die fijne mensen. Een verjaardag die begon met 'Lang zal ze leven'. Laat het toch eens waar zijn.

Anders leven

24 mei – 5 juni

● ●

Dinsdag 24 mei

Bij het ontbijt lijkt het alsof er nooit iets is gebeurd. Yvonne spoort de kinderen aan om hun taken te vervullen in de huishouding: hond uitlaten, tafel afruimen, vaatwasser inruimen, etc. Een enorme drukte vroeg in de ochtend. Alle kinderen gaan naar school. Ook Guusje. Wel eerst medicijnen innemen. Dat is anders. Ook de weg naar school in de rolstoel. Ik ga mee de klas in. Het lijkt er een beetje op of Guusje samen met mij een spreekbeurt houdt. We beginnen met de vragen van de kinderen. Vind je het leuk om weer naar school te gaan? Waarvoor is het slangetje in je neus? Helpen de medicijnen? Wat voor chemo krijg je? Hoeveel kralen heb je aan je KanjerKetting? Wat betekenen die kralen? Hoe komt het dat je krom loopt? Sommige vragen zijn heel makkelijk te beantwoorden. Er zijn ook vragen bij die heel lastig zijn. Zo wordt de vraag gesteld aan Guusje hoe ze zich voelt. Dit is een hele lieve vraag, maar onze dochter kan er geen antwoord op geven. Ik leg de kinderen uit dat zij deze vraag waarschijnlijk ook niet voor zichzelf kunnen beantwoorden. Tussen de vragen door leg ik uit hoe een portacath werkt en lees ik voor uit Chemo Kasper. Aan de hand van dit verhaal kun je kinderen uitleggen wat kanker is en wat chemotherapie doet. Dat Guusje veel heeft meegemaakt in het ziekenhuis wordt vooral duidelijk bij het laten zien van haar KanjerKetting. School is belangrijk voor Guusje. 's Middags heb ik een gesprek met juf Ilse. Daarbij worden de lijnen uitgezet voor de komende maanden. De toekomst is onzeker, maar er moet wel het een en ander worden geregeld. Na school komen enkele vriendinnen op bezoek. Al snel gaat het gezelschap buiten spelen op het pleintje. Dat zie ik graag. Guusje's medicatie tegen de pijn is effectief. Af en toe wat extra, maar de dosis blijft binnen de perken.

Vandaag maak ik een begin met het opruimen van de stapels post. Ik werk doorgaans gestructureerd. Nu heb ik het gevoel dat ik het overzicht kwijt ben. Toch lukt het me om bijna alles binnen twee uurtjes weg te werken. Twee brieven blijven liggen.

De eerste is een factuur van het verblijf in het Ronald McDonald Huis. Als ik mijn ziektekostenverzekeraar bel, blijkt dat deze alleen voor vergoeding in aanmerking komt bij een aanvullende verzekering. Die hebben we niet. Het is niet gratis. Daar was ik al achter. Het zit ook niet in het basispakket. Dat weet ik nu ook. Afgezien van het financiële aspect, ben ik blij dat Yvonne en ik deze tijd in het ziekenhuis samen door hebben kunnen brengen.

De tweede is een aanvraagformulier van Doe Een Wens. Hiervoor heeft de verpleging ons aangemeld. Ik vind het heel moeilijk. Ik krijg altijd een vreemd emotioneel gevoel, als ik kijk naar folders of posters van deze organisatie. Het leed van jonge kinderen heeft me altijd geraakt. Nu vul ik een aanvraag in voor onze eigen dochter. Tijdens het avondeten worden we toevallig ook nog eens gebeld door Doe Een Wens. Volgende week krijgen we bezoek. Dan wordt geïnventariseerd wat Guusje's grootste wens is. Voor iedereen een verrassing wat haar grootste wens zal zijn. Toen de verpleging een tijdje geleden in het ziekenhuis vroeg of ze ons mochten aanmelden voor Doe Een Wens, hebben we na enig nadenken ingestemd. We hebben toen aan Guusje alvast gevraagd wat haar grootste wens zou zijn. Ze had op dat moment maar één grote wens: naar huis.

Woensdag 25 mei

In het ziekenhuis is Guusje's vriendin Nikki een aantal malen op bezoek geweest. Nikki kan mooi gitaar spelen en zingen. Afgelopen zaterdag gaf ze een tuinconcert voor klasgenoten. Nikki heeft een heuse videoclip gewonnen. Vandaag wordt er voor deze clip gefilmd in de klas. De opnamen beginnen om 11 uur. Gisteravond heb ik Guusje voorgesteld pas in de ochtendpauze naar school te gaan. Een hele ochtend naar school is te veel. Guusje is het niet met me eens. Als het niet gaat, moet ik maar even extra pijnmedicatie komen brengen.

Het is 7 uur in de ochtend en Guusje ligt rustig te slapen in haar bed. Yvonne en ik spreken met elkaar af dat we onze dochter lekker laten liggen. We brengen haar op een later tijdstip in de ochtend wel naar school. Precies zoals ik gisteravond heb voorgesteld. Na de ochtendpauze dus.

Dat hadden we gedacht. Guusje zit even later te ontbijten. Ze gaat gewoon om half 9 naar school. Om kwart voor 11 word ik gebeld. Guusje heeft pijn. Ik breng extra medicijnen. Onze dochter geeft aan op school te willen blijven. Het opnemen van Nikki's videoclip wil ze niet missen.

Na school vertelt Guusje dat ze in de ochtendpauze binnen is gebleven. Buiten vindt ze toch te druk. Twee vriendinnen zijn bij haar gebleven. Verder geeft ze aan dat haar stoeltje drukt tegen haar litteken van de operatie. Dit is heel pijnlijk. Ze heeft een tijdje op de bureaustoel van de juf gezeten. Morgen zal ik haar rolstoel de trap op naar boven sjouwen. Kan ze fijn en pijnloos zitten.

Na de lunch moet Guusje rusten. Onder protest. Wat heeft het volgens Guusje voor zin om in je eentje boven in bed te gaan liggen. Enorm saai. Ik wil de babyfoon aanzetten, zodat we kunnen horen of onze dochter hulp nodig heeft. Dat mag dus niet papa. Ze roept wel hard, als ze ons nodig heeft. Die eigenwijsheid. Ik hoor het graag.

's Middags ga ik naar Tilburg. Ik heb twee brillen en die staan beide scheef op mijn neus. Even bij de opticien recht laten zetten. Fijn dat ik weer eens zelf kan bepalen wat er gaat gebeuren. Dat is lang geleden. De afgelopen weken hadden we niets te vertellen over onze eigen dagindeling. We werden geleefd. Nu hebben we ons leven weer een beetje in eigen hand. Ik moet ook nog wat inkopen doen. Als ik later in de middag in mijn auto terugrijd naar Kaatsheuvel, merk ik dat mijn geheugen zo lek is als een zeef. Mijn brillen heb ik recht laten zetten, maar van de andere boodschappen is weinig terecht gekomen.

Ik vraag me af wanneer ik Lisa moet wegbrengen. Ze gaat op survivalkamp met school. Ik zou haar wegbrengen. Dat is toch niet vanavond? Stel dat ik te laat thuis ben. Als ik onze dochter bel om te vragen wanneer ik haar moet wegbrengen, deelt ze me mee dat ik dat al tien keer heb gevraagd. Nee, ik ben niet dement. Er gebeurt te veel in mijn hoofd. Daarom heb ik een geheugen als een goudvis. Een tijdelijk probleem. Hoop ik.

Ik ontvang veel e-mails. Soms zijn er berichten bij die me raken. Van mensen die in soortgelijke situaties hebben gezeten. Mensen die veel hebben meegemaakt. Vrienden uit Zeeland hebben een zieke zoon. Ze hebben ervaring met Doe Een Wens. Ze zijn heel positief. Hun zoon heeft een wensdag gehad om nooit te vergeten. Ze schrijven dat dit ook de bedoeling is van de wensdag. Terugdenken aan je ziekte is terugdenken aan je wensdag. Klinkt prima.

Guusje heeft de wil om door te gaan. Na het avondeten gaan Yvonne en ik met onze meiden een ijsje kopen in de Peperstraat. Afwisselend loopt Guusje of zit ze in de rolstoel. Als we terugkomen is de koek echt op. Snel haar medicijnen en dan vlug naar bed. Geen sondevoeding. Alweer niet. Guusje eet voldoende sinds onze thuiskomst. Kortom, naar omstandigheden gaat het heel goed met ons. Nu nog dat gat in mijn geheugen dicht zien te krijgen.

Donderdag 26 mei

Het is 3 uur in de nacht. Guusje vraagt extra pijnmedicatie. Ze geeft aan dat ze niet naar school wil. Geen probleem. Ze mag nog wat uurtjes slapen. Toch gaat ze wel naar school. Alleen een uurtje later dan de andere kinderen.

's Ochtends krijgen Yvonne en ik bezoek van Jan en Wil. In het ziekenhuis zijn ze ook op bezoek geweest. Jan heeft levercelkanker. Vanmiddag heeft Jan een MRI-scan op het programma staan. Daar ziet hij tegenop. Jan hoopt op een levertransplantatie. Toch wordt de kans steeds kleiner dat hij hiervoor in aanmerking komt. Yvonne en ik zitten in hetzelfde schuitje als Jan en Wil. Ook al vaart ons bootje in een andere zee. Jan en Wil kijken net als wij niet ver vooruit in de toekomst. Dat kan ook niet. Zij kijken niet verder dan de uitslag van de MRI. Wanneer ze deze krijgen, weten ze niet. Yvonne en ik denken niet verder dan de eerste chemokuur. We worden deze week gebeld en dan wordt verteld wanneer de kuur plaatsvindt. Het is inmiddels donderdag en we hebben nog steeds niets gehoord. Onze planningshorizon is kort.

Heel erg kort zelfs. De zomervakantie is dichtbij. Nog slechts enkele weken. Hoe deze er voor ons uit gaat zien? Geen idee. We zijn er niet mee bezig. We denken er niet aan.

Om kwart voor 11 gaat de telefoon. Guusje heeft pijn. Ik snel naar school met medicijnen. Als ik vraag of ze meegaat naar huis, schudt ze haar hoofd. Ze wil graag blijven. Dat is goed. Ik geef haar medicijnen. Ze haalt diep adem en loopt terug de klas in. Als ik Guusje een uur later ophaal, vraagt een klasgenootje of onze dochter 's middags weer naar school komt. Ik geef aan dat het beter is om thuis te blijven en te rusten. Deze opmerking valt verkeerd bij Guusje. Tijdens de lunch zegt Guusje dat ze ook graag 's middags naar school wil. Yvonne is duidelijk. Er is geen keuze. Guusje moet thuis blijven en rusten. Ze mag niet 'over de top' gaan. Stukje zelfbescherming. Guusje ziet het anders en is boos.

Guusje zit tot 2 uur op de bank. Chagrijnige blik. Omdat ze nieuwe schoenen nodig heeft, nemen Yvonne en ik haar in de rolstoel mee. Guusje heeft duidelijk geen trek in het passen van schoenen. Waarom kan ze wel winkelen, maar niet naar school? Yvonne en ik negeren haar ontevredenheid.

We nemen Guusje mee naar school om onze andere kinderen op te halen. Ze blijft voor de school in de rolstoel zitten. Enkele moeders spreken haar liefdevol aan. De chagrijnige bui is nog niet overgewaaid. Guusje kijkt strak voor zich uit en zegt weinig. Na school trekt de lucht open. Er komen enkele vriendinnen langs. Goed dat Guusje niet naar school is geweest. Anders had ze voor bezoek waarschijnlijk niet genoeg energie gehad.

Wanneer moeten we terug naar het Emma Kinderziekenhuis? Omdat we nog steeds niets hebben gehoord, besluit ik te bellen. Yvonne en ik willen graag weten waar we aan toe zijn. Wordt het maandag, dinsdag of een andere dag? Wordt het wel of niet blijven slapen? Beetje zekerheid over enkel de planning zou best fijn zijn. De dame aan de andere kant van de lijn belooft dat ik word teruggebeld.

Na het avondeten word ik gebeld. Niet door het ziekenhuis. Door een dame van Ziggo.

'Welke programma's kijkt u op TV?'
'Geen enkele.'
'Als u TV kijkt, waar kijkt u dan naar?'
'Ik kijk geen TV.'
'Maar als u kijkt, waar kijkt u dan naar?'
'Ik herhaal. Ik kijk geen TV.'

Vervolgens probeert de dame me toch een aanbieding te verkopen voor een aantal sportzenders. In mijn geval een hele kansloze actie. Sport is sowieso niet mijn favoriete onderwerp. TV kijken heb ik de afgelopen weken nauwelijks gedaan. Ik ben in de ban van Guusje's ziekte.

's Avonds komt mijn neef op bezoek. Hij woont in de Verenigde Staten. Guusje kan moeilijk in slaap komen. Buiten is er ontzettend veel herrie. Onze dochter komt gezellig bij ons op de bank zitten. Ze zit op haar praatstoel. Aan de hand van haar KanjerKetting vertelt ze wat er de afgelopen weken is gebeurd.

Vrijdag 27 mei

's Ochtends wordt iedereen in huize Van Gorp veel te laat wakker. We hebben ons verslapen. Volgens Yvonne heeft Guusje slecht geslapen. Ik weet het. Om half 2 had ze enorm veel pijn. Gelukkig zakte die pijn na het geven van extra medicijnen. Ze hoorde stemmen. Ik vraag welke. Van Margje was het antwoord.

Snel aankleden, ontbijten, medicijnen innemen en en vertrekken naar school. Als we op het schoolplein arriveren, gaat de zoemer. Ik zet de rolstoel in de gang beneden. Gisteren heeft Guusje in de rolstoel in de klas gezeten, maar dat is geen succes. Vandaag zal ze het proberen op de stoel van juf Bianca.

Het is 9 uur. De telefoon gaat. Guusje heeft pijn. Snel naar school met extra medicatie op zak. Ik loop de school in. Met grote passen de trap op naar boven. Ik kijk door het raampje de klas in. Guusje komt de gang op. Ik geef haar medicijnen. Ze geeft aan dat ze pijn heeft bij het litteken van de operatie. Er wordt een andere stoel geregeld. Later blijkt dat ook deze stoel geen succes is.

We weten nog steeds niet wanneer we volgende week worden verwacht voor Guusje's eerste chemokuur. Dokter Marianne heeft begin deze week wel laten vallen dat ze verwacht dat het volgende week maandag wordt en dat de behandeling maar een dag duurt. Zeker weten doen we dat echter nog steeds niet. We zouden deze week worden gebeld, maar dat is nog steeds niet gebeurd. Gistermiddag heb ik het initiatief genomen. Ik heb contact opgenomen met F8 Noord. Ik zou worden teruggebeld. Dat is niet gebeurd.

Ik pak de telefoon. Na twee keer doorverbinden heb ik de juiste dame aan de lijn. Volgens de planning wordt Guusje maandagochtend om half 11 verwacht. Hoe lang we moeten blijven? Dat kan ze nu niet zien. Ik word teruggebeld. Even later heeft Yvonne waarschijnlijk dezelfde dame aan de lijn. Dokter Marianne belt ons vandaag. De juiste persoon voor duidelijkheid. Ik hoop dat ze ons gaat vertellen wat we de komende weken kunnen verwachten met betrekking tot de behandeling van de tumor. We moeten thuis toch het een en ander organiseren. Zeker als zou blijken dat Guusje langer wordt opgenomen. We hopen natuurlijk van niet.

Om 11 uur gaat de telefoon. Guusje heeft pijn. Weer snel ik naar school met medicatie op zak. Als ik met onze dochter op de gang sta, zie ik aan haar gezicht dat het echt niet gaat. Ze wil naar huis en geeft aan vanmiddag ook niet meer naar school te willen. Ze voelt zich dus echt heel ziek. Als we thuiskomen, houdt ze mijn hand vast op de trap naar boven. Ze wil haar pyjama aan. Beneden kruipt ze in een hoekje van de bank met haar knuffels.

Het is bijna 12 uur. Yvonne haalt Anton en Loes van school. De telefoon rinkelt beneden. Ik ben boven. Vlug de trap af. Misschien is het dokter Marianne. Die mag ik niet missen. Het duurt even voordat ik de telefoon heb gevonden. Als ik opneem, hoor ik aan de andere kant van de lijn de vriendelijke stem van dokter Marianne. Ze wil weten hoe het met Guusje gaat en dan met name de pijn. Ik vertel dat we het aantal keren extra pijnmedicatie gelukkig weten te beperken tot het maximum van zes keer per dag. Dokter Marianne legt haar behandelingsplan voor de korte termijn uit. Kijken of een bepaalde chemokuur effect heeft. Maandagochtend worden we in Amsterdam verwacht. 's Avonds zal Guusje weer gewoon in Kaatsheuvel in haar eigen bed slapen. Dat klinkt goed. We zijn de komende weken op maandag in het Emma Kinderziekenhuis. Tussendoor zijn we thuis en gaat Guusje zoveel mogelijk naar school. Laten we hopen dat de pijn onder controle blijft.

De rest van de dag ligt Guusje ziek op de bank. Het gaat niet goed. Ze heeft totaal geen puf om iets te doen. Misschien zijn de afgelopen dagen toch te zwaar geweest voor haar.

Het is 9 uur. Guusje ligt in bed. Yvonne haalt Anton op bij scouting. Guusje roept me. Ze heeft pijn. Ik geef haar extra medicijnen. De zesde keer vandaag. Het maximale aantal. Gelukkig zakt de pijn.

Dit weekend is het Pleinfestival in ons dorp. De herrie ervan is duidelijk te horen. De wind staat verkeerd. Guusje kan niet slapen. Ik stel een luisterboek voor. Het wordt 'Pietje Bell'. Laten we hopen dat ze in slaap valt bij zijn streken.

De hele dag ben ik weer in de ban van Guusje en haar ziekte. De ziekte met de Grote K. Dit wil niet zeggen dat ik de hele dag alleen maar aan onze dochter denk. Vandaag denk ik ook aan andere kinderen met kanker. Is het de hele dag ellende in mijn hoofd? Gelukkig niet. Ik denk ook veel aan onze andere kinderen. Janneke is verliefd. Lisa geniet tijdens survivalkamp. Hans waant zich een krijgsheer tijdens een computerspel. Anton probeert mij te verslaan tijdens een partijtje judo. Loes vertelt vrolijk over school. Onze kinderen kleuren mijn dag. Als ik Guusje een nachtzoen geef, omhelst ze me. Even knuffelen. Ze zegt dat we de liefste ouders van de hele wereld zijn. Meer kleur is niet mogelijk.

Het is 11 uur. Ik kijk terug op een slechte dag voor Guusje. Tegen dokter Marianne heb ik verteld dat het redelijk gaat. Ik hoop dat ik niet te positief ben geweest. Dan komt onze dochter uit bed. Ze geeft aan veel pijn te hebben. Is het alleen lichamelijke pijn? Of ook geestelijk? Onzekerheid over maandag. Te veel ellende in het leven van onze dochter.

Yvonne geeft haar extra medicijnen. Toch de zevende keer vandaag. De babyfoon staat aan. Het is stil boven. Ik hoop dat ze slaapt.

Zaterdag 28 mei

Gisteravond verwachtte ik dat Guusje een slechte nacht zou hebben. 's Ochtends blijkt dat ze goed heeft geslapen. Tot 9 uur zelfs.

Onze kinderen zijn allemaal lid van scouting. Janneke en Loes hebben van 10 tot 4 Beverdoedag. Hans heeft zijn wekelijkse bijeenkomst in de ochtend. Omdat Lisa survivalkamp heeft van school, zijn alleen Anton en Guusje thuis. Als ik naar Guusje kijk, dan zie ik weinig verbetering ten opzichte van gisteren.

Yvonne en ik willen niet dat ons meisje de hele dag op de bank ligt. Ook Anton moet niet de hele dag alleen maar achter de computer zitten. Daarom leg ik de rolstoel in de auto. Yvonne en ik nemen Anton en Guusje mee naar Tilburg. Het is druk. Mensen hebben vakantiegeld ontvangen. Wij kopen een oorthermometer en een nieuwe tas voor mama. Verder eten we een broodje. Na twee uurtjes in de stad is het genoeg. We gaan naar huis. Guusje heeft rust nodig.

Het lopen met een rolstoel is een bijzondere ervaring. In de lift van de parkeer-garage wil een dame die achter me staat even snel passeren. Ze duikt bijna over de rolstoel heen bij het uitgaan van de lift. Ze zal eerder bij de betaalautomaat zijn dan wij. Als ik duw, ligt ze vanmiddag in het ziekenhuis. Zal ik? Nee, waarom zou ik. Het lukt me overigens wel om haar de weg te blokkeren en als eerste bij de betaalauto-maat te zijn.

Gedurende de dag voer ik uitgebreide gesprekken over Guusje. Ik ben een pra-ter. Het valt me op dat mijn leven ingrijpend verandert. Het draait de komende maan-den nog maar om drie dingen: Guusje's ziekte, mijn gezin en mijn werk. Onzekerheid voert de boventoon. Veel kankersoorten kennen een protocol. Dan zijn de stappen in de behandeling bekend. Bij Guusje's ziekte is dit niet het geval. Er zijn te weinig gevallen bekend. Dus geen standaardbehandelplan. We moeten denken in kleine stapjes. Het volgende stapje is chemo. Of het werkt? Niemand die het weet. We mogen alleen maar hopen. Wat dan het volgende stapje wordt? Niemand die het weet. Kortom, onzekerheid. Wat kunnen wij als ouders doen? Alleen maar heel veel van ons kleine blonde meisje houden en hopen. Hopen dat het goed komt.

Communicatie verloopt tegenwoordig niet alleen via het gesproken woord. Ook e-mail speelt een grote rol. Juf Ilse mailt dat er op korte termijn werk gemaakt gaat worden van een betere stoel voor Guusje. Onze huisarts wenst ons sterkte voor maandag. Verder ontvang ik goede tips van lotgenoten. Mensen die ik nooit in le-venden lijve heb ontmoet.

Na het avondeten gaat Guusje in bad. Dan komen haar vragen.

Eenvoudig: Waar zit de tumor? Hoe groot is deze?

Moeilijk: Waarom heb ik pijn?

Ingewikkeld: Hoe is de tumor ontstaan?

Onmogelijk: Waarom heb ik deze ziekte?

Angst: Wat gebeurt er als de tumor niet kleiner wordt?

De laatste vraag is het moeilijkst voor mij om te beantwoorden. Het is voor Guusje niet te bevatten dat de tumor nooit zal verdwijnen. Wat gebeurt er als de tumor nog groter wordt? Ik durf er geen antwoord op te geven. Ze houdt aan. Dan ben ik eerlijk. Dan kun je dood gaan. Ze wordt boos. Ze zegt dat ik haar niet begrijp. Ik weet niet wat ik moet zeggen. Probeer haar gerust te stellen.

Waarom heb ik deze ziekte? Dat is ook een moeilijke vraag. Een vraag zonder antwoord. Het is niet te begrijpen waarom Guusje de grote ziekte heeft. Ik besef al-leen dat mijn leven definitief is veranderd. Op 31 maart sloeg ik een andere weg in en het zicht is heel beperkt.

Bij het afdrogen geeft ze aan haar litteken te willen zien. Ze gaat op een krukje staan. Zo kan ze zelfs op haar rug kijken in de badkamerspiegel. Ze vraagt: 'Kan iedereen dit straks zien in het zwembad?' Ze weet dat ze bekeken wordt. Helaas, het is niet anders.

Guusje had gisteren een slechte dag. Vandaag is matig. Ze eet wel maar niet genoeg. Voor de eerste keer krijgt onze dochter weer sondevoeding. Ik had gehoopt dat het niet nodig zou zijn. Een paar dagen onvoldoende eten betekent gewichtsverlies. Dat moeten we voorkomen. Zeker met een chemokuur voor de deur.

Zondag 29 mei

8 uur in de ochtend. Ik pak mijn telefoon. Hierop kan ik e-mails lezen. Ik schrik. Jan ligt weer in het ziekenhuis. Afgelopen donderdag was hij bij ons op bezoek. Toen was er niets aan de hand. Enkel een spannende MRI-scan in de middag.

We slapen uit. Loes en Guusje kruipen bij ons in bed. Dat is lang geleden. Wel heel gezellig. Zo horen we wakker te worden. Tussen onze kinderen.

We ontbijten. Geroosterde boterhammen met koffie. Rustig wakker worden. Guus Meeuwis zingt op de achtergrond.

Met zes kinderen kun je altijd opruimen. Dat doen we ook. Daarna telefoneren en e-mails beantwoorden. Praten over morgen. Dan gaan we met Guusje terug naar het Emma Kinderziekenhuis. Haar eerste chemokuur. Het wordt een dagbehandeling. Dus 's avonds weer lekker in haar eigen bed.

Het is Pleinfestival in ons dorp. Yvonne en ik gaan samen met Guusje en Loes. Er is een kermis en een braderie. Onze dochters eten een suikerspin en gaan in een hele rustige achtbaan. Guusje's vriendin Nikki staat op straat met haar gitaar. Ze probeert wat geld bij te verdienen. Het gaat haar goed af.

Mijn telefoon gaat. Verpleegkundige Marij is in de buurt en wil graag koffie komen drinken. Dat is een goed idee. Een gezellige dame. Leuk om nou eens met haar te babbelen in een andere omgeving dan het ziekenhuis. Het was niet enkel kommer en kwel in Amsterdam. We hebben met haar ook plezier gehad gedurende de weken in het ziekenhuis. Guusje laat trots haar nieuwe slaapkamer zien. Marij herhaalt enkele malen dat ze nog nooit op huisbezoek is geweest bij een patiëntje. Wij zijn een uitzondering.

Aan het einde van de middag haal ik Lisa op. Terug van survivalkamp. Het was supervet. Ik kan me geen kamp herinneren waarvan Lisa niet enthousiast terugkwam. Altijd veel plezier en veel gelachen. Na het avondeten gaan Yvonne en ik even een korte boswandeling maken met Balou. Instructies voor de oudste kinderen. Als er iets is met Guusje, meteen bellen. We zijn binnen tien minuten thuis. Er wordt niet gebeld. We kunnen rustig even praten over Guusje. Ze maakte aan het einde van de middag een heel vermoeide indruk. Ze heeft rust nodig. Onze dochter weet niet wat haar te wachten staat. Chemotherapie. Het is alleen nog maar een woord. We hebben er veel over gesproken. Zij zal het ondergaan. Een spannende dag morgen. Logisch.

Loes wil graag worden voorgelezen. Dat is al meer dan twee maanden geleden. Ik lees altijd voor in het papa-en-mama-bed. Ik zoek een boek. Wat is een goed boek voor een meisje van zeven? Loes toont mij een exemplaar uit de reeks van Wipneus en Pim. Dat is waar ook. Die waren we aan het lezen voordat Guusje in het ziekenhuis werd opgenomen. Waar waren we gebleven? Het ezelsoor vertelt waar. Op bladzijde veertig pas. Het is heerlijk om weer voor te lezen aan Loes.

Als Loes in bed ligt, ga ik naar beneden. Koffie drinken en aardbeien eten. Guusje houdt van aardbeien. Ze eet goed vandaag. Sondevoeding is niet nodig. Vervolgens lees ik haar voor uit 'Juf Rommelkont'. Ook Anton schuift aan. Guusje is moe. Ze wil slapen. Na een kwartier roept ze. Ik hoor het door de babyfoon. Ze heeft moeite met in slaap komen. Hier is je iPod. Kies maar een leuk luisterboek.

Ik ga een berichtje schrijven voor mijn blog. Ik denk dat haar dag erop zit. Ik hoop dat ze rustig in slaap zal vallen. Daarin vergis ik me. Om half 12 roept ze me. Ze vraagt om extra medicatie tegen de pijn. Ze is klaarwakker. Kan niet slapen. Zenuwachtig voor morgen. De tranen komen. Laat ze maar stromen. Het is te spannend. Ze zegt dat ze niet misselijk wil worden. Dat worden veel mensen van de chemo. Dat weet ze. Yvonne en ik nemen haar mee naar beneden. Even knuffelen en kletsen. Daarna een spelletje. Papa kan er niks van. Guusje wel. Daarna terug naar bed. Probeer je geen zorgen te maken. Het is zo makkelijk gezegd. Probeer het maar eens, als je net tien jaar bent en morgen je eerste chemokuur krijgt. Ik wens je sterkte.

Maandag 30 mei

Op de tafel in de kamer staat een vaas met zeventien rode rozen. Het is vandaag onze trouwdag. Ons leven is anders dan voorheen. Er zijn bloemen. Geen feest. Vandaag gaan we met Guusje naar Amsterdam. Voor chemotherapie.

Twee jaar geleden vertrokken we op deze dag voor tien dagen naar de Verenigde Staten. Een geweldige ervaring. Wat heb ik toen genoten. Toen reden we ook richting Amsterdam. Parkeerden onze auto bij Schiphol. Nu in de parkeergarage van het AMC. We zijn om 8 uur thuis vertrokken. Het is maandagochtend en de ervaring leert dat het dan altijd ontzettend druk is. Tot mijn verbazing arriveren we al om kwart over 9 in Amsterdam. Mooi weer. Een enorm brede A2. Geen files. Hoe is het mogelijk? We zijn meer dan een uur te vroeg. Een dagbehandeling. Vraag me af hoe lang zo'n dag gaat duren. Hoe laat zullen we weer vertrekken? We zullen wel zien.

Guusje is erg gespannen. Dat blijkt meteen bij aankomst op F8 Noord. Ze is heel stilletjes. Gelukkig zijn er de cliniclowns. Bekenden van de zeven weken AMC. Spontaan omhelst Guusje de clowns. Deze lolbroeken willen nu met iedereen knuffelen. Niet alle moeders hebben zin in deze ongein. Heel vermakelijk om te zien. Voor Guusje komt deze afleiding op het juiste moment. Helaas van korte duur. Dan volgt het aanprikken van de portacath, afnemen van bloed en het inlopen van medicijnen via een infuus.

Zaterdagavond had Guusje veel vragen. Een aantal heb ik opgeschreven. Vandaag stellen we deze aan dokter Marianne. Voor de beantwoording heeft deze een kopie meegenomen van een röntgenfoto van onze dochter. Heel rustig gaat ze in op Guusje's vragen.

Waar zit de tumor? In het onderste deel van de linkerlong.
Hoe groot is de tumor? Zo groot als een volwassen vuist.
Waardoor is de tumor ontstaan? Dat weet niemand. Ook niet de slimste artsen van de wereld.

Guusje zit in een tuinstoel. Niet in bed. Op een zaaltje met andere kinderen. Naast haar ligt een jongen in bed. Ik praat met zijn moeder, als Guusje even naar toilet is. Wanneer onze dochter terug in haar stoel zit, vraagt ze op fluistertoon welke soort kanker de jongen heeft. Als ik antwoord dat hij een hersentumor heeft, kijkt ze me aan en zegt: 'Dat is foute boel, papa.' Ik zeg niets. Ik denk alleen maar dat het bij Guusje ook fout zit. Heel erg fout. Haar tumor heeft geen overlevingskans in procenten. Zal nooit verdwijnen. Heeft zich op destructieve wijze genesteld aan alle andere organen. Haar kanker kent geen protocol en zal nooit weggaan. Nooit!

Via het infuus krijgt Guusje een middel tegen allergische reacties. Het is een slaapverwekkend medicijn. Guusje gaat rustig liggen slapen. Nu zou je kunnen denken dat Yvonne en ik rustig kunnen toekijken en een krantje lezen. Dat is echter niet het geval. In de paar uurtjes dat we in het ziekenhuis zijn passeren twee kinderoncologen, een zaalarts, een anesthesist, een fysiotherapeut, een pedagogisch medewerkster, een maatschappelijk werkster en verschillende verpleegkundigen. Aan aandacht geen gebrek. We krijgen nauwelijks tijd om te lunchen.

Om 4 uur wordt het infuus afgekoppeld en de naald uit de portacath gehaald. Als beloning zijn er kralen voor Guusje's KanjerKetting. Er is goed nieuws voor Guusje. We stoppen voorlopig met driemaal per week injecties. Daarnaast zijn er nog enkele aanpassingen van de medicijnen. Onder andere een verhoging van de pijnmedicatie.

Onderweg naar huis vraag ik of het meegevallen is. Dit vindt Guusje een hele moeilijke vraag. Ze zegt dat ze deze niet kan beantwoorden. Sterker nog, ze wil deze vraag niet meer horen.

Om 6 uur rij ik de Van Beurdenstraat in. Eindelijk thuis na een vermoeiende dag in het ziekenhuis. Janneke en Lisa zitten op hun kamer. Huiswerk maken. Ik laat de kopie zien van de röntgenfoto van Guusje's long. Ik wil onze dochters duidelijk maken dat het mis is.

Ik zal het moeten doen met de dingen die ik zie. Wat zie ik dan? Ik zie in het Emma Kinderziekenhuis ernstig zieke kinderen. Vaak gedragen deze kinderen zich niet ziek. Guusje helaas wel. De pijn beperkt onze dochter in haar bewegingen. Als ze loopt, dan moet ik vandaag steeds haar hand vasthouden.

Ik zie verder dat Guusje vanavond twee belegde boterhammen en twee bakken ijs met aardbeien naar binnen werkt. Eten doet ze dus goed.

Tot slot zie ik een meisje dat beseft dat ze heel erg ziek is en zo graag gewoon wil doen wat alle andere kinderen van haar leeftijd doen: naar school gaan, met vriendinnen spelen en plezier hebben.

's Avonds heb ik een lang telefoongesprek met mijn jongste zus. Ik heb overigens twee zussen waarmee het onmogelijk is een kort gesprek te voeren. We hebben het over Guusje's ziekteproces. Vanaf half maart tot nu. In korte tijd geen enkele keer goed nieuws. Dat is haar conclusie. Dat klopt. Wat is echter goed nieuws? Naast Guusje lag vandaag de jongen met de hersentumor. Hij krijgt chemo. Zware en lichte kuren. Een zware kuur is slecht bevallen. Hele vervelende bijwerkingen. Vandaag hoort hij dat een zware kuur niet meer nodig is. Lichte kuren zijn voldoende. De jongen met de hersentumor is dolblij. Dat is pas goed nieuws. Hij pakt de telefoon en belt familie en vrienden om het goede nieuws te vertellen. Wat is goed nieuws?

Dinsdag 31 mei

Sommige pasgeboren kinderen slapen 's nachts goed door. Yvonne en ik hebben zes keer te maken gehad met het tegenovergestelde. Onze kinderen hielden ons altijd goed wakker. Heel vaak stond ik 's morgens op met de opmerking dat ik het gevoel had dat de nacht nog moest beginnen.

Sinds we thuis zijn, ervaar ik het gevoel van toen. Ik slaap heel licht. Zo deed ik dat ook bij een pasgeboren baby. Om 5 uur roept Guusje. Ze moet naar het toilet, maar voelt zich gammel. Hand in hand lopen we naar de badkamer. Vervolgens mag ik wachten op de overloop.

Onze kinderen gaan naar school. Guusje blijft thuis. Ze voelt zich niet lekker. Heeft het te maken met de chemo van gisteren? We weten het niet. Om 11 uur gaan Yvonne en ik met Guusje naar school. Juf Ilse heeft een ergotherapeut geregeld. Deze brengt een speciale stoel mee voor onze dochter. Guusje heeft te veel pijn, als ze op een gewone stoel zit. De speciale stoel wordt afgesteld. Ik heb mijn twijfels. De ergotherapeut denkt aan een correcte lichaamshouding. Guusje is scheef door een tumor. Dat gezwel verdwijnt nooit. Heeft het zin om te werken aan een juiste lichaamshouding? Mijn gevoel zegt van niet. Eerst pijnvrij worden. Daarna zien we wel verder.

Na de lunch wil Guusje ontzettend graag naar school. Dan kan ze meteen ervaren of de nieuwe stoel prettig zit. Na school gaat ze spelen bij haar vriendin Ina. Guusje vraagt hoe laat ze thuis moet zijn. Ik vind half 5 een mooie tijd. Guusje wil 5 uur. Als ik zeg dat dit voor haar te laat is, wordt ze boos. Ze wil gewoon een meisje zijn van tien dat lekker gaat spelen bij haar vriendin.

Om half 5 ga ik kijken hoe het gaat. Als ik binnenkom, wil Guusje toch net naar huis gaan. Het is genoeg geweest. Ik zie meteen dat ze deze middag te veel heeft gegeven. Guusje zal moeten accepteren dat ze echt minder kan. Ze heeft veel ingeleverd. Ze is erg ziek. Ziek zijn betekent beperkt zijn. Dat is voor Guusje moeilijk te accepteren. Yvonne en ik moeten haar daarbij helpen. Dat is duidelijk. Onze dochter mist haar 'gewone leven'. Yvonne en ik proberen haar zo gewoon mogelijke dagen te geven. Van elke dag proberen we het beste te maken. Voor haar, onze andere kinderen en elkaar.

Woensdag 1 juni

Het is 11 uur. Yvonne en ik hebben visite. Bestuursleden van scouting. Het is gezellig. We spreken vooral over de ziekte van Guusje en mijn beslissing te stoppen als secretaris van de plaatselijke scoutingvereniging. De telefoon gaat. Juf Bianca vraagt of ik naar school kom. Het is al de tweede keer deze ochtend. Als ik bij het lokaal arriveer, dan zie ik meteen dat Guusje er duidelijk doorheen zit. Ze hangt in haar rolstoel. Ik neem haar mee naar huis. Voordat ik wegga bij school, krijgt Guusje extra pijnmedicatie. Het is de vierde keer vandaag. De eerste keer was al om 5 uur in de ochtend. Zes keer per dag is het maximum. Dit gaat niet goed. Op weg naar huis klaagt Guusje over de stoelen. De speciale stoel van de ergotherapeut, de stoel van juf Bianca en de rolstoel zitten alle drie niet prettig. Guusje heeft veel pijn op de plaats van haar litteken. Ik vraag haar in welk soort stoel ze wel goed zou kunnen zitten. Onze dochter stelt een tuinstoel voor. Ik denk na. In het ziekenhuis lag ze bijna nooit in bed. Hele dagen zat ze in een lekkere luie tuinstoel. Ook afgelopen maandag zat ze tijdens de chemo in een tuinstoel. Wat een goed idee!

Yvonne en ik wonen samen met onze kinderen in een van de gezelligste straten van Kaatsheuvel. Onze straat ligt in het centrum. Het is een smal eenrichtingstraatje. Altijd druk. Vooral met auto's. Een keer per jaar wordt een deel van de straat afgesloten voor verkeer. Dat is vandaag. Het is Nationale Straatspeeldag. Een aantal mensen heeft de straat leuk versierd met ballonnen en vlaggetjes. Verder is er een springkussen. Het is prachtig weer. De zon schijnt volop.

Anton en Loes zijn buiten op straat aan het spelen met andere kinderen. Aan het begin van de middag komt Loes kletsnat achterom. Ze is het slachtoffer van een uit de hand gelopen watergevecht. Guusje kan helaas niet meedoen. Toch wil ze heel graag naar buiten. De straat op. Ik neem haar mee. Ze wil graag een zakje chips en een beker ranja. Toch kan ze verder niet echt meedoen. Haar ziekte geeft beperkingen. Ze gaat in een tuinstoel zitten en kijkt naar de andere kinderen.

Guusje wil naar huis. Ik neem haar mee. Ze wil graag een rokje aan met dit warme weer. Ik stel voor om samen een ijsje te gaan kopen bij de Chocolademan. Deze heeft lekker Italiaans ijs. Even later loop ik met onze dochter door het centrum. Guusje zit in een rolstoel. Ik krijg het gevoel dat ik weer terug ben gegaan in de tijd. Enkele jaren terug liep ik met een buggy. Zo deed ik boodschappen. Ook de zorg en aandacht, die Guusje nodig heeft, doet me denken aan die tijd. Hoe vreemd het misschien ook klinkt, het geeft me een prettig gevoel. Lekker zorgen voor Guusje.

Op de terugweg naar huis gaan we even langs bij de overbuurman. Guusje wil van hem horen hoe hij de chemokuren ervaart. Ons bezoek is kort. Onze dochter wil naar de kinderen die buiten aan het spelen zijn. Al vrij snel zijn we echter weer thuis. Guusje is moe. Ze wil wel in bed gaan liggen, maar niet alleen zijn. Ze vraagt of ik wil voorlezen. Dat vindt ze prettig. Daar ligt ze. Rode wangen. Uitgeteld. Heeft ze vanmorgen op school te veel van zichzelf gevraagd? Is ze ziek van de chemo? Heeft ze pijn? Het beeld is niet duidelijk. Guusje is heel erg ziek. Dat is wel duidelijk.

Na het avondeten wil ik het liefst Balou gaan uitlaten in de bossen. Vaak is een heer-lijke boswandeling een klein hoogtepunt van de dag. Ik herinner me een gesprek met mijn broer. Meer dan twintig jaar geleden. Ik studeerde in Tilburg. Ik had een hond en woonde nog bij mijn ouders. Mijn broer is een aantal jaren ouder dan ik. Hij werkte al. Toen we door de bossen liepen, zei mijn broer: 'Lekker de hond uitlaten in de bos-sen. Als ik rijk was, dan zou ik het elke dag doen.' Ik zei toen: 'Ik doe het elke dag.'

Vanavond ga ik met Anton naar de bossen. We nemen Balou mee. Het is gezel-lig. Samen trappen we tegen een voetbal. Ik geniet van Anton. Zijn plezier. Zijn gezel-lige praatjes. Hij wil graag een ijsje gaan kopen bij café-restaurant De Roestelberg. Vanmiddag heeft hij enkel een eenvoudig waterijsje op. Hij lust wel een Magnum of een Cornetto. Ik vertel hem dat ik 's middags al een heerlijk ijsje heb gegeten. Samen met Guusje. Zou hij nu jaloers zijn? Nee hoor. Het is volgens Anton volstrekt logisch dat zijn zus en ik een lekker ijsje hebben gekocht. Guusje kan niet veel. Hij heeft geluk gehad deze middag. Hij heeft enorm genoten van het springkussen. Jammer dat Guusje dat niet kon.

Als Anton en ik terugkeren uit de bossen, is Yvonne bezig de sondevoeding aan te sluiten. Guusje heeft vandaag te weinig gegeten. We moeten voorkomen dat ze afvalt. Voor het slapengaan lees ik voor. Anton luistert mee. Hij vindt 'Juf Rommelkont' helemaal te gek. Ook Guusje geniet. Ik lees een paar bladzijden. We moeten nog één hoofdstuk. Zal ik het gauw uitlezen? Guusje schudt haar hoofd. Ze is moe. Ze kan niet meer. Ze wil slapen.

Denk je aan kanker, dan denk je aan dood. Vandaag is het twee maanden ge-leden dat we aankwamen in het Emma Kinderziekenhuis. De eerste dag dat we werden geconfronteerd met onderzoeken naar kanker bij Guusje. Ik was die dag totaal van slag. Sinds die dag heb ik angst. Ben ik bang om haar te verliezen. Hoe ga ik om met die angst? Ik probeer zoveel mogelijk te leven in het nu. Probeer zo goed mogelijk om te gaan met Guusje's grote ziekte. Dat is lastig. Ook voor Yvonne. We hebben allebei onze momenten van angst. Ook Guusje heeft angst. Wij proberen haar hoop te geven. Dat valt niet mee.

Donderdag 2 juni

Hemelvaartsdag. Heel mooi weer. Al vroeg leg ik kussens in de tuinstoelen en plaats ik parasols. Guusje voelt zich niet lekker. Wij zijn bezorgd en vragen ons af waarvan. Sondevoeding? Chemo? Pijn? Medicijnen?

Vandaag bezoek en naar de speeltuin. Na het avondeten ga ik de hond uitlaten. Als ik vertrek, zit Guusje uitgeteld op de bank. Anton speelt buiten met een bal. Een oneerlijke tegenstelling.

Ik laat Balou uit in de bossen achter de Efteling. Ik loop een flink stuk. Het is echt heel mooi weer. Mijn gedachten zijn vooral bij Guusje. Niet alleen tijdens het wande-len. De hele dag. Als een misplaatste obsessie.

Aan het einde van mijn route passeer ik Villa Pardoes. In de tuin zijn ouders aan het barbecueën en kinderen aan het spelen. Ik bekijk deze ouders anders dan voorheen. Allemaal ouders van kinderen met een levensbedreigende ziekte.

Ik loop met Balou langs de parkeerplaats van Villa Pardoes. Er staat een grijze Volkswagen Sharan. Lijkt sprekend op onze Ford Galaxy. Ik loop snel verder. Dit voelt heel onprettig.

's Avonds krijgen we weer bezoek van mijn neef uit de Verenigde Staten. Hij heeft zijn vrouw meegenomen. We spreken de hele avond Engels. Het is een gezellige avond. We lachen vaak. De zorgen om Guusje verdwijnen naar de achtergrond.

Als het bezoek uitgezwaaid is, vinden we een kaartje in de bus van een moeder. Ze kent ons van scouting. Zij en Yvonne waren in dezelfde periode zwanger. Zij beviel van een zoon. Yvonne van Guusje. Het is een heel lief kaartje. Warme woorden die ons steun geven. Het is heel fijn om zulke kaartjes onverwacht in de bus te vinden.

Vrijdag 3 juni

Om 8 uur word ik wakker. Snel aankleden. Guusje moet bloed laten prikken. Na het ontbijt leg ik de rolstoel achterin de auto. Ik rijd met onze dochter naar het TweeSteden Ziekenhuis in Waalwijk. Ik denk dit klusje snel te kunnen klaren. Toen Guusje in het ziekenhuis verbleef, was het bloedprikken inderdaad een klein klusje. Het duurde nog geen vijf minuten. Helaas constateer ik dat bloedprikken nu een hele klus is waarbij ik meer dan een uur van huis ben.

Als Guusje en ik thuis komen, maken we kennis met twee aardige dames van Doe Een Wens. Zij zijn zogenaamde wenshalers. Alle broers en zussen van Guusje zijn aanwezig. Iedereen van ons gezin zal worden betrokken bij het in vervulling laten gaan van Guusje's grootste wens.

De wenshalers hebben voor alle kinderen een cadeautje meegenomen. Voor Guusje een boek en voor haar broers en zussen een tijdschrift. De dames stellen Guusje heel veel vragen. Op zoek naar aanknopingspunten voor het vervullen van haar grootste wens. Na anderhalf uur geven de wenshalers aan voldoende informatie te hebben. Het kan enkele weken duren voordat Doe Een Wens weer contact met ons opneemt.

Wat zal onze dochter, en eigenlijk wij allemaal in ons gezin, krijgen van Guusje's verlanglijstje? Doe Een Wens geeft mij het sinterklaasgevoel dat ik had als klein jongetje. Ik merk aan de rest van het gezin dat zij het ook zo ervaren.

Tijdens het gesprek met de wenshalers worden Hans en Anton opgehaald door mijn Amerikaanse neef. Met zijn vrouw brengt hij vandaag een bezoek aan de Efteling. Hij neemt onze jongens mee. Precies het soort hulp dat Yvonne en ik in deze tijd goed kunnen gebruiken.

Na de lunch moet Guusje gaan rusten in haar bed. Ze stribbelt enorm tegen, maar mama houdt vol. Ondertussen ga ik met Loes de hond uitlaten in de bossen. Loes heeft geluk. Bij de IJsbaan staat de ijscoman. Onderweg begint haar ijsje te smelten. Dat kan ook niet anders. Haar mondje is drukker met praten dan met eten.

Yvonne en ik proberen Guusje zoveel mogelijk gewone dagen te geven. We lopen met onze twee jongste dochters naar de Bruna. Zonder rolstoel dit keer. Daarna naar de markt. Voor een hele grote stroopwafel. Veel calorieën zijn goed voor Guusje. Het is een korte wandeling. Meer kan ook niet. Thuisgekomen gaat Guusje met haar vriendin Ina spelen.

Ondertussen ben ik druk in de weer met Guusje's iPad. Deze heeft onze dochter gekregen van mijn broer. Hij woont al jaren in China. Een iPad is een schitterend apparaat voor zieke kinderen. Guusje is beperkt in haar bewegingen. TV kijken is geen grote hobby. Lekker spelletjes spelen wel. Er zijn heel veel leuke spelletjes voor kinderen. Ze zijn gratis of kosten enkele euro's.

Na het avondeten nemen Yvonne en ik onze twee jongste dochters mee naar de bossen. Samen met de hond. We lopen een klein stukje. Guusje gewoon lekker laten bewegen.

Onze dochter heeft nog steeds een aantal keren per dag extra pijnmedicatie nodig. Ze is heel erg ziek. Yvonne en ik proberen er het beste van te maken. Zoveel mogelijk een gewone dag. Dat valt niet mee. Het is niet gewoon.

Het is bijna middernacht. Verdrietig nieuws op Wil's blog. Een definitieve streep door de mogelijkheid van levertransplantatie voor Jan. Van hoop op transplantatie naar hoop op een zo lang mogelijk samenzijn. Treetje voor treetje de trap naar beneden. Onderweg veel verdriet.

Zaterdag 4 juni

Guusje roept me om 5 uur. Ze wil extra medicijnen tegen de pijn. Het is erg warm. Ik sta vroeg op. Om 8 uur zit ik bij de kapper. Ik heb al vele jaren een vaste kapster. We zijn redelijk goed op de hoogte van elkaars gezinssituatie. Haar oudste dochter is al een tijdje op de hoogte van Guusje's ziekte. Toch heeft ze niets verteld tegen haar moeder. Ze ging ervan uit dat mama het wel wist. Pubers vertellen thuis niet alles, maar dat wisten we natuurlijk al.

Guusje voelt zich 's morgens niet lekker. In de loop van de middag knapt ze een beetje op. Ze heeft zichtbaar minder pijn. Plotseling geeft ze aan met Annabel te willen spelen. Gelukkig is deze vriendin thuis. Zij woont vlakbij. Lang spelen lukt niet. Toch vermaakt Guusje zich prima.

Na het avondeten zit Guusje op de bank. Ze heeft weer pijn bij het litteken van de operatie. Om 9 uur geeft ze aan te willen gaan slapen. Toch duurt het nog lang voordat Guusje werkelijk slaapt.

Zondag 5 juni

Om 5 uur word ik wakker. Guusje wil extra medicatie tegen de pijn. Ik kijk uit het raam. Het regent. Beetje afkoeling kan geen kwaad. Gisteren was het wel heel warm. Daarna val ik weer in slaap.

Lekker uitslapen. Om 10 uur opstaan. Een rustige dag. Om 11 uur bezoek van familie. Om 2 uur kijken naar de doorloop van de voorstelling van Lisa en Hans. Onze kinderen treden volgende week op tijdens Link Jongeren Theaterfestival.

Om half 4 rijd ik met Guusje en Loes naar het Wandelbos in Tilburg. Eerst kijken naar de dieren. Daarna naar de speeltuin. Loes rent vooruit. Ik neem plaats op een bankje. Guusje zit in de rolstoel. Ze wil mijn telefoon hebben, zodat ze haar e-mails kan lezen. Na enkele minuten geeft ze mijn telefoon terug. Ze staat op en loopt naar Loes. Samen klauteren ze in de touwen van het klimrek. Een onverwacht moment. Ik maak snel een foto. Het duurt slechts enkele minuten. Guusje loopt terug naar haar rolstoel.

Ik realiseer me dat de grens tussen 'het gaat goed' en 'het gaat slecht' heel dun kan zijn. Soms zelfs flinterdun. Enkele minuten geleden hing Guusje samen met haar zusje Loes in het klimrek. Nu zit ze in haar rolstoel en krijg ik de indruk dat het haar allemaal teveel is. Ze geeft aan dat ze naar huis wil.

Na het avondeten gaan Yvonne en ik een boswandeling maken met de hond. We geven onze oudste kinderen de opdracht om meteen te bellen, als Guusje aangeeft dat ze ons nodig heeft. Even later lopen Yvonne en ik in de bossen achter de Efteling. We praten over het leven waarin we terecht zijn gekomen. Het is allemaal zo ontzettend snel gegaan. Drie maanden geleden was er niets aan de hand. Leefden we redelijk zorgeloos. Eind maart viel het woord kanker en zijn we beland in een leven waarvan we voorheen geen enkel benul hadden.

Guusje en Loes in de touwen
van het klimrek

Een bekende

6 juni – 13 juni

● ●

Maandag 6 juni

Vorige week de eerste keer chemo. Zonder problemen. Guusje had rustig geslapen. Slapen is een bijwerking van een middel tegen mogelijke allergische reacties bij de chemo die onze dochter krijgt.

We zijn al voor 10 uur in het Emma Kinderziekenhuis. Thuis heeft Yvonne de zogenaamde toverzalf al op de plaats van de portacath gesmeerd. Toverzalf maakt prikken minder pijnlijk. Het infuus kan meteen worden aangeprikt. Er kan zo snel mogelijk met de chemo worden begonnen. Dan zijn we lekker vroeg thuis. In theorie!

Het aanprikken van de portacath gebeurt snel. Dit aanprikken is het aanbrengen van een infuusnaald. Dan blijkt dat het chemomedicijn niet op de afdeling aanwezig is. We moeten wachten.

Ondertussen vermaken Yvonne en Guusje zich in de speelkamer. Ze maken een armband en een ketting. Ik blijf achter bij Guusje's bed. Even enkele e-mails beantwoorden. Soms tref je het met medepatiënten. Vandaag ligt er een jongetje tegenover Guusje. Samen met zijn vader kijkt hij de hele dag tekenfilms. De volumeknop van de TV is stuk. Kan helaas niet zachter. Soms zit het mee. Soms zit het tegen.

Om 12 uur komt Guusje terug. Het chemomedicijn wordt aan de infuuspaal gehangen en kan gaan inlopen. Een monitor registreert onder andere haar hartslag. Nadat dokter Lonneke eind april haar zorgen heeft uitgesproken over Guusje's hartslag, kijk ik altijd met spanning naar de monitor. Ga je het volhouden, Guusje?

Als alle medicijnen er via het infuus bijna inzitten, klaagt Guusje dat ze het heel koud krijgt. Op de monitor is te zien dat haar hartslag flink stijgt. Ze begint te rillen, te beven en te klapperen met haar tanden. Heel snel komen een arts en een verpleegkundige. Ze zorgen ervoor dat onze dochter rustig wordt.

Guusje's temperatuur is 39 graden. Deze koorts kan verschillende oorzaken hebben. De arts neemt verschillende scenario's met ons door. Een ervan is een allergische reactie op het chemomedicijn.

Een uur later zit Guusje weer rustig spelletjes te spelen op haar iPad. De koorts zakt en er wordt bloed afgenomen. Gelukkig krijgen we groen licht om naar huis te gaan.

Guusje speelt spelletjes op haar iPad

Om 5 uur rijden we pas de parkeergarage van het AMC uit.

We hebben trek. Guusje wil heel graag naar de McDonalds. Zullen we dat wel doen? Dat geeft misschien jaloerse blikken van onze andere kinderen. Daar hebben ze echter geen enkele reden toe. Zij zouden voor geen geld met hun zusje willen ruilen, als ze vandaag naast haar bed hadden gezeten. Even later zit Guusje te genieten van haar Happy Meal. Dubbel en dwars verdiend.

Thuisgekomen blijkt dat ik nog een tuinstoel moet regelen voor Guusje. Die kan ze morgen in de klas gebruiken. Een tuinstoel is een van de weinige stoelen waarin onze dochter comfortabel kan zitten. Waar koop je op maandagavond een tuinstoel? Zo'n ouderwetse van plastic waarin je kunt zitten en liggen. Kortom, te verstellen in verschillende standen. We hebben deze soort stoelen, maar die staan buiten. Ze zijn al enkele jaren oud.

Na een retour Amsterdam heb ik weinig zin meer in autorijden. Het is echter voor de goede zaak. Dus ik stap weer in mijn auto. Het is een lange zoektocht. Eerst naar Tilburg. Daarna naar Waalwijk. Vier winkels op een doordeweekse avond. Uiteindelijk heb ik beet. Inclusief kussen voor net geen dertig euro. Daar kan onze prinses goed in zitten. Tenminste, dat hoop ik. We zullen het zien. Morgen de test. Om 9 uur plof ik neer op de bank naast Yvonne.

Moe en voldaan. Het is mij gelukt de juiste stoel te kopen.
Moe en verward. De reactie van Guusje op de chemo.
Hoe zal het de komende dagen gaan? Niet aan denken! Leef nu!

Vandaag zijn ook Karel en Marleen in het Emma Kinderziekenhuis geweest voor een gesprek over de verdere behandeling van hun zoon Pieter. Op Twitter schreef Karel dat hij vanavond een bericht zou plaatsen. Snel kijken. De behandelingen verlopen voorspoedig. Toch hebben ze nog een lange weg te gaan. Het blijft spannend. Ook voor Pieter en zijn ouders.

Volgende week maandag is het Tweede Pinksterdag. Dan zal de chemo wel niet doorgaan, want dat is een feestdag. Als je dit denkt, dan heb je het mis. In het Emma Kinderziekenhuis gaat chemotherapie gewoon door. Kanker gaat niet op vakantie.

Volgende week maandag gaat Guusje voor de derde chemo naar Amsterdam. Vorige week verliep voorspoedig. Vandaag lag onze dochter te 'shaken'. Chemotherapie is onvoorspelbaar. Hoe zal het volgende week zijn?

Dinsdag 7 juni

Een rustige dag. Een dag waarop Guusje meer doet dan Yvonne en ik van haar verwachten. Moeten we haar niet afremmen?

's Ochtends gaat Guusje naar school tot aan de ochtendpauze. Thuis ontvangen we de huisarts. Daarna haal ik Janneke van school samen met een Amerikaans meisje dat de komende dagen bij ons logeert in het kader van een uitwisselingsprogramma.

's Middags gaat Guusje weer naar school. Ze houdt het goed vol in de klas dankzij een ouderwetse plastic tuinstoel.

Uit school gaat Guusje naar haar vriendin Nikki. Ik breng haar met de auto. Drink koffie met Nikki's vader. Na een uurtje is het genoeg geweest. Ik neem Guusje weer mee naar huis. Even uitrusten en eten.

Voordat duidelijk werd dat Guusje ernstig ziek is, ging ze elke dinsdagavond met haar broer Anton naar tekenles. Voor Anton is het leven tijdens Guusje's ziekenhuisopname gewoon doorgegaan. Hij gaat daarom ook vanavond naar tekenles. Guusje wil mee met Anton. Yvonne en ik kijken naar elkaar. Wordt het niet allemaal een beetje te veel. Omdat Guusje graag tekent, mag ze met Anton mee. Deze les duurt anderhalf uur. Na een uur wordt Yvonne gebeld. Het gaat niet meer. Als Guusje thuiskomt, gaat ze uitrusten. Thuis lekker op de bank. Kopje thee met koek. Spelletjes op haar iPad.

Het is vandaag een mooie dag. Steeds meer een gewoon leven voor Guusje. Twee bezorgde ouders die zich steeds afvragen of ze het goed doen.

Terwijl de huisarts ons bezoekt, zit Guusje in vriendinnenboekjes te schrijven.

Voorbeelden van vragen die ze beantwoordt zijn: Wat is je favoriete eten? Wat is je favoriete boek?

Er is ook de vraag: Wat wil je later worden?

Antwoorden van andere meiden zijn ruiter, zangeres of schooljuf.

Guusje's antwoord is honderd jaar!

Woensdag 8 juni

Het is 7 uur. Ik geef Guusje medicijnen. Ik voel haar hand. Ze heeft het koud. Ik geef haar een extra dekentje. Als ik bij Yvonne terug in bed stap, vertelt zij dat Guusje vannacht wakker was en koorts had.

We laten de kinderen lekker uitslapen. Als we de tafel afruimen, komt mijn schoonmoeder binnenlopen. Die valt al vroeg binnen voor een kopje koffie. Ondertussen worden we gebeld door een moeder van een meisje dat even oud is als Janneke. Ze heeft gisteren Guusje's blog ontdekt en ze biedt hulp aan. Gelukkig komt ze zelf met concrete voorstellen. Yvonne en ik krijgen vaak van mensen te horen dat we kunnen bellen, als we hulp nodig zouden hebben. Dat is goed bedoeld, maar we kunnen er zo weinig mee. Vaak hebben we niet de energie om na te denken welke hulp we zouden kunnen gebruiken. Het is ook moeilijk om mensen te vragen iets voor ons te doen. Dat zijn we niet gewend. Gisteravond stond onze buurman aan de deur. Hij nam de hond spontaan mee voor een boswandeling. Waarschijnlijk had hij gezien dat ik daar even niet aan toekwam. Prima hulp van een goede buur.

Vandaag is het een spannende dag voor Jan en Wil. Zij gaan naar het Erasmus Ziekenhuis in Rotterdam voor een belangrijk gesprek. Jan komt niet meer in aanmerking voor transplantatie van zijn lever. Wat zijn nu nog de mogelijke opties? Ik hoop vurig dat de artsen voor Jan iets kunnen betekenen. Jan en Wil krijgen het vanmiddag te horen. Ik stuur hun dochters een sms. Vannacht heb ik Jan en Wil nog een mailtje gestuurd. Ik weet inmiddels uit ervaring dat emotionele steun heel gewenst is. Het is vaak moeilijk om iets te schrijven. Veel mensen zijn bang om verkeerde woorden te gebruiken. Dat is niet nodig. Ik heb de afgelopen twee maanden nog geen enkele verkeerde boodschap ontvangen. Als je maar vanuit je hart schrijft met de beste bedoelingen.

Guusje slaapt in een aangepast bed sinds ze thuis is uit het ziekenhuis. Ze heeft geen nachtkastje. Er liggen veel spullen naast haar bed. Onder andere een babyfoon zodat ze 's avonds altijd om hulp kan vragen, als ze in bed ligt en Yvonne en ik beneden zijn. Vanmiddag rijden we even naar IKEA. Daar verkopen ze vast nachtkastjes in alle kleuren en maten. Yvonne stelt voor dat ik eerst de hond een flink eind ga uitlaten. Even later wandel ik heerlijk door de bossen. Ik geniet van het mooie weer. Ondertussen experimenteer ik met Twitter via mijn telefoon. Ik heb de afgelopen tijd mensen leren kennen die handig gebruik maken van Twitter. Bijvoorbeeld om snel informatie te verzamelen of mensen op de hoogte te stellen. De wereld van Twitter is nieuw voor mij. Ik zie mogelijkheden.

Als ik terugkeer uit de bossen, zie ik dat onze vuilnisbak nog niet buiten staat. Een teken dat de organisatie bij huize Van Gorp nog niet op rolletjes loopt. De afgelopen dagen constateren Yvonne en ik dat we erg moe zijn. Is dit wat ze een terugslag noemen? We zijn blij dat Guusje zoveel mogelijk haar oude leventje weer oppikt. Gisteren in de ochtend en in de middag naar school. Daarna naar een vriendin. 's Avonds naar tekenles. Niet zoveel uren als vroeger. De pijn beperkt haar. Maar toch. Er is een opgaande lijn.

Ook Yvonne en ik willen dolgraag terug naar een normaal leven. Daarom zal

Yvonne morgen een dagje gaan werken. Ze heeft er zin in. Yvonne en ik beseffen dat zaken niet gewoon zijn. Niet gewoon zullen worden. Als het er maar zo dicht mogelijk bij zit, dan zijn wij tevreden.

We maken ons klaar voor vertrek naar IKEA. De telefoon gaat. Het is dokter Marianne. Ze wil graag weten hoe het met Guusje gaat. Ik vertel haar over haar vorderingen en over de koorts. Dokter Marianne vertelt over het bloed dat afgelopen maandag na de chemo is afgenomen. Guusje lag toen te rillen, te beven en te klappertanden. Haar hartslag was erg hoog en ze kreeg plotseling enorme koorts. De bloedkweek is positief. Dat klinkt vreemd. Het is immers geen positief nieuws. Er is een bacterie gevonden. Daarom wordt een behandeling opgestart met antibiotica. De medicijnen kunnen we vanmiddag ophalen bij onze apotheek. Dit is slecht nieuws. Aan de andere kant. We zijn gewoon thuis. We besluiten toch eerst maar naar IKEA te rijden. Niet te lang. Alleen maar een nachtkastje kopen en dan snel terug naar huis. Pikken we daarna de medicijnen wel op voor direct gebruik.

Iedereen zit in de auto. Dan gaat weer de telefoon. Een vriend van Anton. Hij wil graag afspreken. Anton is dolblij. Hoeft hij niet mee naar IKEA. We brengen hem snel naar zijn vriend. Terwijl Yvonne meeloopt met Anton om iets af te spreken met de moeder van de vriend, zit ik te praten met Guusje en Loes in de auto. Weer gaat de telefoon. Ik kijk op het display. Weer 020. Dus weer Amsterdam en hoogstwaarschijnlijk het ziekenhuis. Ik neem op. Het is dokter Marianne en ze valt meteen met de deur in huis. Guusje wordt opgenomen. Er staat een bed klaar op H8 Noord. Haar portacath moet worden verwijderd. De bacterie is een bekende. Klinkt als een bekende van de politie. Een slechterik dus. Deze nestelt zich in de portacath. De bacterie moet uit Guusje's lijf. Dus ook de portacath. Dit betekent opereren. De chirurg zal proberen haar zo snel mogelijk in te plannen voor een operatie. Ik geef aan dat we niet binnen een uurtje in Amsterdam kunnen zijn. Dat snapt dokter Marianne. Bij de Van Gorpjes moet wel het een en ander worden geregeld voordat Guusje met papa en mama een aantal dagen in het Emma Kinderziekenhuis kan verblijven.

Als het telefoongesprek afgelopen is, realiseer ik me dat Guusje en Loes achterin de auto zitten. Guusje heeft nog niet meegekregen dat haar portacath eruit moet door middel van een chirurgische ingreep. Laat het maar even zo. De boodschap dat we weer voor een aantal dagen naar Amsterdam gaan is al erg genoeg. Yvonne komt aanlopen. Ik stap snel uit de auto. Zijn de ramen dicht? Ik houd Yvonne tegen. Loop even met haar weg van de auto. Meteen zijn er emoties. Laten we sterk blijven voor Guusje. Even de emoties opzij nu.

Thuisgekomen bellen we Yvonne's moeder en mijn oudste zus. Tijdens de laatste lange ziekenhuisopname hebben zij ons gezin draaiende gehouden. Zijn zij bereid om ook nu weer in te springen? Yvonne's moeder komt meteen.

Hoe ga ik verder iedereen op de hoogte brengen? Ik twitter:

Zojuist gebeld door AMC. Guusje wordt weer opgenomen op afdeling Grote Kinderen. Nu van alles organiseren. Daarna naar Amsterdam.

Probleem is dat weinig mensen weten dat ik Twitter. Ik zal later toch weer ouderwets moeten gaan bellen en sms'en. Ondertussen lunchen en spullen pakken. Zorgen dat we niets vergeten. Altijd lastig als je haast hebt.

Daarnaast alvast nadenken over de ziekenhuisopname. Vorige keer had Guusje een speciaal bed met matras. Hoe ga ik dat regelen? Ik bel verpleegkundige Marij. Van haar heb ik het mobiele nummer. Wat gek om die nu te bellen. De kans is klein dat ze werkt. Ze neemt op. Ze is aan het werk. Ze weet al dat we eraan komen. Ze was al op de hoogte gesteld door een collega. Geluk bij een ongeluk. Marij regelt voor Guusje een goed bed en voor papa en mama een kamer in het Ronald McDonald Huis. Soms zit het tegen. Soms zit het mee. Terwijl ik naar buiten loop, kijk ik naar de keukendeur. Daarop staat 'welkom thuis'. Laat dat maar staan. Ik hoop dat we snel terug zijn.

Onderweg naar Amsterdam maken we een korte stop bij een benzinepomp. Ik sms snel een heleboel mensen uit het adressenboek van mijn telefoon. Waarschijnlijk vergeet ik bekenden, maar het zijn er ook zoveel. In elk geval zal het nieuws zich snel verspreiden. Mensen informeren mensen. Als we verder rijden, komen er veel sms'jes en tweets binnen. We worden bekogeld met sterkteberichtjes. Yvonne leest ze voor. Ik probeer te voorkomen dat we geflitst worden. Steeds betrap ik mezelf. Ik rijd te snel. Rustig rijden. We komen vanzelf in Amsterdam.

Als we binnenkomen, wacht Marij ons op. Dokter Lonneke vertelt tegen Guusje wat er gaat gebeuren. Voor de tweede keer tranen bij onze dochter. De eerste keer was thuis. Ze zat toen huilend naast de hondenmand. Nu omringd door verpleegkundigen en artsen. Waarom moet haar dit overkomen?

Marij heeft een goed idee. Er is een opname van Emma TV. Enkele minuten later zit Guusje in de uitzending. Even vergeten wat er aan de hand is. Zo lijkt het. Daarna weer terug naar de nare werkelijkheid. Het aanprikken van de portacath. Zolang deze niet verwijderd is, wordt deze gewoon gebruikt. Een praatje met De Piloot. De chirurg die bij Guusje begin april een biopt nam. Guusje staat morgen op de spoedlijst. Een vreemde term. Eind maart betekende de spoedlijst voor Guusje een OK om 5 uur 's middags. Urenlang nuchter zijn. Spoed betekent niet dat je als patiënt snel aan de beurt bent. Daarna onderzoek door dokter Lonneke. Deze zegt het weer te weten. Guusje is dat stoere meisje. Die kanjer. Je ziet bij Guusje aan de buitenkant niet wat er zich van binnen afspeelt. Guusje's eerste indruk kan een arts bedriegen. Dokter Lonneke adviseert rust. Ik denk terug aan eind april. De woorden van dokter Lonneke. Guusje's ziekte is een uitputtingsslag. Gaat ons meisje het volhouden?

Daar zit Guusje dan weer. In het ziekenhuis. Zoals altijd in haar tuinstoel. Niet in bed. Rustig met haar iPad. Soms starend voor zich uit. Waar zou ze aan denken?

Morgen OK voor Guusje. Geen prettig vooruitzicht. Niemand wil in haar schoenen staan. Via het infuus krijgt ze antibiotica. Ik pleeg diverse telefoontjes. Onder andere met mijn zussen. De bekende lange gesprekken. Inchecken in het Ronald McDonald Huis. Ik weet dat ik er niet voor verzekerd ben, maar op en neer rijden is geen optie. De kamer is mooi en ruim. Om 9 uur wil Guusje gaan slapen. Pap, kun je voorlezen? Daar gaan we weer.

's Avonds slaapt Yvonne in het Ronald McDonald Huis. Ik vraag me af wat ze van de kamer vindt. Daar kom ik snel achter. Vijf minuten na vertrek van de afdeling stuurt ze me een sms met de vraag voor hoeveel personen ik heb geboekt.

Donderdag 9 juni

Gisteren ben ik voor het eerst gaan twitteren. Een handige manier om veel mensen snel op de hoogte te brengen. Daarnaast heb ik ontdekt dat je ook één op één kunt twitteren. Dat is dus een vorm van goedkoop sms'en. In plaats van een telefoonnummer heb je een twitteraccount nodig. Ik heb het idee dat ik snel leer of misschien is twitteren wel veel simpeler dan ik dacht en overschat ik mezelf.

Ik heb gezien dat Karel voor het twitteren over zijn zoon Pieter een zogenaamde hashtag (#) heeft gecreëerd. Deze is #hetoog. Alle tweets met #hetoog erin verschijnen automatisch op zijn blog over de ziekte van zijn zoon Pieter. Ik wil iets soortgelijks doen voor mijn blog over Guusje. Gisteravond heeft Yvonne een mooie hashtag verzonnen: #kanjerguusje. Aan mijn blog heb ik een zogenaamde widget toegevoegd. Hierin worden de meest recente tweets met #kanjerguusje verzameld. Geeft een mooi overzicht en, zoals Karel het zegt, een warm gevoel.

Vandaag is niet alleen de dag van Guusje's operatie. Vandaag gaat ook onze vriend Jörn Alpe d'Huez beklimmen. Samen met heel veel andere rijders haalt hij geld op voor KWF Kankerbestrijding. Jörn heeft elke bocht laten sponsoren. Zijn kinderen zijn de start. Onze dochter Guusje de finish. Zoals Jörn het zelf verwoordt: Guusje is zijn held. Het is zijn persoonlijke doel om vier keer naar de top te rijden. Twee jaar geleden had hij nog moeite om boven te komen. Ik ben benieuwd of het hem gaat lukken.

Guusje heeft toch een beetje geluk vandaag. Marinka zorgt voor haar. Zij spreekt onze dochter altijd aan met 'lieverd'. Een speciale band tussen Marinka en Guusje. Een band van vertrouwen. Mooi om te zien.

Ook mooi om te constateren. Guusje's koorts zakt in de ochtend. Haar hartslag is oké. Het toedienen van antibiotica heeft waarschijnlijk effect.

Guusje zit nuchter in haar stoel. We staan op de spoedlijst, maar we weten uit ervaring dat het woord 'spoed' een andere betekenis heeft dan in het dagelijks leven. Daarom laten we Guusje rond 10 uur naar school gaan. Ze vindt het leuk. Ondertussen kunnen Yvonne en ik een kopje koffie drinken. Samen met Marleen, de moeder van Pieter (#hetoog). Het is fijn om met mensen te praten die in hetzelfde schuitje zitten. Ook al vaart hun schuitje op een andere zee. We willen allemaal naar dezelfde bestemming. Een land zonder kankercellen en tumoren. Een bloem aan het einde van de KanjerKetting.

Het is al snel bijna 11 uur. Ik zal Guusje ophalen bij school. Dan kunnen Yvonne en Marleen nog even babbelen. Als ik met onze dochter terugkom in haar kamer, staat Marinka in de deuropening. We mogen naar beneden. Het is tijd voor de OK. Ik probeer Yvonne te bellen, maar loop tegen een van de grootste beperkingen aan van het AMC. De verbinding voor mobiel bellen is erg zwak in deze betonnen vesting. Twee pogingen zijn nodig om Yvonne te pakken te krijgen. Ze snelt meteen naar boven. We gaan naar de verkoever. Daar moeten we wachten op de operatie. Het wachten duurt lang. Lichtpuntjes zijn de aanwezigheid van Marinka en giraffen, Guusje's favoriete dieren. Guusje is behoorlijk gespannen. Net voordat we naar de OK gaan, vraagt onze dochter aan Marinka hoe groot de kans is dat ze op de IC terecht komt. Deze neemt toch maar het zekere voor het onzekere: 98% dat je na de operatie gewoon terugkomt op H8 Noord. Ik zie Guusje knikken. Ze gaat ervoor. Het is 1 uur geweest, als onze kanjer in slaap valt op de operatietafel. Yvonne en ik gaan een broodje eten. Iets na 2 uur word ik gebeld. We kunnen naar de verkoever. De OK is oké. Als we arriveren, wordt Guusje net binnengereden. Ze is al wakker. De anesthesist overhandigt ons een potje met daarin de portacath. Een souvenir van het ziekenhuis. Daarna is het weer wachten. De patiënt moet eerst plassen. Pas dan kunnen we terug naar de afdeling. Yvonne moet lachen. Het gaat hier in het ziekenhuis de hele dag over eten, poepen en pissen. Als je een van deze drie dingen niet goed doet, dan wordt er ingegrepen. Terwijl we zitten te wachten naast Guusje's bed, voel ik ineens hoe moe ik ben. De spanning zakt. De operatie is voorbij. Het is goed gegaan. Ik haal opgelucht adem.

Pas na 4 uur keren we terug naar H8 Noord. Ik zie de vele gemiste telefoontjes, sms'jes, tweets en e-mails. Onmogelijk om alles te beantwoorden. Wel de berichten van onze eigen kinderen. Anton heeft zijn typediploma gehaald. Hij vindt dit zelf wel een cadeau waard. Zijn eerste inzet is een iPod Touch. Yvonne doet een tegenbod. Na onderhandeling komen ze uit op een spel voor de DS. Voor een iPod Toch moet je toch echt eerst vier keer onder narcose gaan.

Aan aandacht van artsen hebben we na de operatie geen gebrek. Dokter Lonneke en dokter Marianne zijn er om te kijken hoe het met Guusje gaat. Yvonne en ik hebben vragen. Wanneer mogen we naar huis? Krijgt Guusje in de toekomst weer een portacath? Gaat de chemo maandag door? Is die sonde echt nodig? Op geen enkele vraag krijgen we antwoord.

De bacterie moet eerst uit Guusje's lichaam. Hiervoor krijgt Guusje drie dagen lang antibiotica via een infuus. Dit is de eerste stap. Het beest moet uit het lijf. Daarna zien we verder. Dit is de aanpak bij Guusje's grote ziekte. Denken in kleine stapjes.

's Avonds ontvang ik een sms. Jörn is erin geslaagd om vijf keer de Alpe d'Huez te beklimmen. Hij overtreft zichzelf. Wat een kanjer. Daar moet op getwitterd worden.

Jörn 5X TOP #ad6
5X goede finish #kanjerguusje

Vrijdag 10 juni

Om 6 uur word ik wakker van snurkend kamergenootje. Geen andere papa of mama. Een meisje van elf. Met Pasen waren we in het ziekenhuis en nu dus ook met Pinksteren. Geen aantrekkelijk vooruitzicht. Zeker omdat onze andere kinderen er niet zijn. Het is lastig te organiseren om ze hier te laten slapen. Als het meezit, zijn we volgende week thuis. Wanneer? Dat is onbekend. Helaas. Eerst Guusje maar eens bevrijden van die vervelende bacterie.

Ik kijk naar buiten. Een bekend uitzicht. Amsterdam. In de verte Schiphol. Vliegtuigen. Arena. Station Holendrecht. Recht vooruit IKEA Amsterdam. Twee dagen geleden waren we op weg naar IKEA Breda. Toen belde dokter Marianne. Bestemming IKEA werd bestemming AMC.

's Ochtends gaat Guusje naar school. Hier kijkt ze altijd naar uit. School zorgt voor afleiding. Dat is nodig. Problemen genoeg hier. De mensen die passeren zijn artsen en verpleegkundigen. Grote mensenpraat of vervelende onderzoeken. Daar zit je als meisje van tien niet op te wachten.

Als Guusje terug is van school, krijgen we goed nieuws. Tot maandag krijgt ze antibiotica via infuus. Op maandag chemo. Daarna naar huis. Ze moet wel doorgaan met pillen. Guusje is dolblij. Ze kan mee op schoolreisje naar Toverland. Elke twee jaar gaan de groepen 6 en 7 van haar school een dag op reis. Met de bus mee is voor onze dochter geen optie. Daarom ga ik mee als begeleider. Inclusief auto, rolstoel en medicijnen.

De rest van de dag is een gewone ziekenhuisdag. Dat betekent veel wachten. Een voorbeeld. Guusje wil graag in het personeelsrestaurant lunchen. Vinden Yvonne en ik een leuk idee. Om half 12 geven we aan dat we naar beneden willen om te lunchen. Guusje zal worden losgekoppeld van het infuus. Twee uren later nemen we de lift naar het restaurant. Dan zeggen ze wel eens dat je lang moet wachten op de bus. Het is hier één grote bushalte. Elke dag.

Een gewone ziekenhuisdag betekent ook veel praten met artsen. Zo kom ik bij de lift de Chirurg met Gevoel tegen. Hij opereerde Guusje op 5 mei. Hij wil graag weten hoe het met onze dochter gaat. Ik vertel hem dat het goed gaat. Dat goed hier een heel betrekkelijk begrip is. Als ik Guusje vergelijk met haar zus Loes, dan gaat het helemaal niet goed. Guusje is ziek. Dat ziet iedereen. Loes springt onbezorgd rond. Guusje kan niet vrij bewegen. Ze is lichamelijk beperkt. Neem ik als referentiepunt de situatie van een maand geleden, dan zie ik veel vooruitgang. Toen waren er vraagtekens. Over de kwaliteit van leven met zoveel pijn. Deze week gaat ons blonde meisje van tien steeds meer naar school. Zoveel mogelijk een gewoon leven. Dit meisje is diep gegaan met vele tegenslagen, maar ze komt terug. Zo goed als vroeger? Ik zou het willen, maar ik weet beter. Ik zou willen dat ik niet beter wist.

Tips voor onze omgeving

Vorig week ben ik lid geworden van de VOKK. Deze afkorting staat voor Vereniging, Ouders, Kinderen en Kanker. Een club waar je liever niet bij wil horen. Helaas wij wel. Ons gezin is in zwaar weer terecht gekomen. We moeten alle zeilen bijzetten.

Na mijn aanmelding bij de VOKK ontving ik per post een dikke enveloppe. Hierin zat onder andere een flyer met de titel 'Als een kind kanker heeft … tips voor de omgeving'. Yvonne en ik waren een beetje verrast. Er staan in die folder een aantal tips voor de omgeving waarvan wij denken: 'Dat zou mooi zijn. Dat zou fijn zijn. Hier kunnen we wat mee.'

Nadat bekend werd dat Guusje erg ziek is, kregen we heel goede hulp. Bijvoorbeeld opvang van onze andere kinderen, koken van maaltijden, wassen van kleding en vervoer van vriendinnen naar het ziekenhuis. Er werd ook vaak hulp aangeboden waarmee we ons niet goed raad wisten. Deze steun had meestal de volgende strekking:

'Je belt wel als je me nodig hebt'
of
'Je roept maar als ik iets voor je kan doen'

Roep of bel me maar. In de flyer met tips voor de omgeving staat dat je dit beter niet kunt doen. Waarom niet? Ouders van een kind met kanker hebben gewoon niet de energie om te bedenken welke steun of hulp ze nodig hebben. Zo ervaren Yvonne en ik het ook.

Op basis van de flyer 'Als een kind kanker heeft ... tips voor de omgeving' heb ik een overzicht gemaakt dat van toepassing is op ons gezin.

Ga ons niet uit de weg. Guusje heeft geen besmettelijke ziekte. Het is een grote ziekte waarover wij mensen in het algemeen liever zwijgen, maar die iedereen kan krijgen. Wij begrijpen dat de diagnose voor onze omgeving een schok is, maar besef dat het voor ons nog zwaarder is. De behandelingen zijn zwaar en intensief. Wij proberen ons gezinsleven zo gewoon mogelijk door te laten gaan en kunnen hulp daarbij goed gebruiken. Emotionele steun en praktische hulp zijn beide nodig.

Emotionele steun
Hierbij kun je denken aan:
- een luisterend oor
- kaartjes, lieve briefjes, e-mails, reacties op blogberichten, tweets, sms'jes
- een kaartje speciaal voor een broer of zus van Guusje

Vraag of je bezoek of telefoontje schikt. Wees niet teleurgesteld als dit niet het geval is. Voel je niet afgewezen. Onze gemoedstoestand kan erg wisselen. Soms komt het uit. Soms juist niet. Probeer het later gewoon nog een keer.

Emotionele steun betekent ook:
- de toestand van Guusje serieus nemen
- rekening houden met periodes van verminderde weerstand van Guusje
- begrip hebben voor mogelijke gedragsverandering bij Guusje ten gevolge van bepaalde medicijnen

- ons de ruimte geven om het op onze eigen manier te doen
- rekening houden met de tijd die wij als gezin voor elkaar nodig hebben, voor Guusje en voor onze andere kinderen

Praktische hulp
Hierbij kun je denken aan:
- opvang van een broer of zus van Guusje
- een broer of zus van Guusje meenemen voor een uitstapje

Wat je niet *moet doen*
- het na een maand of twee voor gezien houden, want na een maand of twee schijnt het pas goed te beginnen; er is een lange weg te gaan
- raad geven over alternatieve behandelingen, want wij hebben vertrouwen in de oncologische zorg die Guusje van haar behandelend arts krijgt
- zeggen dat het goed komt, want niemand weet of dat zo zal zijn

Kortom, je kunt veel betekenen voor Guusje, haar broers en haar zussen. Door Yvonne en mij praktische beslommeringen uit handen te nemen, geef je ons als gezin iets heel waardevols: tijd voor elkaar en de kans een klein beetje 'gewoon' te leven.

Zaterdag 11 juni

Sinds woensdagmiddag zorgen Yvonne's ouders voor onze andere vijf kinderen. Het zijn trouwens zes kinderen. We hebben een Amerikaans meisje in huis. Op deze dag zou ik met Janneke en het Amerikaanse meisje een bezoek brengen aan Escher in Het Paleis. Een schitterende tentoonstelling over het werk van deze legendarische Nederlandse kunstenaar. Afgelopen december hebben Yvonne en ik deze tentoonstelling bezocht met onze vier jongste kinderen. We waren allemaal erg enthousiast. Helaas zit ik nu gevangen in het AMC. Vast aan Guusje's infuuspaal. Yvonne belt naar huis. Yvonne's vader zou in mijn plaats meegaan naar de tentoonstelling van Escher. De plannen zijn veranderd. De dames gaan winkelen in Eindhoven. Dat zou nou precies de stad zijn waar ik een Amerikaan mee naar toe zou nemen. Eindhoven is immers een van de mooiste steden van Nederland. Net iets minder mooi dan Tilburg en Almere.

Het kan nog vreemder. 's Ochtends stuur ik Lisa een sms:

Wakker worden, wakker worden, wakker worden, wakker worden

Lisa is fan van Jochem Myer. Om half 1 krijg ik een sms terug:

Ben net wakker, het was super leuk. Ik ga nu verder slapen. Ben super moe. XDD

Leuk was Parijs. Daar is ze gisteren geweest. Slapen. Wie heeft dat bedacht? Lisa gaat weer slapen. Het is al middag.

Guusje heeft al weken een sonde. Die mag er niet uit, vindt ze. Ook al gebruikt ze deze sinds haar laatste ontslag uit het ziekenhuis nauwelijks. Ze ziet op tegen het inbrengen van een nieuwe. Als ze slecht eet, dan krijgt ze natuurlijk een nieuwe sonde. Laat dan die oude maar zitten. Dit gedrag houdt ze al dagen vol. Dan ineens vandaag. Een verandering. Ze wil de sonde laten verwijderen. Snel graag. Voordat onze dochter zich bedenkt. De verpleegkundige helpt graag. Even later heeft Guusje geen sonde meer. Een totaal ander gezicht dan de afgelopen weken.

Jongeren communiceren dag en nacht met elkaar via de sociale media. Zo ook nu. In de loop van de avond is via een actie van enkele jonge meiden #kanjerguusje 'trending topic' geworden op Twitter in Nederland. Daar zit je als vader van #kanjerguusje wel even heel stil naar te kijken. Ontroerd. Allemaal tweets met #kanjerguusje. Er zijn soms hele mooie woorden.

Het is een onrustige nacht. Voor Guusje en voor mij. Ons meisje heeft moeite met slapen. Veel geluiden. Regelmatig extra pijnmedicatie nodig. Ik kan niet naar bed. #kanjerguusje staat nummer één in de lijst van 'trending topics' op Twitter in Nederland. Ik zit achter mijn laptop en zie het gebeuren. Een spontane actie. Mij is niets gevraagd. Wat moet ik ervan denken? Het is lief. Het komt vanuit een goed hart. Alle emotionele steun is welkom. Twitter maar lekker #kanjerguusje. Zoveel als je kunt. Pas na 2 uur ga ik slapen. Een opklapbed naast het bed van onze dochter. Yvonne is in het Ronald McDonald Huis. Die zal vast lekker slapen.

Gezonde kinderen hebben duizend wensen
Guusje heeft er maar één

Zondag 12 juni

Om half 9 komt Guusje's verpleegkundige binnen. Ze heeft goed nieuws. Het infuus wordt afgekoppeld tot 12 uur. Onze dochter kan een paar uurtjes vrij rondlopen zonder die vervelende infuuspaal. We gaan ontbijten. Laatste CD van Guus Meeuwis op de achtergrond. Ook nu weer lijken de woorden die hij zingt zo vaak te gaan over de grote ziekte van ons kleine blonde meisje.

Wil je me beloven dat je oud wordt met mij
Een leven lang dat lijkt me zo fijn

Een liefdesliedje over een stelletje. Deze woorden hebben voor mij echter betrekking op Guusje. Onze dochter waarvan ik zielsveel hou. Ik wil haar zo graag bij ons houden. Net zoals onze andere kinderen. Met Guusje leven we echter in onzekerheid. Je kunt natuurlijk altijd zeggen dat niets in het leven zeker is, maar zo voelt het vaak niet.

Niet bij onze andere vijf kinderen. Guusje's ziekte is levensbedreigend. Haar enige zekerheid is onzekerheid. Op zo'n jonge leeftijd al.

Tijdens het ontbijt laat ik Guusje en Yvonne zien dat #kanjerguusje 'trending topic' is op Twitter in Nederland. Ik leg Guusje uit wat Twitter is. Guusje vraagt: 'Waarom doen mensen dit?' Ik antwoord: 'Omdat ze van je houden.'

Na het ontbijt ga ik douchen in het Ronald McDonald Huis. Op de terugweg naar het ziekenhuis zie ik een vader lopen met twee dochters. Een van de meiden valt me direct op. Ze is kaal en heeft een sonde. Dus kanker. Zo werkt het. Je kijkt en je denkt 'kanker'. Ik kreeg enkele dagen terug een mailtje van een moeder. Ze las regelmatig mijn blog. Zij was vorig jaar met haar dochter op dezelfde wijze als ik meegegaan op schoolreis. Ze schreef dat ze zo te kijk had gelopen. Haar dochter was kaal door de chemo. Guusje is niet kaal. Verder heeft Guusje geen sonde meer. Ze zal dus dinsdag in Toverland niet geïdentificeerd worden als kankerpatiënt. Alleen de rolstoel en haar manier van bewegen trekken de aandacht.

Terug in het ziekenhuis. Guusje ligt in de tuinstoel te slapen. Ze snurkt. Zeker geleerd van haar kamergenootje. Die kan er wat van. Ik vraag Yvonne hoe het zit met de koorts. Die gaat op en neer.

Guusje's verpleegkundige is een vrolijke dame. Ze zit ook op Twitter. Ik laat haar zien dat er enorm veel tweets zijn over onze kanjer. Ze roept: 'Ik ga nu naar andere patiënten. Als u nog vragen heeft, twitter ze maar door.'

Het is na 12 uur. Ik snel naar mijn auto. Ik heb Lisa en Hans beloofd dat ik naar hun optreden kom kijken. Hun toneelgroep doet mee aan Link Jongeren Theaterfestival. Ik heb er veel zin in. Als ik wegrijd bij het Ronald McDonald Huis zie ik dat het lichtje brandt van de brandstofmeter. Ik moet tanken. Daar baal ik van. Het eerste beste station langs de A2. De pomp waar je met een pinpas kunt betalen. Snel tanken. De prijs is hoog. Honderd euro voor een tank benzine. De trip naar Den Bosch gaat verder. Verdorie. De BMW trekt niet door. Hij gaat toch niet stuk. Nog geen vier maanden in mijn bezit.

Ik heb benzine getankt. Het schiet door mijn hoofd. Onze Ford rijdt op benzine. Deze BMW op diesel. Snel langs de kant. Balen. Als ik uitstap, zie ik meteen de gele paal van de Wegenwacht. Terwijl ik doorgeef wat er aan de hand is, stopt er al een busje van de Wegenwacht. Dat komt goed uit. Dan kan ik snel worden geholpen. Misschien ben ik nog op tijd in Den Bosch. Ik wil Lisa en Hans graag zien optreden. Het leven draait toch niet alleen om Guusje. Mijn leven is wel in de ban van Guusje. Dat is wat anders.

Slepen gaat niet lukken. In mijn auto moet ergens een 'oog' liggen, maar dit ontbreekt. Dus wachten op een bergingsauto. Daar sta ik dan langs de A2. Zwaai maar dag met het handje naar het optreden van Lisa en Hans. Weer wachten en ik ben niet eens in het ziekenhuis. Daar is wachten standaard. Ik maak ondertussen maar een foto van mijn auto langs de snelweg en zet deze op Twitter. Niet wetende welke reactie dit gaat uitlokken.

Het op Twitter zetten valt overigens niet mee. Mijn telefoon is oud. Erg traag als het om twitteren gaat. Daarom zie ik ook niet de reacties die loskomen. Mensen zijn bereid om van alle kanten te komen helpen. Er zijn zelfs mensen die veel moeite doen. Mijn vriend en tevens ex-collega Jan-Willem heeft mijn tweet opgepikt. Hij heeft mijn telefoonnummer achterhaald en belt. Hij biedt aan te helpen. Ik kijk naar de klok. Dat wordt enorm haasten en ik ben net op weg met de bergingsauto naar het servicecentrum van de Wegenwacht. Dat wordt enorm stressen. Dat gaan we niet doen. Niet onder de huidige omstandigheden. Ondertussen ontvang ik meer telefoontjes en sms'jes. De kracht van Twitter.

Het is weer eens lastig om in slaap te komen 's nachts. Ik merk dat ik niet de enige ben. Midden in de nacht ontvang ik berichten van lotgenoten. Via e-mail en Twitter. Ik bestudeer de statistieken van mijn blog. Kijk op wat de actie rondom het onder de aandacht brengen van #kanjerguusje teweeg heeft gebracht. Meer dan achtduizend bezoeken. Een record. Dankzij Twitter. Ook heeft mijn blog een mooi nieuw webadres www.kanjerguusje.nl. Het ei van Columbus. Met dank aan Nikki's vader.

Verpleegkundige Margje vertelt me dat zij op dit moment tweets ontvangt van vrienden met #kanjerguusje. Als ze vraagt of ze weten wie #kanjerguusje is, komen ze niet verder dan een tienjarig ziek meisje. Zij weet dan te melden dat ze #kanjerguusje persoonlijk kent. Zij zorgt voor haar in het ziekenhuis. Met liefde.

Het is half 2 als ik mijn spullen in mijn rugzak stop in de ouderlounge. Ik loop Guusje's kamer in. Heel voorzichtig. Probeer ervoor te zorgen dat ze niet wakker wordt. Dat heeft geen zin. Onze dochter slaapt in de alertstand. Ik heb niet in de gaten dat ze een verpleegkundige oppiept via het alarmknopje. Ik kruip voorzichtig in bed. Ik wil haar niet wakker maken. Ik zie dat ik een bericht via Twitter ontvang op mijn telefoon. Even snel kijken. Komt er plotseling een verpleegkundige binnen. Voel ik me toch een beetje betrapt.

Maandag 13 juni

Het is tegen achten. Ik word wakker. Aankleden en naar het Ronald McDonald Huis. Yvonne en ik willen de kamer schoon hebben voordat we beginnen aan de laatste dag van deze AMC-vijfdaagse. Het is maandag. Geen gewone drukte. Het is Tweede Pinksterdag. Er is niemand. Als ik zeg niemand, dan bedoel ik ook niemand.

Terug in Guusje's kamer. Ontbijten en tassen inpakken. We maken ons op voor vertrek naar F8 Noord. Dan begint het wachten. Wanneer zal het chemomedicijn beschikbaar zijn? Wanneer wordt het infuus geprikt? Eenvoudige vragen. Geen antwoorden.

Ik pak de iPad. Kijken op Twitter. Mijn aandacht wordt meteen getrokken door een tweet over een negenjarig meisje uit Dongen dat gisteren overleden is aan kanker. Kinderen mogen geen kanker krijgen.

Het is bijna 11 uur. De medicijnen voor de chemo zijn op F8 Noord. Alleen het infuus moet nog worden geprikt. Wij zijn nog steeds op H8 Noord. Hier gaan we geen chemo krijgen. Wie gaat het infuus prikken? Een arts zal het moeten doen. We

Op de iPad spelen gaat niet

gaan alvast naar F8 Noord. In de lift komen we een arts tegen. Die zou ik het liefst meteen met een ketting aan ons vast willen maken. Kan ze mooi niet weglopen naar andere patiënten. Wij willen chemo en naar huis. Graag nu meteen.

Drie kwartier later. Guusje zit in de behandelkamer van F8 Noord. De arts stelt vragen. Wat was de temperatuur van Guusje deze ochtend? Geen idee. De laatste dagen ging het op en af. Geen reden voor alarm. Dat denk ik. Nou ja, dat hoop ik.

De verpleegkundige pakt een thermometer. Oeps. Koorts. Zal de chemo doorgaan? Kunnen we straks naar huis? De arts gaat haar superieur bellen. De spanning stijgt. Ook bij Yvonne. We zien stress bij Guusje.

Het gesprek duurt lang. Er vallen medische termen. Ik dacht inmiddels redelijk te zijn ingewijd in het jargon, maar hier kan ik gaan touw aan vastknopen. Alsof ik naar een uitzending kijk van Omroep Friesland. Bepaalde delen mis ik. Graag ondertiteling in het Nederlands. Na het telefoongesprek gaat de arts eerst een tijdje zitten schrijven. Yvonne en ik kijken in spanning toe. De arts kijkt op. De chemo gaat door. Waarom juich ik nu van binnen?

Even later zit Guusje in de behandelstoel. Hetzelfde beeld als vorige week. Ze kan alleen niet met haar iPad spelen. Beide handen hebben een infuus. De portacath is verleden tijd.

Het anti-allergiemiddel werkt. In elk geval voor de slaap. Daar ligt ze. Toch constateren we dat ze nog altijd gestrest is. Zeker als je kijkt naar de monitor. Kijk naar de hartslag. Die is wel erg hoog. Is dat stress? Guusje's hartslag is vaak hoog.

Pas een uurtje na het inlopen van het chemomedicijn zien we dat Guusje rustiger wordt. De waarden op de monitor ondersteunen onze waarneming.

Aan het einde van de middag volgt het sein dat we naar huis kunnen. Dan duurt het toch nog meer dan een half uur. Dan pas lopen we het AMC uit. Het voelt als een gevangene die zijn vrijheid tegemoet gaat. Auto starten. Volle tank met juiste brandstof. Op naar Kaatsheuvel.

Er waren nauwelijks artsen aanwezig vandaag. We weten dat de volgende cyclus begint over twee weken. Tussendoor nog bloed prikken of andere onderzoeken? Yvonne en ik weten het niet. Niemand die het ons kan vertellen. We horen het zo spoedig mogelijk van dokter Marianne. Die is vrij vandaag. Twee weekjes rust zou mooi zijn. Zeker voor Guusje.

Yvonne en ik zijn heel erg moe. Waarom word je zo moe van vijf dagen ziekenhuis? Je doet eigenlijk niks. Je wordt geleefd. Overgeleverd aan de artsen en de verpleging.

's Avonds lig ik uitgeteld naast Yvonne op de bank. Guusje en Loes slapen. De telefoon gaat. Een arts wil weten hoe het met Guusje gaat. Als de koorts terugkeert, moet Guusje weer worden opgenomen. Daar worden Yvonne en ik niet vrolijk van. We gunnen Guusje haar schoolreisje. De arts ook.

We sluiten de dag af met twee vrolijke meiden op de bank. Janneke heeft heel veel lol met haar Amerikaanse vriendin. Zo eindigt de dag luchtig. Even niet denken aan ziek zijn.

Koorts

14 juni – 8 juli

● ●

Dinsdag 14 juni

Vandaag schoolreis naar Toverland. Yvonne en ik gunnen Guusje deze mooie dag met klasgenoten. Haar gezondheid vinden we echter belangrijker. We gaan geen onverantwoorde risico's nemen. Daarom een spannend moment in de ochtend. Heeft Guusje koorts? Eerst het linkeroor. Daarna het rechteroor. Beide 37 rond. Groen licht.

Het is een mooie dag. Per auto reist Guusje naar Toverland. Rolstoel en medicijnen achterin. Haar broer Anton gaat ook. Net als alle andere kinderen zit hij in de bus. Vandaag veel extra pijnmedicatie. Overmatig gebruik. Ik zie het door de vingers. Ik wil vandaag niet streng zijn. Niet na vijf dagen in het ziekenhuis. Guusje heeft het verdiend. Niet denken aan ziek zijn. Meedoen met andere kinderen. Helaas kan ze niet goed met groepjes kinderen meelopen. Heel af en toe lukt dat. Ik wil dat ze geniet. Ik hol achter groepjes aan. Duw Guusje in haar rolstoel. De kinderen wachten niet op haar. Ze gaan door. Ik hoor slechts eenmaal een vriendinnetje roepen dat de rest op Guusje moet wachten. Hoort Guusje er nog wel bij?

Regelmatig vraag ik of het gaat. Als ik een keer de vraag stel of ze naar huis wil, kijken mij een paar grote ogen verschrikt aan. Nee! Hier heeft ze dagen naar uitgekeken. Vorige week gehuild toen ze dacht niet mee te kunnen. Dit gaat ze helemaal meemaken. Volhouden zal ze. Tot het eind. Op de terugweg luisteren we naar de laatste CD van Guus Meeuwis. Vol volume.

Zo is het goed, zo is het goed
Zoals het nu voelt was het toch bedoeld

Onze dochter heeft haar ogen dicht. Ik kijk naar haar. Het is gelukt. Een prachtige dag. Ons kleine blonde meisje heeft genoten. Zo is het goed.

Thuisgekomen kookt Yvonne het avondeten. We zijn samen in de keuken. De telefoon gaat. Aan de andere kant van de lijn de vriendelijke stem van dokter Marianne. Ik vertel dat onze dochter vandaag ontzettend heeft genoten. Dat ze meer heeft gedaan dan ik had gehoopt. Haar arts is blij dit te horen. Ze maakt me wel

Bij een mooie dag
hoort een ijsje

duidelijk dat bij koorts Guusje weer zal worden opgenomen in het ziekenhuis. Laten we hopen dat de koorts wegblijft. Dan worden we pas op maandag 27 juni in Amsterdam verwacht voor een volgende chemokuur. Voor die datum zal er nog wel bloed worden geprikt voor onderzoek.

Het avondeten is druk met acht personen. Lisa heeft het hoogste woord. Zoals altijd wil ze ook nog graag de radio aan. Dat mocht niet toen Yvonne en ik afwezig waren. Nu wel. Nog meer herrie. Wel heel gezellig. Er wordt veel gelachen. Wat kan ik hiervan genieten.

Na het avondeten zit Guusje op de bank. Krom in elkaar. Ze heeft teveel gegeven. Dat is duidelijk. Morgen een dag om bij te komen. Hopen dat de koorts wegblijft. Guusje is toe aan twee weken geen ziekenhuis. Haar ouders ook.

Woensdag 15 juni

Op 1 augustus treed ik in dienst als docent economie bij het Lorentz Casimir Lyceum. Vandaag ga ik alvast een keer op bezoek bij mijn nieuwe werkgever. Onder andere papieren invullen, zoals een aanvraagformulier voor een Verklaring Omtrent Gedrag. Altijd nodig als je in het onderwijs gaat werken.

Op tijd opstaan. Douchen, aankleden en ontbijten. Yvonne ontfermt zich over Guusje. Hoe is de koorts? Geen koorts. Temperatuur is oké. Dat geeft rust. Dat denk ik. Ik zoek naar een schrijfblok om mee te nemen. Er liggen verschillende schrijfblokken in mijn werkkast en bureau. Allemaal volgeschreven. Ik baal. Het is al laat. Geen tijd om een nieuwe te gaan kopen. Ik heb haast. Snel naar buiten. Yvonne staat in de deuropening.

'Alles onder controle?'
'Waarom vraag je dat?'
'Volgens mij is dat de Ford.'
'Ja, dat klopt. Wat is er mis mee?'
'Je hebt de sleutels van de BMW in je hand.'

Even later zit ik in de auto. Hoop dat thuis alles goed gaat. Ik ben overtuigd van Yvonne's kwaliteiten als huismanager. Maak me alleen zorgen over Guusje. Als de koorts maar wegblijft. De telefoon gaat. Het is Yvonne. De hond zit zielig te kijken naast zijn etensbak. Hij heeft geen brokken gehad. Ik geef hem altijd eten. Waarom vergeet ik zulke eenvoudige dingen?

Ik heb enorm veel zin om vandaag de sfeer te gaan proeven bij mijn nieuwe werkgever. Ik zal onder ander een les bijwonen van een collega. Onderweg zet ik BNR Nieuwsradio op. De zender waar ik graag naar luister. Ik hoor de vertrouwde stem van Humberto Tan. Hij kondigt een item aan over kinderkanker. Daar heb ik geen zin in. Het lijkt wel of we het alleen maar over die vreselijke ziekte kunnen hebben. Ik switch naar 3FM. Ik wil zo graag een normaal leven. Even geen kanker graag. Vervolgens zwaait de bestuurder naast me. Het is de vader van een jongen uit Guusje's klas. Hij heeft ook kanker. Ik zou willen schrijven 'had kanker', maar hij vertelde me gisteren dat hij nog altijd medicijnen slikt. Kanker is een ziekte voor het leven. Ook als ze zeggen dat je genezen bent. Mijn manager van Avans Hogeschool, mijn huidige werkgever, heeft kanker. Zij is schoon. Ze gaf mij een treffend voorbeeld. Er zijn dagen dat ze zich goed voelt. Als mensen dan vragen hoe het gaat en zij antwoordt prima, dan is er een stemmetje dat zegt: 'Weet jij dat wel zeker?'

De kennismaking met mijn werkgever verloopt prima. Ik heb de gelegenheid om uitgebreid te vertellen wat er met Guusje aan de hand is. De situatie rondom haar ziekte is onzeker. Er is weinig duidelijkheid. Twee cycli van chemo en dan kijken of er sprake is van een positief effect op de tumor. Begin maart had de school mij een contract aangeboden. Toen wist ik niets van Guusje's ziekte. Het gevoel bij de gesprekken van vandaag is goed. Ik verwacht steun te kunnen krijgen, als dat nodig is.

Steun is heel belangrijk. Daar zijn Yvonne en ik na 31 maart wel achter gekomen. Nooit gedacht dat we het zo hard nodig zouden hebben. Het blijft moeilijk om te vragen. Lastig om aan te nemen. We zijn het niet gewend. Vandaag een fantastische actie. Er wordt aangebeld door zes dames van de scouting. Ze komen helpen in de huishouding. Er wordt zelfs een ladder geregeld om de ramen aan de buitenkant te zemen. Ze verzetten veel werk, eten taart en lachen wat af.

Als ik 's middags thuiskom, ligt Guusje op de bank. Ze is erg moe. Vandaag niet naar school geweest. Toch ben ik blij dat de koorts met vakantie is. Die mag wegblijven.

We hebben het druk. Ik denk snel het aanvraagformulier voor een Verklaring

Omtrent Gedrag in te leveren bij de Gemeentewinkel. Wie dat woord 'winkel' heeft bedacht weet ik niet. Een winkel is iets waar je vrijwillig naar toe gaat. De Gemeente-winkel betreed ik nooit uit vrije wil. Er is een geautomatiseerd systeem dat aangeeft wanneer ik aan de beurt ben. Dan hoop je op korte wachttijden. Dat blijkt een illusie. Het voelt hier als het Oostblok, maar dan in een modern jasje. Ik word ongeduldig. Eindelijk ben ik aan de beurt. De naam van mijn werkgever op het aanvraagformulier stemt niet overeen met de schoolnaam van de stempel op datzelfde formulier. Alle overige gegevens zijn correct. De dame achter de balie weigert het formulier in ont-vangst te nemen. Het moet exact dezelfde naam zijn. Ik voel mijn bloeddruk stijgen. Yvonne heeft een tijdje geleden zelfs een formulier ingeleverd zonder stempel. Zon-der problemen. De dame is onvermurwbaar. Als ik nu doe wat ik denk, dan krijg ik nooit meer een Verklaring Omtrent Gedrag. Wegwezen. Krachttermen in mijn hoofd. Wat word ik hier chagrijnig van.

Onze zoon Hans heeft een afsluitingsavond van zijn school. Ik wil hier graag naar toe, maar ik besluit om niet te gaan. Soms moet je keuzes maken. Gewoon even rust nemen. Je kunt niet alles doen. Wel speel ik voor taxichauffeur. Kinderen vervoeren. Ze houden je bezig. Stel je voor dat je even niets te doen hebt. Nee, papa gaat vanavond niet voorlezen. Kinderogen vol ongeloof. Waarom niet? Dat gaat papa niet uitleggen. Nu even niet.

Donderdag 16 juni

Vandaag sta ik heel vroeg op. Al voor 6 uur. Onze Amerikaanse huisgenoot gaat terug naar de VS. Om kwart over 6 zijn we bij het Moller in Waalwijk. Het Moller is de middelbare school van onze oudste kinderen. Volgens Amerikaans gebruik wordt er wat 'afgehugd' tussen leerlingen en ouders. De bus vertrekt. Terug naar huis. Zal ik weer naar bed gaan? Nee dat kan niet. Yvonne gaat vandaag naar haar werk. Voor het eerst sinds lange tijd. Vanaf kwart over 7 sta ik er alleen voor.

Drie maanden geleden ging het bij ons zoals in veel andere gezinnen. Yvonne was vroeg van huis en ik zorgde ervoor dat iedereen op tijd naar school ging. Elk kind had een eigen takenpakket. Ik ging douchen na het vertrek van Yvonne. Als ik beneden kwam, dan was de tafel afgeruimd, de vaatwasser ingeruimd en de hond uitgelaten. Ik zorgde voor de 'finishing touch'. Het huis was aan kant, als de laatste persoon vertrok.

We zullen ons als gezin opnieuw moeten organiseren. Hoe we dit gaan doen? Dat weten we niet. Het is onbekend wat ons de komende weken te wachten staat. Toch zullen we het zaakje langzaamaan weer op de rit moeten zien te krijgen.

's Ochtends ben ik bezig met het invullen van formulieren, het bezoeken van de apotheek, het leegmaken van mijn mailbox en het voeren van telefoongesprekken. Tussendoor ga ik naar school om Guusje extra pijnmedicatie te geven. Om kwart voor 12 sta ik net als alle andere ouders bij school.

Ik wil voorkomen dat Guusje teveel van zichzelf eist. Ze wil graag naar school, maar ik zie dat dit haar erg veel energie kost. Mijn voorstel is dan ook om 's middags niet naar school te gaan. Wel afspreken met een vriendin na schooltijd. Ik wijs Guusje erop dat ze veel extra pijnmedicatie gebruikt. Ik kijk haar aan. Wat is hierop uw antwoord? Guusje stemt in. Niet naar school. Wel afspreken met vriendinnen.

De middag en de avond verlopen rustig voor mij. Korte boswandeling. Gesprek met de huisarts. Boodschappen doen. Kinderen vervoeren. Formulierenwinkel doornemen. Brandstoffilter van de BMW vervangen. Verkeerd tanken is een duur grapje.

Guusje's koorts is niet meer teruggekomen. Dat is een goed teken. Wel moeten we contact op gaan nemen met het zogenaamde Pijnteam in het AMC. Guusje heeft tussendoor erg veel pijn en gebruikt veel extra medicijnen. Dit moet anders.

Vrijdag 17 juni

Gisteravond op tijd naar bed. Vanmorgen verslapen. Ik ben moe. Dit wordt onderstreept door een formulier dat ik gisteren heb ingevuld voor de aanvraag van een rugzakje voor Guusje. Nodig voor extra ondersteuning op school. Ik heb ingevuld dat Guusje een jongen is. Ben ik moe? Als je je vergist in het geslacht van je kind, ben je dan moe?

Snel opstaan. Belangrijkste vraag in de ochtend: koorts? Nee! Gevoel van opluchting. We willen heel graag thuisblijven. Niet naar het ziekenhuis gaan. De huisarts verwoordde het gistermiddag treffend. In het ziekenhuis draait alles om ziek zijn. Thuis is de plaats van het leven.

Yvonne en ik hebben het vermoeden dat Guusje's behoefte aan pijnmedicatie toeneemt sinds haar laatste verblijf in het ziekenhuis. Dit baart ons zorgen. We willen liever niet omhoog met de medicatie. Deze werkt verslavend. Dat weten we.

's Ochtends krijgen we bezoek van een lotgenoot. Ik heb haar leren kennen via internet. De afgelopen weken hebben we vaak gemaild. Ik vind het fijn om met lotgenoten te spreken. Natuurlijk is ieder mens anders en gaat ieder mens anders om met de ziekte van een kind. Toch is er verbondenheid: de angst je kind te verliezen. Angst die wel heel dichtbij komt, als je hoort dat je kind kanker heeft.

Guusje heeft een korte ochtend op school. Om 10 uur word ik gebeld. Ik neem haar mee naar huis. Ze voelt zich niet lekker. Thuis zit ze stilletjes op de bank. Na de lunch wil Guusje graag naar school. Ik zou haar graag thuis houden. Vergt ze niet teveel van zichzelf? Om 3 uur word ik gebeld. Ze zit er helemaal doorheen. Als drie kwartier later vriendin Veerle belt om af te spreken, zeg ik dat dit niet kan. Guusje is boos. Ze wil zo graag. Ze zal moeten accepteren dat ze niet alles kan doen. Dit is hard. Dit is moeilijk. Dat begrijp ik heel goed. Toch wil ik Guusje een beetje tegen zichzelf beschermen. Haar lichaam geeft aan dat ze niet teveel van zichzelf mag vragen.

Elke avond wil Guusje op tijd gaan slapen. Zo ook vanavond. Onze dochter vraagt of ze alstublieft naar bed mag. De babyfoon gaat aan. In de loop van de avond worden Yvonne en ik regelmatig geroepen. Ga nou eens rustig slapen, meisje. Neem je rust. Je bent ziek. Je hebt het zo nodig.

De hele dag denk ik aan de dagen dat we net in het Emma Kinderziekenhuis waren. Ik maakte kennis met een moeder die mij introduceerde in de wereld van kinderen met kanker. Haar zoon was al maanden onder behandeling. Twee dagen terug is hij overleden. Ik ben hiervan ontdaan. De dood komt zo dichtbij.

Feiten versus hoop. Natuurlijk zegt iedereen dat je hoop moet blijven houden. Dat klopt. Hoop hebben is goed. Ik wil ook hoop hebben. De werkelijkheid laat regelmatig de andere kant van hoop zien. Als je kind kanker heeft, dan kun je je kind verliezen. Dat weet ik maar al te goed. Dat geeft angst. Die draag ik bij me. De hele dag.

Vandaag ontvang ik eerst een e-mail en later een sms van mensen die bij de concerten van Guus Meeuwis zijn. Ze moeten steeds aan ons denken. Ik gebruik vaak zijn teksten. Ze verwoorden vaak heel goed wat ik voel. Vanavond zit ik naast Guusje op de bank. Ze heeft het moeilijk. Ik kan niet veel doen. Ga maar rustig naast haar zitten.

Neem mijn hand, ik wil je steunen
Ook al kan ik niet veel doen
Op mijn schouder mag je leunen
Ik geef je zacht een zoen

Zaterdag 18 juni

Het huis van mijn broer staat te koop. Hij woont in China. Tijdens de Open Huizen Route ontvang ik vandaag belangstellenden. Zal er iemand komen? Iedereen weet dat de huizenmarkt in het slop zit. Genoeg tijd dus om wat onkruid rondom het huis te verwijderen. Om 10 uur arriveer ik bij het huis. Deuren openen. Rolluiken omhoog. Kamers controleren. Even wat groen op de oprit weghalen. Er klinkt plotseling een stem achter me: 'Voor mij hoeft u het onkruid niet te verwijderen.' Ik kijk om. Een blonde dame met dochter. Kijkers. Het is een gezellige rondleiding. Terwijl de dame haar gegevens noteert en we nog wat napraten, hoor ik de deurbel. Nog meer belangstellenden.

Om 1 uur haal ik het affiche van de Open Huizen Route van het raam. Was wel prettig. Even andere problemen dan een zieke dochter. Snel naar huis. Daar aangekomen weer terug. Ik ben de formulieren met gegevens van de kijkers vergeten. Onderweg een telefoontje. Mijn vriend Hans gaat voor de dertigste keer mee op zomerkamp. Vanavond is er een verrassingsavond voor hem. Uit eten en daarna naar de bioscoop. Ze weten dat Hans het leuk vindt, als ik meega. Dat is wederzijds. Ik mag Hans heel erg graag. Bij zijn huwelijk was ik getuige. Ik heb mijn oudste zoon naar hem vernoemd. Dit jaar zou ik voor de zevenentwintigste keer met Hans op zomerkamp gaan.

De middag is druk. Terwijl ik bezig ben met lunchen staat plotseling mijn nicht aan de deur. Samen met haar man en kinderen. Hoewel ik haar al jaren niet meer in levenden lijve heb gezien, stel ik het bezoek op prijs. Terwijl we koffiedrinken komen Yvonne's ouders binnenvallen. Ik vind het heel gezellig, maar ik wil naar de verrassingsavond voor Hans. Voordat ik daar naar toe ga wil ik ook nog naar de Vodafone winkel in Tilburg. Een en ander regelen met betrekking tot mijn telefoonabonnement. Bereikbaar zijn is nog nooit zo belangrijk geweest. Ook de controle over de kosten van bellen, sms en internet. De afgelopen maanden heb ik flink buiten mijn bundel gebeld. De kosten lopen uit de hand voor je het weet.

De ouders van Yvonne zijn nog maar net vijf minuten binnen of de telefoon gaat. Het is dokter Marianne. Typisch dat ze op zaterdagmiddag belt. Haar betrokkenheid is groot. De komende twee weken is ze afwezig. We maken goede afspraken. Daarnaast bespreken we de problematiek rondom de pijnbestrijding. Ze raadt ons aan om contact op te nemen met het Pijnteam.

Het bezoek aan de Vodafone winkel in Tilburg is geen pretje. Er is een enorme rij wachtende klanten. Ik wil antwoord op enkele vragen. Thuis heb ik op de website gekeken, maar ik kom er niet uit. Ik blijf staan. Wachten, wachten en wachten. Ondertussen ergernis. Dit is de derde keer dat ik in deze winkel kom. Voorgaande keren ben ik weggegaan vanwege de drukte. Over klantvriendelijkheid gesproken. Terwijl ik in de rij sta, bezoeken Yvonne en Guusje de markt en de speelgoedwinkel. Regelmatig komen ze kijken of het al een beetje opschiet. Mijn antwoord is steeds: 'Een beetje.'

Voor het eerst in drie maanden ga ik een keer uit. Weg van Guusje. Het voelt vreemd. Eerst uit eten en daarna naar de film. Het is prettig om onder vrienden te zijn. Gezellige praat. Veel humor. Toch ben ik in gedachten steeds bij ons kleine blonde meisje. Ik ben blij, wanneer Yvonne mij een sms stuurt. Het gaat goed met Guusje.

Na het eten naar de film. Heerlijk de 3D-versie. Ik heb er zin in. Dan gebeurt er iets vervelends. De film is nog maar net begonnen en mijn ogen worden zwaar. Loodzwaar. Ik wil de film volgen. Het lukt niet. De vermoeidheid wint. Pas na de pauze ben ik in staat om wakker te blijven.

Als ik bijna thuis ben, kom ik de overbuurvrouw tegen. Haar man is bezig met chemokuren. We raken aan de praat. We zitten in hetzelfde onwerkelijke wereldje. Het lijkt onwerkelijk maar het is natuurlijk de realiteit. Hard en vol emoties. Even later zitten we met ons vieren aan een wijntje. Een goed gesprek aan het einde van de dag.

Voor het slapengaan nog even op Twitter: vandaag even geen blog. Ik kijk met een schuin oog naar mijn hond. Arme Balou. Vandaag is zijn verjaardag. Geen bot of rondje bossen voor hem. Schiet hij er ook al bij in.

Zondag 19 juni

Vandaag Vaderdag. Heerlijk uitslapen tot 10 uur. Alle kinderen bij ons in bed met cadeautjes. Zelfgemaakt of gekocht. Elk jaar een feest. Alle kinderen zijn me even lief. Toch anders nu. Zo voelt het. Guusje lekker tegen me aan. Daarna ontbijten. Afbakbroodjes en muziek van Guus Meeuwis op de achtergrond. Ik heb een CD gekregen. Ik dacht dat ik alles van Guus had. Blijken er ook nog live-cd's te zijn.

Na het ontbijt bezoeken aan opa's en oma's. Tot 3 uur en dan naar huis. Ik vind het altijd prettig om thuis te zijn. Onze kinderen om me heen. Aan tafel maken Loes en Guusje tekeningen voor Yvonne en mij. Yvonne en ik drinken een kopje koffie. Loes kijkt trots naar Yvonne. Papa krijgt vandaag cadeautjes. Daarom een tekening speciaal voor mama.

'Wat een mooie tekening. Wie zijn die twee kinderen?'

'Dat zijn Guusje en ik. We zijn buiten aan het spelen.'

'Wie zit daar achter het raam?'

'Dat is papa. Die zit achter zijn computer.'

'En waar ben ik dan?'

'Oeps. Vergeten. Ik teken je er even bij.'

Ik werk altijd met lijstjes van dingen die ik nog moet doen. Vandaag werk ik heel wat lijstjes af. Het avondeten is gezellig. Voor Vaderdag is er ijs met aardbeien als toetje. Yvonne en ik merken dat het voor Guusje belangrijk is om rust te nemen. We moeten proberen daar zoveel mogelijk sturend in op te treden. Meer dan voorheen zullen wij haar dagindeling bepalen. Pijn blijft een groot probleem. Yvonne zal morgen bellen met het Pijnteam.

Het is bijna de langste dag. Yvonne en ik gaan om 8 uur met de hond een boswandeling maken. We praten over de komende maanden. Het voelt niet goed. Besluiten snel om hiermee op te houden. Voor ons is er nu geen toekomst. Als we thuiskomen zijn daar onze zes kinderen. Guusje en Loes in bed. Anton snel de trap op. Hans achter de laptop. Lisa met iPad. Janneke met mobieltje. Dit is het heden. Daar gaat het om. Het nu.

Maandag 20 juni

Wanneer vieren we mijn kinderfeest? Deze vraag stelt Guusje. Daar hebben Yvonne en ik niet op gerekend. Denk eens terug. Toen je nog kind was. Waar keek je verlangend naar uit? Waardoor kon je niet slapen? Sinterklaas en je verjaardag.

Het is nog maar drie weken. Dan begint de zomervakantie. Veel kinderen geven de komende weken een feestje. Weinig data beschikbaar. Ook onze eigen kalender staat vol. Welke datum is geschikt? Na een chemo voelt Guusje zich niet lekker. Is Guusje wel in staat om een feestje te geven? Hoe lang houdt ze het vol?

Yvonne gaat vandaag naar haar werk. Om half 9 breng ik Guusje naar school. Om kwart over 10 haal ik haar weer op. Ondertussen probeer ik contact te krijgen met het Pijnteam. De medicatie dient te worden aangepast. Guusje heeft nog altijd veel pijn.

Tot nu toe nam Guusje de beslissing om wel of niet te blijven na de ochtendpauze. De ervaring leert dat ze het niet volhoudt om een hele ochtend naar school te gaan. Het is frustrerend voor Guusje om toe te geven dat het op school niet gaat. 'Sorry, ik houd het niet vol. Ik kan het niet.' We laten haar deze beslissing niet meer nemen. Ik haal haar op in de ochtendpauze. Als de omstandigheden het toelaten, dan kan ze 's middags weer naar school.

Na de lunch gaat het mis. Guusje heeft veel pijn. Ik besluit dat ze vanmiddag thuis-blijft. Daar is ze het mee eens. Een teken dat het niet goed gaat. Om 1 uur belt een arts van het Pijnteam. Zij kent Guusje persoonlijk. In overleg met haar wordt de medicatie aangepast. Laten we hopen dat het helpt.

Daar ligt Guusje op de bank. Spelend met haar iPad. Ik stel voor om uitnodi-gingen te maken voor haar verjaardagsfeestje. Ze is meteen enthousiast. Meestal heeft een feest een thema. Ik praat met haar over de bijzondere omstandigheden. Een maand geleden was ze echt jarig. Toen was ze net terug uit het ziekenhuis. Niet in staat om een feest te geven. Dat ze zo ziek is en nu toch een feestje voor haar vriendinnen wil geven, bewijst dat ze een kanjer is. Ze kijkt me knikkend aan. Ik stel voor: Kanjerfeest. Dat ziet ze wel zitten. Het klinkt goed. Stoer zelfs.

'Wanneer, papa?'

'Deze week geen chemo. Grote kans dat je je goed voelt. Wat denk je van don-derdag na school?'

'Prima. Tot hoe laat?'

'Zolang als jij kunt.'

'En eten dan?'

'Iedereen blijft mee-eten'

'Wat gaan we doen?'

'Dat verzinnen we straks met mama'

Ik zit naast Guusje. Laptop op schoot. Met behulp van Diddl-plaatjes maak ik een uitnodiging. Een heerlijke dag voor Guusje om naar uit te kijken. Haar kinderfeestje: een Kanjerfeest. Donderdagmiddag na school. Gezellig met vriendinnen.

De hele dag ben ik bezig met Guusje. Ik kan me nu pas voorstellen hoe druk mensen het hebben met een hulpbehoevend kind. Je hebt nergens tijd voor. Om 3 uur komt Yvonne thuis. Nog geen tijd voor mezelf. De hond moet naar de dierenarts. Een vreemd plekje bij zijn oog. Heeft hij al een aantal dagen last van.

Ik heb een afspraak gemaakt. Ik ga niet meer naar het vrije inloopspreekuur. De praktijk van de dierenarts lijkt dan op een bedevaartsoord. De pelgrims zitten al voor 1 uur in de wachtkamer. Het spreekuur begint pas om half 2. Als je voor 1 uur komt, mag je blij zijn als je om 2 uur aan de beurt bent.

Gelukkig heb ik nu een afspraak. Dan word ik vast en zeker snel geholpen. Wish-ful thinking. Ik arriveer tegen 4 uur. Geen vrij inloopspreekuur. Toch druk. Dat wordt wachten. Anders dan in de wachtkamer van het ziekenhuis. Hier hijgen en kwijlen de patiënten. Ik zit meer dan drie kwartier in de wachtkamer. Gelukkig heb ik een tele-foon met internet. Zo kom ik mijn tijd wel door. Een injectie en een zalfje moeten het probleem oplossen. Dat klinkt eenvoudig. Lang geleden dat een medisch probleem zo eenvoudig kon worden opgelost. Was alles maar zo simpel.

Na het avondeten heeft Guusje weer veel pijn. Gelukkig is de pijnmedicatie ver-hoogd. Maximaal achtmaal extra pijnmedicatie per dag. Het was zes keer.

Wie gaat de uitnodigingen bezorgen voor Guusje? Dat doet Lisa wel. Het valt op dat onze andere kinderen graag iets doen voor hun zieke zusje. In het begin twijfelde ik nog wel eens. Hadden onze andere kinderen wel door hoe ziek hun zusje is? Deze twijfel is helemaal verdwenen. Guusje's broers en zussen weten het. Hun zusje is ziek. Heel erg ziek.

Dinsdag 21 juni

Vroeg op. Yvonne gaat naar haar werk. Ik blijf thuis om voor de kinderen te zorgen en dan met name voor Guusje. Gisteravond vergeten een brood uit de vriezer te halen. Al snel ruikt het naar geroosterd brood. Een heerlijke geur. Tot Hans brood roostert. Dan ruikt het naar brand.

Omdat ik niet zo bedreven ben in het borstelen van meidenhaar, neemt Yvonne dit voor haar rekening. Yvonne verzorgt de haren van Guusje en Loes. Ze heeft het vermoeden dat Guusje meer haren verliest dan anders. Zou het dan toch?

Guusje is moe. Ze heeft moeite met lopen. Na het ontbijt begeleid ik haar naar boven. Ze wankelt een beetje. Klaagt over haar voeten. Dit zou een bijwerking kunnen zijn van de chemo. Ik help Guusje met aankleden. Ik vraag haar waarom er een extra pyjama op haar bed ligt. Krijg als antwoord dat het een jurk is. Ook in dameskleding ben ik niet zo bedreven.

Loes is de hele dag thuis in verband met een studiedag van leerkrachten van de basisschool. Erg vervelend voor mij. Ik heb nog allerlei papieren die ingevuld moeten worden. Gelukkig is Loes verslaafd aan televisiekijken. Kan ik ondertussen even lekker doorwerken. Guusje is blij dat ik om 10 uur op school ben. Ze voelt zich niet goed. Hoe ga ik onze twee jongste dochters de rest van de ochtend vermaken? Guusje is ziek. Loes is druk. Geen geweldige combinatie. Ze komen gelukkig zelf met een idee. De meiden hebben een heleboel kaartjes met dieren van Albert Heijn. Geen idee hoe onze kinderen daaraan komen. We winkelen nooit bij Appie. Een kwartier later staan we bij de balie in de supermarkt. Graag een verzamelboek voor dierenplaatjes. Doe er maar twee. Voorkom ik ruzie tussen onze dochters. De rest van de ochtend is het rustig. Met dank aan Albert Heijn.

Aan het einde van de ochtend ligt Guusje op de bank. Ze heeft pijn. De verhoging van de pijnmedicatie heeft nog geen effect. Ik verwacht dat ze ook vanmiddag thuis zal blijven. Zit ik weer met onze twee jongste dochters opgescheept. De een ziek. De ander druk. Hoe ga ik dit oplossen?

We zijn circa vijf minuten aan het lunchen. Er zijn onverwacht twee fijne gebeurtenissen. Guusje zegt plotseling dat ze zich goed voelt en vanmiddag naar school wil. Hoe kan dat nu? Tien minuten geleden klaagde ze nog over pijn.

Yvonne komt ineens binnenstappen. Ze is eerder naar huis gekomen van haar werk. 's Middags gaat Guusje naar school. Yvonne gaat naar de supermarkt. Samen met Loes. Ik maak ondertussen een wandeling met de hond. Het is heerlijk in de bossen. De zomer begint.

Als ik thuiskom, staat er een koerier aan de deur. Een pakketje voor mij. Een nieuwe telefoon. Ik kan met dit toestel filmpjes maken. Dat is lang geleden. Er zijn nou eenmaal beelden die je niet wil missen voor later. Aan het einde van de dag zit ik samen met Yvonne op de bank. Hoe ging het vandaag met Guusje? Vanmorgen moeite met lopen. Regelmatig pijn. Blij dat ze naar huis kon. Vanmiddag anders. Met plezier naar school. Wilde daarna nog gaan spelen met haar vriendin Ina. Vanavond rustig op de bank. Ging vrij snel slapen. We hebben haar niet meer gehoord. Zou de verhoging van de pijnmedicatie effect hebben? Niet te vroeg juichen.

Midzomernacht. Ik zit achter mijn laptop. Guusje roept door de babyfoon. Ik snel naar boven. Ik ben bezorgd.

'Wat is er, meisje?'

'Keelpijn. Mag ik een dropje?'

Woensdag 22 juni

Al heel vroeg ben ik wakker. Eerst om 5 uur en later om 6 uur weer. Guusje ligt te zweten. Ik meet haar temperatuur. Geen koorts. Gelukkig maar.

Na het ontbijt borstelt Yvonne Guusje's haar. Meer haren in de borstel dan anders. Guusje oogt witjes. Ze wil wel naar school. Iedereen is mooi op tijd uit de veren. Behalve Anton. Ik noem hem altijd onze 'professionele uitslaper'. Als ik dreig naar boven te komen, is hij vrij snel beneden. Dan blijkt hij ook nog een 'professionele mopperaar' te zijn. Ochtendhumeurtje.

Guusje gaat tot de ochtendpauze naar school. Ik ben ondertussen druk met bellen naar het Pijnteam en het aanvragen van een persoonsgebonden budget (PGB). Vooral het laatste bezorgt me hoofdbrekens. 's Middags krijgen we bezoek van vrienden uit Zeeland. Hun zoon is ernstig ziek geweest. We delen ervaringen. Als je kind kanker heeft, verandert je wereld. Aan het eind van de middag leg ik de laatste hand aan mijn aanvraag voor een PGB. Afwachten of we in aanmerking komen. Het huidige kabinet wil immers fors bezuinigen.

Als ik kijk naar Guusje, dan kan ik nog niet zeggen dat het wijzigen van de pijnmedicatie succesvol is. Pijnbestrijding blijkt heel erg lastig te zijn. Guusje heeft veel pijn. Dit belemmert haar enorm. Het grootste deel van de dag brengt ze op de bank door. Een meisje van tien hoort buiten rond te springen.

Morgen een belangrijke dag. Eerst gaat Guusje op excursie naar een kasteel. Ik ga mee als begeleider. Ik vraag me af hoe ik het ga doen. Rijden met een rolstoel over de wenteltrappen. Zal lastig worden. Later in de middag volgt het kinderfeest voor Guusje's verjaardag. Kanjerfeest! In de uitnodiging staat geen eindtijd. Alles is anders dan voorheen.

Donderdag 23 juni

Tussen 7 en 8 is het altijd druk in de keuken. Onze kinderen bereiden zich voor op naar school gaan. Loes springt druk rond. Ze wil vandaag iets moois aan, want ze gaat oefenen in groep 4. Ik zie het verband niet. Ik ben een man.

Om half 9 breng ik Anton, Guusje en Loes naar school. Vervolgens zorg ik ervoor dat ik rond 9 uur weer bij school ben. Dit keer met mijn auto. Ik ga als begeleider mee met Guusje's klas naar Kasteel Ammersoyen. Voordat we vertrekken geef ik onze dochter extra medicatie tegen de pijn. Dit doet haar goed. Ze zit volop te praten met de andere kinderen in de auto. Als we aankomen bij het kasteel, zie ik meteen dat Guusje weinig zal meemaken van de rondleiding. Veel steile trappetjes.

Eerst krijgen we een grappig educatief filmpje voorgeschoteld. Daarna een bezoek aan de gevangenis. Spreekt altijd tot de verbeelding bij kinderen. Zeker als de gids ons laat ervaren hoe pikdonker het vroeger in de gevangenis was. Vervolgens gaat het gezelschap de trappetjes beklimmen. Ik zie dat Guusje pijn heeft en besluit niet mee te gaan. Ik blijf met onze dochter achter. Gelukkig krijgen we gezelschap van een moeder die ook is meegegaan. We hebben trek in koffie. Er is echter niemand om ons te bedienen. We zitten een tijdje naar de lege bar te kijken. Dan besluit de moeder om over te gaan op zelfbediening. Als later de 'kasteeldame' verschijnt, rekenen we netjes af. Geen fooi voor de bediening.

Op de terugweg zit Guusje met haar ogen dicht naast me. Een zwaar uitstapje. Thuis zal ze echt tot rust moeten komen. Vanmiddag viert Guusje haar kinderfeestje. Een maand na haar echte verjaardag. Ze was toen net terug uit het ziekenhuis. Het feestje was toen bescheiden. Binnen ons eigen gezin. Na de lunch gaat Yvonne met Guusje naar boven. Verplicht rust. Dat vindt onze dochter moeilijk. Soms ontkom je niet aan ouderlijke dwang. Ondertussen brengen Yvonne en ik de huiskamer in gereedheid voor het Kanjerfeest. Het kinderfeest van KanjerGuusje.

Na school stromen de feestgangers binnen. Twaalf meisjes en een jongen. Meer dan bij een regulier kinderfeestje. Wat doe je op een kinderfeest, als de jarige erg beperkt is door pijn? Cakejes versieren, Weerwolven van Wakkerdam en bingo. Yvonne en ik krijgen veel hulp van onze Janneke en Lisa. Om 6 uur ronden we af met frietjes. Bij het afscheid ontvangt elke feestganger een polsbandje: Kanjers met LEF!

Als het feest is afgelopen, eten Yvonne en ik friet met onze drie oudste kinderen. Het is heel erg gezellig. Onze kinderen hebben humor. Ik geniet. In de avonduren ontsnap ik aan de drukte. Ik maak een boswandeling met de hond. Ik ben moe. Het wordt een kort rondje. Ondertussen kan ik rustig nadenken. Onze kinderen volgen hun ouders op Twitter. Ze horen Yvonne en mij praten over andere mensen. Janneke heeft gezegd dat het erop lijkt dat wij een andere kennissenkring hebben gekregen. Dat klopt. We hebben contact met lotgenoten. Veel mensen met wie wij ons verbonden voelen. Vaak mensen met ernstig zieke kinderen. Die ernst is deze week weer gebleken. Op Twitter komt weer de dood van een kind door kanker voorbij. Ouders zien hun grootste nachtmerrie werkelijkheid worden.

Als ik thuiskom, word ik opgewacht door onze jongste zoon Anton. Spreekbeurt oefenen. Had ik dat beloofd? Ja, dat had ik beloofd. Even later zit ik onderuit op de bank. Kopje koffie erbij. Luisterend naar Anton's spreekbeurt over scouting. Aan het eind kijkt hij me aan.

'En papa?'

'Wil je weten wat ik ervan vind?'

'Mmmm. Ja.'

'Dat heb je prima voorgelezen. Nu moet je er nog een spreekbeurt van maken.'

'Hoe doe je dat, papa?'

'Dat weet ik wel, maar ik ben te moe om het uit te leggen.'

Vervolgens begint Hans uit te wijden over het gebruik van kapstokwoorden. Wel fijn dat oudere kinderen het af en toe over kunnen nemen. Ik zie dat Anton begrijpend knikt. Zou hij het werkelijk snappen? Ik twijfel. We zullen zien. Dinsdag is de spreekbeurt in de klas. Maandagavond generale repetitie thuis.

Morgenochtend ga ik met Guusje bloedprikken. Ik vraag me af of onze dochter morgen genoeg energie heeft om naar school te gaan. Van mij mag onze kanjer thuisblijven. Morgen zijn ook onze drie oudste kinderen thuis. Zij hebben proefwerkweek. Alleen hebben Janneke, Lisa en Anton morgen geen toetsen. Ze hebben gevraagd of ze uit kunnen slapen. Yvonne en ik hebben verbaasd gereageerd. Is de vakantie al begonnen?

Vrijdag 24 juni

Vroeg op. Yvonne gaat weer een dagje werken. Janneke, Lisa en Hans liggen nog in bed. Nog voordat Anton en Loes naar school vetrekken, ga ik met Guusje de deur uit. Rolstoel achterin de auto. Op weg naar het ziekenhuis in Waalwijk voor bloedafname. Drie weken geleden ben ik bijna anderhalf uur van huis geweest voor even bloedprikken. Ik hoop dat het vandaag sneller gaat. Onze huisarts heeft immers gebeld om ervoor te zorgen dat we direct worden geholpen.

We komen aan bij het ziekenhuis. Als ik met Guusje in de rolstoel richting de balie loop, worden we begroet door een dame. Ze zegt: 'Dat is Guusje, waarschijnlijk.' Onze dochter wordt meteen geholpen. Prettig geregeld. Om kwart voor 9 is Guusje op school.

Thuisgekomen besluit ik een stapeltje post weg te werken. Tussen de brieven een aanvraagformulier voor een Verklaring Omtrent Gedrag. Een nieuwe versie. Ik ga ermee naar de Gemeentewinkel. Poging twee. Vorige keer werd mijn aanvraag niet in behandeling genomen. Ik moest toen eerst een half uur wachten. Daarna kreeg ik te maken met een duidelijke botsing van karakters tussen de ambtenaar en mij.

Met een zekere argwaan stap ik de Gemeentewinkel binnen met mijn aanvraagformulier en paspoort. Legitimeren heb ik door de jaren heen geleerd. Ik heb zes keer aangifte gedaan van geboorte van een kind en bijna alle keren verscheen ik bij de afdeling Burgerzaken zonder legitimatiebewijs. Zelfs een ezel stoot zich geen tweemaal aan dezelfde steen. Bij de geboorteaangifte van onze kinderen bijna zes keer. Ik verbaas me deze ochtend. Wachten hoeft niet. Ik word direct geholpen. In een mum van tijd sta ik buiten. Vol verbazing.

De rest van de dag verloopt rommelig. Drie middelbare scholieren in huis. Studeren voor de proefwerkweek. Klusjes uitvoeren die Yvonne de vorige avond heeft opgedragen. Ik zie onze oudste kinderen graag naar school gaan. Soms heb ik de indruk dat de vakantie al begonnen is. Anton en Loes hebben gelukkig wel een gewone schooldag. Structuur is goed voor kinderen. Dat weet elke opvoeder.

Guusje gaat in de ochtend tot de pauze naar school. Thuisgekomen even iets drinken. Samen met Janneke, Lisa en Hans. Daarna gaat Guusje mee naar de apotheek. Ze wil liever niet op de bank blijven zitten, maar ze heeft helaas niet genoeg energie om veel te doen. Een lastige spagaat voor onze dochter.

's Middags gaat Guusje naar school van 1 uur tot kwart over 3. De hele middag dus. Als ik bij school arriveer, zie ik dat ze vrolijk zit te babbelen met andere kinderen. Ik kan mijn ogen niet geloven. Vol verbazing. Dit heb ik tot nu toe nog niet meegemaakt. Daar komt nog bij dat ik Guusje een beperkte hoeveelheid extra pijnmedicatie heb gegeven en niet de reguliere dosis.

Guusje wil afspreken met vriendin Nikki. Ik vind het goed. Met de auto breng ik de dames naar Nikki's huis. Helaas staat drie kwartier later Nikki's moeder al aan de deur. Guusje houdt het niet vol. Jammer. Eigenlijk wist ik het wel. Ik moet eerder op de rem trappen. Onze dochter heeft de neiging om net iets te lang door te gaan. Pijn en vermoeidheid zijn de tol die ze dan moet betalen.

Na het avondeten staat Anton te springen. Het is scouting. Afsluiting van het seizoen. Zou Guusje ook willen gaan? Helemaal niet. Ze is moe. Scouting begint om 7 uur. Guusje ligt in bed om half 8. Ze kan niet meer. Ze wil alleen maar slapen. Ik wens haar een prettige en rustige nacht. Daarna ons eigen bijzondere ritueel voor het slapengaan.

Zij zegt: 'slaap lekker. Welterusten. Tot morgen. Doei dag.'

Ik herhaal: 'slaap lekker. Welterusten. Tot morgen. Doei dag.'

Ik kijk terug op een dag waarop Guusje voor het eerst sinds lange tijd minder extra pijnmedicatie gebruikt. Afgelopen maandag is na overleg met het Pijnteam besloten de basismedicatie te verhogen. Zou dit effect hebben? Vandaag voelt goed. Ik weet echter ook dat één zwaluw nog geen zomer maakt. De komende dagen zullen we zien of het echt zomer wordt. Voor Guusje.

Zaterdag 25 juni

Vroeg in de ochtend staat Guusje bij ons bed. Mag ik bij jullie komen liggen? Ze kruipt tussen Yvonne en mij in. Heerlijk. Gevoel van warmte.

Doet me denken aan enkele jaren geleden. Toen lagen de kinderen regelmatig tussen Yvonne en mij in bed. Soms zelfs heel vaak. Lisa kreeg ooit een verbod opgelegd. Zij wilde elke nacht bij papa en mama slapen. Dat kwam de ouderlijke nachtrust niet ten goede. Dan stond je 's morgens op met het gevoel dat de nacht nog moest beginnen.

Nu geniet ik van Guusje's aanwezigheid. Probeer te slapen. Dat gaat niet. Het is te prettig. Van mij mag dit nog uren duren. Momenten die je niet wilt missen. In mijn hoofd Guus Meeuwis.

Ik wil alleen naast je liggen
Mijn ogen dicht
Dicht tegen je aan

Tegen 9 uur staat Janneke in de deuropening. Ze zegt: 'Weten jullie wel hoe laat het is? We moeten naar de scouting.' Vier kinderen moeten de deur uit. De bijeenkomsten starten om half 10. Liggen ze allemaal nog in bed? Een paar minuten later is iedereen druk. Kinderen zijn aan het ontbijten, wassen en aankleden. Ondertussen klinkt enkele malen de deurbel. Een keer voor het bezorgen van een groot kleurig pakket: voor prinses Guusje. Verrassing. Die pakken we straks wel uit. Behalve de deurbel rinkelt ook nog enkele keren de telefoon. Een erg bedrijvig huishouden vroeg op de zaterdagochtend.

Yvonne informeert of Hans en Lisa vandaag een lunchpakket mee moeten nemen. Zij denken van niet. Denken of zeker weten? Yvonne kijkt in haar e-mail. Ervaring met jeugd. Daar staat bij mee te nemen spullen: een lunchpakket. Dus toch. Typisch pubers.

Terwijl ik me sta te scheren, is Hans druk met haargel. Als ik hem vraag tot hoe laat vandaag de scouting duurt, haalt hij zijn schouders op. Wil onze zoon nu echt beweren dat hij niet weet hoe laat hij vanmiddag weer thuis is? Hij zal wel zien. Hij

Op de bank onder haar droomdekentje

gaat gewoon lekker naar scouting. Hij heeft er zin in. Wanneer het afgelopen is? Wat kan hem dat schelen. Typisch pubers.

Om 10 uur zitten Yvonne en ik samen met Guusje op de bank. Voor ons ligt het grote kleurige pakket. Yvonne maakt het open. Er zit een droomdekentje in. Speciaal voor Guusje gemaakt. Er zit een brief bij. Daarin staat dat ze onder de deken heerlijk kan wegdromen. De fijnste dingen kan meemaken. Dromen naar haar eigen wereld. Het dekentje is afkomstig van De Regenboogboom.

Het is een hele druilerige dag. Yvonne stelt voor om naar IKEA te gaan. We hebben nog steeds een nachtkastje nodig naast Guusje's bed. De laatste keer dat we onderweg waren naar IKEA Breda, werden we gebeld door dokter Marianne. Toen moesten we meteen naar Amsterdam komen voor een operatie. Het verwijderen van Guusje's portacath.

Een blik op de website laat zien dat het vandaag een speciale dag is bij IKEA met veel aanbiedingen. Hoogstwaarschijnlijk erg druk. Is het wel verstandig om vandaag te gaan? We twijfelen. De hele dag binnen zitten is ook geen goed idee. Yvonne en ik vinden het moeilijk. Wat is nu het beste voor Guusje? Veel doen betekent veel inspanning en veel pijn. Weinig doen betekent weinig afleiding en veel denken aan pijn. We zitten te dubben. Uiteindelijk hakken we de knoop door. We gaan richting Breda. Als er een te lange file voor IKEA staat, dan kunnen we alsnog besluiten om te draaien.

Om half 12 halen we Loes op bij scouting en rijden we door naar Breda. Wat een slecht weer. Als we bij IKEA Breda aankomen, kunnen we tegen de verwachting in meteen de parkeergarage binnenrijden. Tien minuten later zitten we in het restaurant. Eerst even eten en drinken. Dan kunnen we daarna rustig winkelen.

Om 3 uur keren we terug in Kaatsheuvel. Met een nachtkastje. Nou ja, niet echt. We hebben een pakket gekocht dat een nachtkastje moet gaan worden. Je betaalt bij IKEA bijna tachtig euro voor een doos onderdelen. Gelukkig is Yvonne vrij handig. Anders levert IKEA chagrijn op de koop toe.

Gisteren schreef ik dat het met de extra pijnmedicatie de goede kant op ging. Ik schreef ook dat ik weet dat één zwaluw nog geen zomer maakt. Vandaag blijkt dat het om slechts één zwaluw ging. Guusje heeft vandaag veel pijn. Jammer.

Thuisgekomen ligt Guusje op de bank. Spelletjes op de iPad. Onder haar droomdekentje.

Zondag 26 juni

Ouderwets uitslapen. Alsof we heel erg jong zijn. Jarenlang waren we te vroeg wakker. Loes is onze jongste. Ze is zeven. Waarschijnlijk al een tijdje beneden. Ze kijkt televisie. Een van haar verslavingen.

Om half 11 komen we ons bed uit. Afbakbroodjes in de oven. Ruikt lekker. Ondertussen scheren. Daarna samen ontbijten. Gezellig begin van de zondagochtend. Praten over de komende proefwerkweek van onze pubers. Dat vinden ze een min-

Ons hele gezin op de foto

Foto: Manola van Leeuwe

der leuk onderwerp. Ze willen Yvonne en mij de indruk geven dat het allemaal wel goed komt. Mooie verkooppraatjes. Dat kennen we. Daar trappen we niet in.

Lisa is vooral bezig met de twee kampen die plaatsvinden na de proefwerkweek. Eerst zeilkamp en daarna scoutingkamp. Ze praat honderduit alsof ze de loterij heeft gewonnen. Blijkbaar is dat haar gevoel bij die twee kampen. Het is alleen maar supergezellig en fantastisch wat zij gaat doen. Prettig om naar te luisteren. Leuke verhalen.

Soms vinden Yvonne en ik het prettig dat Guusje tien is. We kunnen door haar leeftijd vrij goed met haar praten over haar ziekte. Aan de andere kant is Guusje zich bewust van de beperkingen die ontstaan door haar ziek zijn. Ze weet wat ze mist. Ook de komende weken. We zijn allemaal lid van scouting. Kinderen en ouders. Elk jaar gaan we op zomerkamp. Als we terugkomen, praten we dagenlang over alle avonturen die we hebben beleefd. Dit jaar zal het anders zijn. Guusje kan niet op zomerkamp. Misschien ga ik enkele keren met Guusje op bezoek bij haar groep tijdens de kampweek. Toch anders dan gewoon lekker meedoen. De hele week in tenten slapen en lol maken met vriendinnen. Guusje zal het missen. Papa en mama ook. Ook voor hen dit jaar geen zomerkamp.

's Middags zijn we om half 4 bij de Roestelberg. Daar ontmoeten we Manola. Begin jaren negentig stond ik voor het eerst voor de klas. Manola was leerling. Ik haar docent. De afgelopen weken las Manola mijn tweets. Ze schrok van mijn blog. Vandaag gaat ze een fotoreportage maken van ons gezin. Ik vind haar nog altijd die spontane meid. Alsof er niets is veranderd. Nou ja, natuurlijk wel. Manola is niet meer de puber van toen. Ze is getrouwd en heeft twee kinderen. Een geschiedenis rijker.

's Avonds eten we bij McDonalds. Van een gulle gever hebben we bonnen gekregen voor een keer gratis eten. Dat voelt goed. Zeker als dan ook nog de zon volop gaat schijnen. De zomer begint. Thuisgekomen korte broek en slippers aan. Als Anton, Guusje en Loes naar bed zijn, maken Yvonne en ik een boswandeling. Samen met de hond. We praten over onze kinderen. Kijken naar morgen. Voor onze oudste kinderen begint de proefwerkweek. Voor Guusje de tweede cyclus van drie-maal chemo op maandag. Er wordt morgen ook een röntgenfoto gemaakt. Yvonne en ik gaan beiden met Guusje mee naar het Emma Kinderziekenhuis. We zetten de vragen die we hebben op een rij.

Morgen weer een spannende dag
Ze voelt het vandaag al
Haar spanning
Haar pijn
Wij voelen mee in ons hoofd

Maandag 27 juni

Afgelopen dagen las ik tweets over jonge kinderen die sleutels en bankpassen van hun ouders verstoppen. Ook bij oudere kinderen heb je hiermee te maken. Alleen gaat het bij ons vandaag over de slippers van Guusje. Vroeg in de ochtend ben ik meer dan een half uur bezig met zoeken. Hier word ik behoorlijk chagrijnig van.

Yvonne en ik gaan vandaag met Guusje naar het ziekenhuis voor een dagje chemo. We worden om half 12 verwacht op F8 Noord. Vooraf dient er een rönt-genfoto te worden gemaakt. Om 9 uur stappen we in de auto. Zonder slippers van Guusje. Die heb ik niet kunnen vinden. Het wordt een van de warmste dagen van het jaar. Dat merken we, als we op de A2 rijden. Niet alleen onze BMW is oud. Ook de airco is op leeftijd.

Aangekomen in het AMC laten we eerst een röntgenfoto maken van Guusje. Hiermee zal vandaag niets gebeuren. Dokter Marianne heeft vakantie. Vervolgens gaan we naar F8 Noord voor chemo. Vandaag het begin van de tweede cyclus. Drie maandagen achter elkaar. Daarna een CT-scan en weer een röntgenfoto. Deze zul-len de basis vormen voor vervolgstappen. We hopen op positieve resultaten. Helaas voel ik een verschil tussen hoop en verwachting. De laatste maanden zoveel tegen-slagen gehad dat deze twee begrippen heel verschillend voelen.

In de lift naar de achtste verdieping komt Yvonne erachter dat ze vergeten is de tover-zalf bij Guusje aan te brengen. Vergeten in de verwarring van de ochtend tijdens het zoeken naar de slippers. Later vraag ik me af waar Yvonne deze verdovingszalf had moeten smeren. De verpleegkundige brengt deze op verschillende plaatsen bij onze dochter aan. Hopend op een goed plekje voor het prikken van een infuus.

Ik zie bij Guusje de spanning stijgen. De tweede keer chemo was zo'n negatieve ervaring dat ik het niet vreemd vind dat ze angst heeft. Ook ik voel spanning. Zal het goed gaan? Geen vervelende onverwachte reacties.

Het is 1 uur. Het infuus wordt geprikt. De eerste medicijnen kunnen gaan inlopen. Het is duidelijk te merken dat dokter Marianne afwezig is. Veel vragen van Yvonne en mij worden doorgeschoven naar de volgende week.

De middag verloopt zonder problemen. Vrij rustig. We krijgen wel veel bezoek. De fysiotherapeut, de psycholoog, de maatschappelijk werkster en de arts van het Pijnteam.

Om 2 uur komt er een meisje met haar moeder binnen. Het meisje ligt in bed. Ze heeft een grote bos krullen. Yvonne en ik raken in gesprek met moeder. Ze hebben enkele dagen terug de diagnose gekregen. Ik zie mezelf in gedachten terug tijdens de eerste dagen van april. Wat was ik 'van het padje af'. Net binnen op F8 Noord. Levend in een vreemde roes.

Welkom in uw nachtmerrie
Vanaf nu zal uw leven voor altijd anders zijn

Moeder zegt: 'Ik vind het nog steeds moeilijk te bevatten. Is dit vanaf nu mijn leven?' Ik bevestig droog: 'Ja dat klopt. Vanaf nu is dit uw leven.'

Ik geef haar enkele ongevraagde adviezen. Bijvoorbeeld contact zoeken met lotgenoten. Bloggen en twitteren helpt daarbij. De vrouw kijkt me aan met een blik van 'dat wil ik niet'. Ik blik terug met 'dat komt nog wel'.

Na 5 uur verlaten we de afdeling. Brengen nog even een kort bezoek aan Marij op H8 Noord. Guusje is dol op haar. Marij maakt een tosti voor onze dochter. De spanning is weg. Guusje babbelt vrolijk. Fijn om te zien. In het personeelsrestaurant eten Yvonne en ik een broodje en daarna rijden we terug naar het zuiden. Het is bloedheet in de auto. Ramen open. Guus Meeuwis op vol volume. Praten met Yvonne kan niet echt. Op de achterbank zitten twee grote oren die alles horen. Om half 8 zijn we pas thuis. Er is goed nieuws. De slippers van Guusje zijn gevonden. Anton staat startklaar. Hij wil graag zijn spreekbeurt oefenen. Generale voor morgen. Daar heeft papa echt zin in. Ik kan er niet onderuit. Tegen mijn kinderen zeg ik altijd: 'Dan maak je maar zin.' Gelukkig kent Anton zijn spreekbeurt goed. Het is 9 uur als Guusje aangeeft naar bed te willen. Even later zegt Yvonne:

'Ga jij even bij Guusje kijken.'

'Waarom? Is er iets.'

'Nee dat niet. Ga nou maar kijken.'

Er brandt een lichtje op de slaapkamer. Ons kleine blonde meisje ligt te lezen in bed. Zo hoort het. Meisjes van tien gaan niet meteen slapen. Die lezen stiekem een boek.

Dinsdag 28 juni

Guusje is boos. Ze mag niet naar school. Jaarlijkse musical van groep 8 in het ontmoetingscentrum. Met dit weer heet en benauwd. Mama zegt: 'Nee, nee en nog eens nee.' Het is voor Guusje beter om vanmiddag naar school te gaan. Ik begrijp

Guusje's woede. Weer een leuke activiteit die door haar neus wordt geboord. Met dank aan haar ziekte.

Ik neem vandaag officieel afscheid van mijn collega's. Eerst vergaderen. Niet mijn favoriete bezigheid. Ik heb om spreektijd gevraagd. Ik bedank mijn collega's van de opleiding MER van Avans Hogeschool. Zij hebben het mogelijk gemaakt dat ik de afgelopen maanden kon zijn waar ik het hardst nodig was. Bij ons zieke blonde meisje. Daarnaast ontvang ik nog steeds kaartjes, sms'jes, e-mails en tweets. Heel veel steun. Zo belangrijk. Daarom zo moeilijk om afscheid te nemen. Om een en ander duidelijk te maken over het ziekteproces van Guusje heb ik haar KanjerKetting meegenomen. Ik zie aan de gezichten dat het indruk maakt. Al die ellende bij een jong meisje van tien. De ketting toont haar last.

Om kwart over 3 ben ik op school. Het voelt goed. Er is niet gebeld. Dit betekent dat Guusje het langer dan twee uurtjes op school heeft volgehouden. Ik sta buiten de klas en kijk naar binnen. Guusje zit te praten. Ze kijkt vrolijk. Nadat ik onze dochter heb gesproken, zoek ik Anton. Hij is trots. Zijn spreekbeurt is beloond met een acht. Een topprestatie. Hij is geen spreker van nature.

Thuisgekomen gaat Guusje met haar vriendin Ina spelen. Ik vind het prima. Guusje maakt een levendige indruk. Toch zie ik hetzelfde gebeuren als een week geleden. Na drie kwartier krijgt onze dochter pijn. Het spelen is voorbij. Hetzelfde beeld maar dan andersom in de avonduren. Eerst gaat Guusje in bad. Ze heeft pijn. Klaagt erover. Waarom kan het niet ophouden? Een tijdje later zit ze vrolijk een appeltje te eten op de bank. Mooie momenten.

Woensdag 29 juni

Iedereen heeft moeite met opstaan. Geen probleem voor Anton en Loes. Ze moeten toch eerst naar de tandarts. Geen tijd om eerst naar school te gaan. Guusje krijgt de keuze: school of tandarts? Ze kiest voor de tandarts. Vreemd? Misschien niet, als je een KanjerKetting hebt met meer dan honderd kralen. Dan heb je misschien net iets teveel meegemaakt om nog bang te zijn voor de tandarts. Ik heb een andere tandarts dan Yvonne. Onze kinderen hebben haar tandarts. Ik blijf thuis. Lessen voorbereiden voor het komend schooljaar. Als Yvonne thuiskomt, heeft ze Anton en Loes bij school afgezet. Guusje blijft thuis. Onze dochter voelt zich niet lekker. Ze is misselijk. Zo blijft het de hele dag. Misselijkheid voert de boventoon. Eten gaat minder. Guusje gebruikt extra medicijnen om het misselijke gevoel tegen te gaan.

's Middags maak ik een boswandeling. Ik maak mijn hoofd leeg. Voor zover dat na 31 maart nog mogelijk is. Ik spreek tegenwoordig liever van ruimte maken in mijn hoofd. Leegmaken is er niet meer bij. De ziekte van Guusje is constant in mijn hoofd. Mijn gedachten zijn vandaag ook bij de andere mensen met wie ik vaak contact heb. Bijvoorbeeld bij Karel en Marleen. Hun zoon Pieter wordt vandaag in Amsterdam geopereerd. De hele dag leven Yvonne en ik mee via Twitter. We zijn blij, als we op Karel's blog lezen dat het goed gaat met zijn zoon. Is er vandaag goed nieuws over Guusje? Jawel, de hoeveelheid extra pijnmedicatie is vandaag aanzienlijk minder dan de afgelopen weken. Ik durf het nauwelijks op te schrijven. Het is ècht minder!

Misschien is het toeval
Misschien ook niet
Ik verwacht het eerste
Ik hoop het laatste

Donderdag 30 juni

Yvonne gaat werken. Ik breng Anton, Guusje en Loes naar school. De schoolbel klinkt. Anton en Guusje sluiten aan in de rij. Ze lopen samen met hun klasgenoten naar binnen. Ik sta voor het raam van Loesje's klas. Even zwaaien naar onze jongste. Ik geef haar een kushandje. Even later zit ik aan tafel bij juf Ilse. Zij regelt onder andere de aanvraag van een zogenaamd rugzakje voor Guusje. We spreken over volgend schooljaar. Het voelt goed. Denken aan de toekomst. Yvonne en ik zijn zeer tevreden over de samenwerking met Guusje's basisschool. Alle leerkrachten leven ontzettend met ons mee. Ze doen al het mogelijke om ervoor te zorgen dat Guusje een zo normaal mogelijk leven heeft. Er is ook zorg voor Anton en Loes. Broer en zus worden niet vergeten.

Na het gesprek ga ik voor een uurtje naar huis. Regelen dat ik een formulier heb voor morgen. Dan moet er bloed worden afgenomen voor onderzoek. Bepalend voor het wel of niet doorgaan van de chemo volgende week. Dit formulier hadden we per post moeten ontvangen. Als ik naar F8 Noord bel, blijkt dat men dit vergeten is. Het zal worden gefaxt. Dat is de snelste manier. Wie heeft er een fax?

Om kwart over 10 ben ik terug op school. De pauze begint. Ik wil Guusje mee naar huis nemen. Onze dochter geeft aan dat ze nog even wil blijven. Ze is vrolijk. Ik krijg van meneer Ad, haar leerkracht op donderdag, een kop koffie. Daarmee loop ik naar het schoolplein. Kan ik Guusje observeren. Dan valt me weer op hoe beperkt ons blonde meisje is door haar ziekte. Kinderen zijn druk. Maken snelle bewegingen. Guusje niet. Ze loopt rustig. Beetje moeilijk zelfs. Haar linkerhand steeds op de plaats waar ze pijn heeft. Na de pauze gaan we naar huis. Ik duw de rolstoel. Ik zie wat Yvonne vorige week al meldde. Guusje heeft last van haaruitval. Ze heeft heel erg veel haar. Helemaal kaal worden? Ik denk dat het nog wel een tijdje duurt. Als we thuis zijn, komt Lisa binnen. Ze heeft proefwerkweek. Morgen haar laatste toetsen. Ik zet thee voor de meiden en maak voor beiden een bakje aardbeien klaar. Dat fietst er wel in.

Het is bijna 12 uur als Anton en Loes binnenkomen met hun eindrapport. Ze zijn erg trots op hun eigen prestaties. Praten honderduit over hoe geweldig ze het hebben gedaan. Anton gaat volgend jaar naar groep 8 en Loes naar groep 4.

Tijdens de lunch heeft Guusje weinig trek. Ze voelt zich beroerd. Ik geef haar net als gisteren extra medicijnen tegen misselijkheid. Om kwart voor 1 vraag ik of ze van plan is naar school te gaan. Ze geeft aan dat ze zich niet lekker voelt. Dan blijf je toch lekker thuis. Slechts vijf minuten later is de stemming al weer omgeslagen. Guusje wil niets liever dan naar school. Daar gaan we dan. Ik duw de rolstoel naar school. Als we op school zijn, krijg ik het rapport van Guusje mee. Omdat ze heel lang niet op school is geweest, is het geen rapport met cijfers. Wel een overzicht met cito-scores, een brief met bemoedigende woorden en het bericht dat Guusje bevorderd is naar groep 7. Blijft ze mooi bij haar vriendinnen.

Toch lukt het niet om de hele middag op school te blijven. Om 3 uur word ik gebeld. Het gaat niet meer. Guusje heeft enorm veel pijn. De rest van de middag verloopt niet prettig. De pijn wil maar niet weggaan. Pas na het avondeten gaat het beter. Als Guusje naar bed is, maken Yvonne en ik de balans op. De extra pijnme-dicatie was iets meer dan gisteren, maar veel minder dan vorige week. Verder zien we een aantal hele goede momenten. Dan heeft onze dochter praatjes en maakt ze grapjes. Als we niet naar haar kijken, dan horen we de oude Guusje. Ook persoon-lijk bespeur ik een verandering. Na het avondeten maak ik een boswandeling met Balou. Ik denk na over volgend schooljaar. Mijn nieuwe baan. Blijkbaar ontstaat er ruimte in mijn hoofd voor andere zaken dan alleen Guusje.

Vrijdag 1 juli

Vandaag eerst bloedprikken en dan naar school. Het gaat snel. Iets na half 9 zit Guusje in de klas. Als de ochtendpauze begint, sta ik haar weer op te wachten voor het klaslokaal. De afgelopen week is Guusje tijdens de ochtendpauze op school

Guusje houdt van giraffen

gebleven. Twee keer had ze vervolgens veel pijn. Daarom heb ik vandaag met haar afgesproken dat ze niet op school blijft tijdens de ochtendpauze, maar meteen mee naar huis gaat. Dit blijkt een eenzijdige afspraak. Ik sta nog boven. Zoek naar Guusje. Kan haar niet vinden op de eerste verdieping. Ik kijk uit het raam. Wie loopt er over het schoolplein? Guusje. Na de pauze neem ik haar mee naar huis. Geen pijn deze keer. Goed dat ze zich niet aan mijn afspraak heeft gehouden. Dit denk ik, maar vertel ik haar niet. Net na de lunch breng ik Lisa naar school. Ze gaat een week op zeilkamp. De afgelopen dagen kon Lisa nergens anders over praten. Volgende week vrijdag keert ze terug van zeilkamp. Een dag later zal ze weer vertrekken. Dan op scoutingkamp.

Via de VOKK hebben we kaartjes gekregen voor 'Dreamnight at the Zoo'. Vanavond in Dierenpark Amersfoort. 's Middags heeft Yvonne boodschappen gedaan met Loes. Toen heeft Loes zich beklaagd dat we nooit meer leuke dingen doen sinds Guusje ziek is. De 'Dreamnight' is daarom erg welkom. Er zijn veel bijzondere kinderen. Daarom valt het niet op dat Guusje in een rolstoel zit en moeite heeft met bewegen. Onze kinderen leven helemaal op. Zeker Guusje. Vanavond vergeet ze even dat ze ziek is. Onze kinderen ontmoeten hun favoriete dieren. Guusje houdt van giraffen. Anton geeft de voorkeur aan de olifant. Laat in de avond keren we terug in Kaatsheuvel. We kijken terug op een hele fijne avond met onze kinderen. Zo'n avondje samen uit met het hele gezin. Het is voor ons te lang geleden.

Zaterdag 2 juli

Om 9 uur opstaan. Mailtjes lezen, twitteren, boodschappen doen en problemen met mijn TomTom proberen op te lossen. Groot verschil met mijn telefoon. Die doet bijna altijd wat ie moet doen. Kan ik van mijn TomTom niet zeggen.

We moeten vaak stofzuigen. Onze hond is in de rui. Zijn bruine haren liggen in bosjes op de vloer. We komen ook veel lange blonde haren tegen. Van Guusje. Gevolg van de chemo. Gelukkig heeft onze dochter erg veel haren. Zou ze helemaal kaal worden? Niemand die het weet.

's Middags onverwacht bezoek uit België. De oud-voorzitter van scouting, staat voor de deur. Met haar kan ik goed praten. Nadeel van onverwacht bezoek is dat er altijd iets tussenkomt. Ik moet weg. Met Anton mee. Hij heeft judo-examen.

Na het examen gaan Yvonne en ik boodschappen doen. We nemen Guusje en Loes mee. Bij Bruna kopen we de Viva. Doen we anders nooit. Ik heb via Twitter een tip gekregen: #kanjerguusje komt voor in een column.

Met Guusje gaat het vandaag helaas niet goed. Ze klaagt over pijn. Juist nu we dachten dat het beter ging. Vaak vragen mensen hoe Guusje haar eigen ziekte ervaart. Moeilijk te beantwoorden. Onze dochter heeft pijn, maar ze wil wel heel graag naar de kermis. Na het avondeten rijden we naar het Mauritsplein. Iedereen gaat mee. Alleen Lisa is er niet bij. Die geniet van een zeilkamp in Friesland. Het is rustig. Ik kan me niet herinneren dat het ooit druk is geweest op de kermis in Kaatsheuvel. Het maakt niet uit. Wel of niet druk. Onze kinderen hebben veel plezier. Als Guusje en Loes slapen, gaan Yvonne en ik naar het jaarlijkse straatfeest. Het is altijd gezellig. Ook dit jaar. Het thema is Hollandse Avond. Veel meezingers. Veel drank. Om half één komen we weer thuis. Het was een fijne avond. Toch zijn daar ineens de emoties. Het wordt nooit meer zo mooi als het was.

Zondag 3 juli

Ik word wakker. Beetje brak van gisteravond. Lang geleden dat ik bier heb gedronken. Sinds ik weet dat Guusje ziek is, drink ik nauwelijks alcohol. Het aantal glazen bier van de afgelopen maanden kan ik op de vingers van een hand tellen. Roken doe ik niet meer.

Vandaag vieren Janneke en ik onze verjaardagen. Yvonne en ik hebben een beperkte hoeveelheid mensen uitgenodigd. Voornamelijk familie en buren. Meestal nodigen we veel mensen uit. Ook feesten doen we anders. We hopen dat het goed gaat met Guusje. Gisteren had ze veel pijn. Het is een druk feestje, hoewel er minder visite is dan anders. Het is mooi weer. De kinderen spelen buiten. Guusje blijft binnen. Buiten meespelen gaat niet. Na het avondeten gaan we naar de kermis. Ik heb muntjes over van gisteren. Vroeger ging Guusje vooral in wilde attracties. Hoe wilder hoe leuker. Ze wil graag in de Octopus. Gisteren hebben we deze attractie afgeraden. Yvonne en ik kijken hoe de Octopus rondjes draait. De richting is gunstig voor Guusje. Als ik naast haar ga zitten, dan wordt ze tegen mij aangeduwd. De tumor zit aan haar andere zijde. Misschien gaat het goed. Als we zeggen dat ze erin mag, is ze dolblij. Het gaat goed. Ze is heel vrolijk tijdens het ritje en roept lachend: 'Ik word misselijk!' Ik schreeuw terug: 'Geen probleem. Nemen we thuis gewoon een pilletje tegen de misselijkheid.'

Ik zie dat je gelukkig bent
Ik voel dat je geniet
Dichterbij
Veel dichterbij
De hemel kom ik niet

Samen genieten op de kermis

Maandag 4 juli

Half 7. Guusje roept: 'Papa, papa!' Ik stap uit bed. Ben ik wakker? Nee, niet echt. Ik weet dat Yvonne onze dochter om 6 uur haar medicijnen heeft gegeven. Wat is er aan de hand? Guusje vertelt dat ze enge figuren ziet. In haar slaapkamer. Ik stel voor naar beneden te gaan voor ontbijt. Dat vindt Guusje een goed idee. Ze voelt zich wel erg wankel. Ik houd haar hand vast. Eerst richting toilet. Daarna naar beneden. Ze geeft aan dat ze misselijk is en liever niet naar school wil gaan. Ik zie haar graag naar school gaan. Tot de ochtendpauze. Prettige afleiding voor onze kleine meid die vanmiddag chemo heeft. Daar ziet ze immers enorm tegenop.

Het lukt ons toch om Guusje naar school te krijgen. Na drie kwartier gaat echter de telefoon. Juf Bianca vraagt of we Guusje komen halen, want het gaat niet. Even later zit onze dochter thuis op de bank. Rustig te spelen met haar iPad.

's Ochtends gaat Hans naar school. Tegen 11 uur is hij weer thuis. Trots gezicht. De cijfers van de proefwerkweek zijn bekend. Volgens zijn eigen berekeningen goed voor bevordering naar 3vwo. Dat is mooi. Ik begrijp dat de situatie met Guusje niet altijd bij heeft gedragen aan een optimale concentratie. Ook de situatie thuis was de afgelopen maanden anders dan normaal. Toch blijf ik het moeilijk vinden. De cijfers zijn lager dan ik verwacht. Om 11 uur vertrekken we uit Kaatsheuvel. Een rit naar het AMC is saai. Bijna honderd kilometer snelweg. Als we net op weg zijn, gaat de telefoon. Dit keer is het Janneke. Ook zij zegt over te zijn. Volgend jaar eindexamen vwo. Weer goed nieuws. Toch schiet meteen weer die vervelende gedachte door mijn hoofd: zal Guusje er volgend jaar bij zijn, als Janneke haar diploma ontvangt? Er blijft nog een dochter over. Lisa is op zeilkamp. Ik hoop dat zij ook wordt bevorderd. Alleen kan Lisa vandaag haar cijfers niet ophalen van de proefwerkweek. Over welke dochter maak ik mij zorgen? Lisa. Alleen als het over schoolprestaties gaat.

Om 1 uur arriveren we op F8 Noord. Eerst de gebruikelijke onderzoeken. Gewicht, temperatuur en bloeddruk. Guusje maakt een gespannen indruk. De tweede keer chemo is het misgegaan. Yvonne en ik doen ons best om Guusje gerust te stellen, maar wat zijn onze woorden waard. De natuur gaat haar eigen gang en Guusje weet dat inmiddels drommels goed. Als er weer een infectie de kop op steekt, dan is zij het haasje. Wat papa en mama ook zeggen. Het gaat zoals het gaat.

Na de onderzoeken infuus prikken. De arts is snel. Ze prikt meteen raak. Geluk bij een ongeluk, zullen we maar zeggen.

Als onze dochter goed en wel geïnstalleerd is, verschijnt dokter Marianne. Zij is twee weken afwezig geweest. Yvonne en ik hebben een lijstje met vragen. Ook Guusje heeft vragen. Dokter Marianne neemt rustig de tijd voor antwoorden.

Waar staan we nu? Vandaag chemo. Maandag 11 juli weer chemo. Woensdag 20 juli CT-scan. Daarna bepalen hoe de behandeling wordt voortgezet. Veel hangt af van de scan. Dokter Marianne geeft aan dat we hierover een gesprek hebben op maandag 25 juli. Ze geeft aan niet met zekerheid te kunnen zeggen dat ze op die dag concrete antwoorden heeft. Misschien moet ze eerst nog gaan overleggen met artsen in andere landen. Yvonne en ik zijn inmiddels gewend aan haar manier van werken. Denken in kleine stapjes. Hopelijk stapjes vooruit.

We nemen ook nog enkele andere punten door. Vorige week is er een röntgenfoto gemaakt. Hieruit kunnen volgens dokter Marianne geen goede conclusies worden getrokken. Ook het volledig uitvallen van Guusje's haren is niet zeker. Guusje verliest haren, maar het betekent niet automatisch dat ze helemaal kaal wordt. Het verhogen van de pijnmedicatie is een tegenvaller. De activiteiten die Guusje onderneemt, zoals naar school gaan, zijn onverwachte meevallers. Zeker gezien haar pijn.

Het moge duidelijk zijn. We zitten in een onzeker traject. Niet vreemd. De tumor die Guusje heeft is nooit eerder bij kinderen gezien. Onze hoop is de groei ervan te stoppen of misschien zelfs te verminderen. Graag in combinatie met vermindering van die vreselijke pijn. In de loop van de middag komt ook de arts langs van het Pijnteam. Er vindt weer een aanpassing plaats in de medicatie. Het bestrijden van de pijn is moeilijk. Het is inmiddels half 4 geweest en nog steeds hangt de chemo niet aan de infuuspaal. Er lopen wel medicijnen in tegen misselijkheid en allergie, maar het 'hoofdmenu' ontbreekt. We hebben het al enkele keren gemeld bij de verpleging, maar helaas zonder resultaat.

Pas rond 4 uur arriveert de chemo eindelijk op de afdeling. Een rekensommetje leert dat met twee uurtjes naspoelen dit avondwerk gaat worden. Jammer van een mooie zomerdag.

Om half 5 gaat het mis. Guusje begint enorm veel pijn te krijgen op de plaats van het infuus. Yvonne drukt op de oranje knop om de verpleegkundigen erbij te halen. Dit heb ik haar nog nooit eerder zien doen. Geeft aan hoe slecht het met onze dochter gaat. Ze is een bikkel. Ze kermt nooit. Nu wel. Het kost moeite Guusje rustig te krijgen. Het inlopen van de chemo kan niet worden gestopt. Ze moet doorbijten en dat doet ze. Ik heb het al eerder gezegd. Ik heb ontzag voor de wijze waarop Guusje de behandelingen ondergaat.

Graag zou ik zien dat Guusje weer een portacath krijgt. Het aanprikken van het infuus en het inlopen van medicijnen verloopt dan soepel. Ook dit hebben we vandaag besproken met dokter Marianne. Het is onzeker of onze dochter weer een portacath krijgt. De afgelopen tijd is gebleken dat ze makkelijk last heeft van infecties. Portacaths en bacteriën zijn geen vrienden. Als de chemo is ingelopen, begint het naspoelen. Dit bekent twee uur nablijven. Dat laatste woord doet me denken aan school. Alsof je straf hebt. Zo voelt het ook. Alleen hebben wij niks verkeerd gedaan.

Ondertussen eten we. Plotseling gaat de telefoon. Lisa vanaf het zeilkamp. Ze heeft haar punten van de proefwerkweek doorgekregen van een vriendin. Het is geen duidelijk verhaal, maar we hoeven ons geen zorgen te maken. Als kinderen zeggen dat je je geen zorgen moet maken, moet je op je hoede zijn. Enige argwaan steekt bij mij de kop op. Lisa zegt dat ze zal worden bevorderd naar 4havo. Graag ontvang ik het bewijs zwart op wit. Daar moet je nog even op wachten, papa.

Om 7 uur wordt het infuus eruit gehaald en kunnen we eindelijk naar huis. De spanning valt van Guusje af. Het is voorbij. Jammer dat we vandaag zo ontzettend lang op de chemo hebben moeten wachten. Ook het verloop van de chemo was niet vlekkeloos. Yvonne en ik zijn wel tevreden over het gesprek met dokter Mari-anne. We hebben veel vertrouwen in haar kennis en ervaring. Aan de andere kant beseffen wij ook dat zij geen wonderen kan verrichten.

Om half 9 rij ik de Van Beurdenstraat in. We zijn weer thuis. Tijd voor een kop koffie. Daarna een boswandeling met Balou. Lange dagen aan het begin van de zomer. De stilte in de bossen is mooi. Heel erg mooi en welkom na een veel te lange dag in het ziekenhuis.

Dinsdag 5 juli

Yvonne gaat werken. Vroeg op. Papa is niet zo goed in het borstelen van lange haren bij meisjes. Guusje ligt nog steeds in bed. Wat doen we met haar? Yvonne wil vertrekken. Ik stel voor dat we Guusje uit bed halen. Omdat Guusje's haren makkelijk uitvallen, wil ik dat Yvonne borstelt. Hier wil ik mij niet aan wagen.

Ik breng Guusje naar school. Vaak heeft ze bij aanvang van school al twee keer extra pijnmedicatie gehad. Nu nog niets. Gaat dit een hele mooie dag worden? Vanaf school loop ik rechtstreeks naar de bakker. Drie vlaaien ophalen die ik vorige week besteld heb. Op Guusje's school worden vandaag 'lokalen verhuisd'. Groep 7 zit al jaren op de bovenste verdieping. Vier trappen op. De school heeft geen lift. Guusje heeft veel moeite met traplopen nu ze ziek is. Omdat Guusje volgend school-jaar in groep 7 zit, krijgt deze groep een lokaal op de begane grond. Yvonne en ik zijn zeer tevreden over de wijze waarop de school omgaat met Guusje's ziekte. De emotionele steun en praktische hulp is een compliment waard. Dat ga ik vandaag geven in de vorm van taart voor alle medewerkers van de school.

Om kwart voor 9 ben ik thuis. De telefoon rinkelt. Guusje heeft pijn. Ik snel naar school met extra medicijnen. Hopelijk blijft het bij deze ene keer.

Als ik om 10 uur met de vlaaien op school arriveer, is Guusje's klas buiten op het schoolplein. Guusje zit op de pingpongtafel. Ze heeft heel veel pijn. Ik zie het meteen. Nadat ik de vlaaien heb afgeleverd, neem ik onze dochter snel mee naar huis. Ik had graag wat woorden van dank over willen brengen, maar ik zie dat het helemaal niet goed gaat met Guusje.

In de loop van de ochtend heeft Guusje een aantal keren extra medicijnen nodig tegen de pijn. Het is erg frustrerend om te constateren dat het lijkt of de pijn steeds erger wordt. De huisarts komt op bezoek. Ook zij is van mening dat het zo echt niet kan. Ze gaat contact opnemen met het Pijnteam.

Om 12 uur lunch ik met onze vier jongste kinderen. Er hangt een sfeer van pik en pook. Steeds moet ik een van onze kinderen terecht wijzen. Heel ongezellig. Het valt me op dat Guusje pindakaas wil. Dat heeft ze al weken niet gegeten.

Na de lunch gaat Guusje naar bed, mits ik boven ga zitten werken op mijn kamer. Dat komt goed uit. Ik wil nog enkele lesbrieven doornemen voor komend schooljaar. Vreemd dat ze wil gaan slapen. De afgelopen weken hebben Yvonne en ik regelma-tig geprobeerd om Guusje na de lunch in bed te krijgen. Zonder resultaat. Nu stelt ze zelf voor om naar bed te gaan. Ze zegt dat ze moe is.

Yvonne en ik kunnen onze
ogen niet geloven

Yvonne is vroeg in de middag thuis. Guusje ligt in bed en slaapt waarschijnlijk. We durven wel aan haar slaapkamerdeur te luisteren, maar kijken doen we niet. Vaak wordt ze dan wakker. Geen risico nemen. We genieten ervan dat ze er zelf voor ge- kozen heeft eindelijk een keer te genieten van een middagdutje. Ik zou ook wel willen gaan liggen, maar ik heb nog vierhonderd dingen te doen.

Als Guusje uit bed komt, is ze goedgemutst. Ze heeft ontzettend veel trek. Koek en snoep. Het gaat er allemaal in. In grote hoeveelheden. Wekenlang proberen Yvonne en ik zoete hap aan onze dochter te slijten. Vandaag gaat ze los. Ik merk op dat Guusje wel een hele vreemde chemo heeft gekregen op maandag. Wat is er aan de hand met onze dochter? Ze gedraagt zich zo anders dan de afgelopen tijd. Ook het verschil met de ochtend is groot. Toen had ze enorm veel pijn. Nu straalt ze een goed humeur uit.

Op verzoek van Guusje eten we 's avonds pizza. Halverwege duwt ze haar bord weg. Ze voelt zich beroerd. Misselijkheid en pijn steken de kop op. De medicijnbox kan weer open.

De afgelopen weken hebben we weinig leuke dingen gedaan met onze kinderen. Tijd voor verandering. Yvonne stelt voor dat we met onze drie jongste kinderen naar de speeltuin gaan. Vlakbij de Roestelberg is een camping. Er is een speeltuin voor de kinderen en een terras voor de ouders. Als we er aankomen, blijft Guusje rustig bij ons aan een tafeltje zitten. Ze vraagt om extra pijnmedicatie. Na een aantal minuten staat ze op en gaat de speeltuin in. Yvonne en ik kunnen onze ogen niet geloven. Guusje hangt in de kabelbaan.

Woensdag 6 juli

Yvonne is vandaag thuis. Ik ga nog eenmaal naar Avans Hogeschool in 's-Hertogen- bosch. Vorige week heb ik officieel afscheid genomen. Vandaag informeel een kop koffie drinken. Prettige gesprekken met aardige collega's. Tijd tekort. Een chronisch probleem van mij. Al jaren. Wat mij betreft komt er een aantal uren extra in een dag. Vierentwintig is niet genoeg.

's Middags snel naar Eindhoven. Afspraak met een collega bij mijn nieuwe werkgever. De indruk van het Lorentz Casimir Lyceum is positief. Ik heb er zin in.

Guusje gaat in de ochtend naar school. Het gaat best goed. Yvonne haalt haar op in de ochtendpauze. Als Yvonne en Guusje weer thuis zijn, belt het Pijnteam. De medicatie wordt aangepast. Laten we hopen dat het helpt. Om 11 uur is Guusje weer terug op school. Het schooljaar is bijna voorbij en groep 8 bakt pannenkoeken voor de hele school. Daar wil onze dochter graag bij zijn. 's Middags gaat Guusje bij vriendin Nikki spelen. Samen koekjes bakken. Dat zijn spelletjes waar je als vader 's avonds ook nog plezier van hebt. Zeker bij een kopje koffie smaakt zo'n koekje meer dan goed.

Yvonne gaat uit eten met alle vrouwelijke collega's van het OLV Lyceum in Breda. Vanaf 5 uur ben ik alleen met de kinderen. Ik moet thuis blijven. Bij Guusje zijn. Ik mis mijn dagelijkse boswandeling.

Aan het begin van de avond krijgen we bezoek van de scouting. De leiding van het zomerkamp van Guusje en Anton. Nu Guusje niet mee kan gaan, komen ze haar een speciaal kampshirt brengen. De leiding vraagt onze dochter dit shirt volgende week aan te trekken, als ze met Yvonne en mij op bezoek komt. Ik zou meegaan als leider. Mijn zevenentwintigste kamp. Dat gaat het voor mij niet worden. Vind ik het jammer? Natuurlijk, maar de kans om te zorgen voor ons kleine blonde meisje maakt alles meer dan goed. Is het dus jammer? Nee, want Guusje is bij ons. Dat is pas ècht belangrijk.

Laat in de avond gaat de telefoon. Lisa vanuit Friesland. Ze wil weten of school heeft gebeld. Ik kan het niet laten om te zeggen dat de telefoon een aantal keren is overgegaan, maar dat ik steeds te laat was om op te nemen. Ze maakt zich zorgen, want een vriendin is blijven zitten. Of school ook voor haar heeft gebeld? Een tijdlang doe ik net alsof ik Lisa niet begrijp. Ik laat haar zweten. Na een tijdje spreek ik het verlossende woord. Lisa gaat over naar 4havo. Nooit meer Duits en nooit meer Frans. Dan ben je echt heel erg blij als bètameisje.

Donderdag 7 juli

Lang zal ze leven. Lang zal ze leven. Vandaag Janneke. De zon schijnt. Net als op de dag van haar geboorte. Voor het ontbijt zijn er cadeautjes. Yvonne zegt tegen mij: 'Ze wordt al zeventien. We worden oud.' Ik zeg: 'spreek voor jezelf.'

's Ochtends gaat Guusje naar school. Tot de ochtendpauze. De rest van de ochtend ligt ze thuis op de bank. Spelletjes spelen met haar iPad. Tijdens de lunch vliegen de tosti's naar binnen. Daarna gaat ze naar bed. Ze is moe. Ze gaat niet slapen, maar kijkt een filmpje.

Janneke geeft een feest voor vrienden en vriendinnen. Ze had een feestje willen geven tot in de late uurtjes. Ook zij houdt rekening met haar zieke zusje. Daarom feest van 3 tot 9. Onze oudste dochter heeft een leuke vriendenkring. Het is gezellig. Geen uitgebreid avondeten. Een broodje kroket of frikadel. Daarna nemen Yvonne en ik onze vier jongste kinderen mee naar dezelfde speeltuin als afgelopen dinsdag. Toen hing Guusje volledig onverwacht in de kabelbaan. We hopen als ouders op een herhaling. Na een tijdje van gezellig samenspelen krijgen onze kinderen ruzie. Tot overmaat van ramp valt Guusje. Ze moet huilen. Is het pijn of is het vermoeidheid? In elk geval niet hetzelfde mooie plaatje als twee dagen geleden.

Als we thuiskomen, zijn de feestgangers al begonnen met opruimen. Beter kunnen Yvonne en ik ons niet wensen. Het blijft gezellig tot het afscheid.

Een mooie zomeravond na een rustige verjaardag. Het is bijna half 11. Janneke zit te spelen met de iPad. Yvonne gaat in bad. De kerels op zolder maken veel herrie. Voordat Yvonne in bad stapt, maant ze onze zonen tot stilte. Loes en Guusje slapen. De pijnmedicatie overdag is veel. Afgelopen nacht was goed. Hopelijk de komende nacht ook. Lisa stuurt een sms vanaf het zeilkamp. Ze is geslaagd voor haar examen. Een mooie dag eindigt met een vrolijk bericht.

Vrijdag 8 juli

Om 6 uur geef ik Guusje haar medicijnen. Ze voelt zich gammel. Ik houd haar hand vast. We lopen samen naar de badkamer. Wat is ze warm. Even haar temperatuur opnemen. Verhoging! Niet in paniek raken. Ik ga terug naar bed. Slapen is lastig. Als de koorts aanhoudt, moeten we naar het Emma Kinderziekenhuis. Dan volgt opname. Het komt nooit uit, maar nu zeker niet. Het is vandaag de laatste schooldag en morgen vertrekken onze vier oudste kinderen voor een week scoutingkamp.

Anderhalf uur later opstaan. Ik sta me te scheren. Yvonne komt de badkamer binnen. Ze vraagt of ik naar Guusje kom kijken. Onze dochter ligt met een bezweet rood hoofd in bed. Temperatuur is lager dan om 6 uur, maar nog wel te hoog. Wat nu? Eerst aankleden en bloed gaan prikken. Daarna zien we verder. Als de temperatuur te hoog is, dan zullen we het Emma Kinderziekenhuis moeten bellen. Er zit niks anders op. Geen onverantwoorde risico's nemen. Na het ontbijt ga ik met Guusje bloedprikken. Als we thuiskomen, is haar temperatuur normaal. Zou het bij de chemo horen? We zullen het maandag melden. Dan moeten we voor chemotherapie naar Amsterdam. We gaan proberen er een leuke dag van te maken. Meestal gaat Guusje tot de ochtendpauze naar school. Vandaag kiest ze ervoor om vanaf de ochtendpauze naar school te gaan. Dan maakt ze het moment mee dat iedereen afscheid neemt van elkaar en de zomervakantie begint.

Het gaat goed met Guusje. 's Morgens op school en 's middags bij haar vriendin Ina. Ze neemt op de juiste momenten rust. Zo gaat ze na de lunch in bed liggen.

Omdat het goed gaat, durven Yvonne en ik het aan om samen Lisa te gaan halen in Waalwijk. Lisa komt terug van zeilkamp. Ze heeft goede zin en is erg moe. Hees stemmetje. Grootse verhalen. Vooral weinig geslapen. Lisa zal slechts enkele uren thuis zijn, want morgenochtend vertrekt ze naar scoutingkamp. Er moet thuis gewassen worden. Lichaam en kleding.

Het is vrijdag. Dat betekent friet. We zijn weer compleet. Zonder Lisa was het druk. Met Lisa erbij nog veel drukker. Na het avondeten ga ik de hond uitlaten in de bossen achter Villa Pardoes. Hier heb ik al zo vaak gelopen, maar sinds Guusje's ziekte met zulke andere gevoelens dan voorheen. Toen dacht ik pechvogels. Nu denk ik lotgenoten.

Mijn gedachten zijn vandaag vaak bij twee mama's uit Tilburg. Ze hebben twee zonen en een dochter. Toen hun dochter vijf jaar geleden werd geboren, werd bij een van de zonen kinderkanker geconstateerd. Deze week onderzoek bij hun andere zoon. Vandaag kregen ze te horen dat ze mogelijk rekening moeten houden met een slecht scenario.

Zondag ben ik jarig. Ik heb helemaal geen zin om het te vieren. Yvonne en ik vinden het belangrijk om het gewone leven zoveel mogelijk door te laten gaan. Zeker voor onze kinderen. Omdat zondag bijna alle kinderen het huis uit zijn, vieren we vanavond mijn verjaardag. In een half uur. Dat is praktisch, want Anton moet om half 8 op een feestje zijn van klasgenootjes. Als ik binnenkom, liggen er heel veel pakjes op de salontafel. Een kind zou er blij van worden. Wat veel. Uiteindelijk blijken het bijna allemaal washandjes te zijn. Wie zeurde er steeds dat we toe waren aan nieuwe washandjes? Je krijgt waar je om zeurt.

Om 9 uur gaat Guusje slapen. Zoals altijd ons ritueel. Slaap lekker. Welterusten. Tot morgen. Doei dag.

Yvonne en ik constateren dat Guusje steeds meer goede momenten heeft. We zijn ons ervan bewust dat ze nooit kan genezen. Opereren is geprobeerd, maar de tumor in haar linkerlong ligt verbakken met omliggende vliezen en organen en kan dus nooit worden verwijderd. Wij hopen dat we Guusje zo lang mogelijk bij ons hebben. Met een goede kwaliteit van leven. Dat is onze hoop. Toch is die hoop broos. De realiteit is vaak scherp en keihard.

Vandaag is het honderd dagen geleden dat we voor het eerst te horen kregen dat er bij Guusje sprake was van een tumor. Toen viel voor het eerst het woord 'kanker'.

Een dag later reden we naar het Emma Kinderziekenhuis. Wat dacht ik? Mijn dochter heeft kanker. Van kanker ga je dood, maar niet altijd. Misschien kunnen ze Guusje genezen. Hoe lang zou daarvoor nodig zijn? Vier maanden? Zes maanden? Acht maanden? Wat was ik naïef.

Toen kreeg ik te maken met artsen. Die vertelden dingen die ik als vader helemaal niet wil horen. Aan de andere kant wil ik dat artsen altijd de waarheid spreken. Zo bizar.

Veel mensen zeggen dat ik hoop moet houden. Dat wil ik ook. Ik ben mij er echter van bewust dat het anders kan lopen. De afgelopen weken zijn er te veel kinderen overleden aan kanker. Soms krijg je als ouder te horen dat artsen niets meer voor je kind kunnen doen. Zo lees ik een blog over Fleur. Iets ouder dan Guusje. Ze heeft op korte termijn een afspraak met de dood. Alleen de datum is nog niet bekend. Ik ben bang voor dat moment. Het moment van 'we kunnen niets meer voor haar doen'. Wat is dan mijn hoop? Hopen dat dat verschrikkelijke moment nooit gaat komen. Dat is mijn hoop.

Een andere zomer

9 juli – 21 augustus

● ●

Zaterdag 9 juli

Een aantal maanden geleden zou deze dag er als volgt uit hebben gezien. Alle gezinsleden gaan op zomerkamp met scouting. Onze hond Balou gaat logeren. We genieten allemaal van een gezellige week. Een van de leukste weken van het jaar.

Voor mij zou het mijn zevenentwintigste zomerkamp worden. Een week uit de dagelijkse werkelijkheid stappen. Met een vaste groep vrienden voor kinderen van acht tot elf jaar een prachtig programma organiseren. Dit jaar is het thema 'piraten'.

Door Guusje's ziekte loopt het anders. Guusje kan niet mee op zomerkamp. Yvonne en ik zorgen voor haar. Zo vaak mogelijk zullen we met Guusje deze week het zomerkamp bezoeken van haar groep. Onze andere vijf kinderen gaan wel gewoon op kamp.

Om 6 uur in de ochtend word ik geroepen door Guusje. Ze heeft pijn. Ze vraagt om extra medicijnen tegen de pijn.

Ze zegt: 'Ik heb zo'n zin in vandaag.'

Ik vraag: 'Waar heb je dan zin in?'

Ze antwoordt: 'In het zomerkamp.'

Hans en Lisa hebben moeite met vroeg opstaan. Het is voor beide stressen om op tijd te komen. De scouts (11-15 jaar) vertrekken in groepjes per fiets. Lisa vertrekt met een van de eerste groepen. Hans met de laatste groep. De leiding verwacht dat de groep van Hans misschien wel als eerste aankomt. Daarom zijn ze bewust op achterstand gezet bij vertrek.

Als alle scouts zijn vertrokken, is het afscheid nemen van de beverleiding. Janneke is leidster bij de bevers (5-8 jaar). De leiding van deze groep vertrekt vandaag. Het beverkamp begint voor de kinderen morgenochtend.

Thuisgekomen moet Guusje verplicht rust nemen. Daarna verkleden Anton, Guusje en Loes zich als piraat en vertrekken we richting Lierop.

Als de ouders weg zijn, blijven Yvonne en ik bij Guusje op het kampterrein van de esta's (8-11 jaar). Het gaat niet goed. Ze heeft veel pijn. Yvonne en ik verwachten dat we snel thuis zullen zijn. Na extra medicijnen gaat het beter. Guusje geeft aan voor-

Guusje wenst Janneke
een fijn zomerkamp

lopig niet naar huis te willen. We zien dat ze geniet. Ze heeft een enorme 'drive' om door te gaan. Ook wanneer ze hoort dat er 's avonds een spooktocht is. Daar moet ze bij zijn. Helaas is het om half 10 niet donker en zal het nog een tijd duren voor de tocht begint. Yvonne en ik besluiten dat het genoeg is geweest voor vandaag. Guusje heeft pijn en is zichzelf op de been aan het houden om maar mee te kunnen doen. Wanneer we haar vertellen dat we gaan, zijn er tranen. Morgen keren we met haar terug. Ook ik vind het moeilijk om naar huis te gaan. Weg van het kampterrein. Het jaarlijkse zomerkamp hoorde bij mijn leven.

Zondag 10 juli

Guusje ligt naast me in bed. Ze heeft pijn. Loes komt de kamer binnenlopen. Ze zingt. Hoe bizar kan een verjaardag beginnen. Vandaag geen cadeaus voor mij. Opstaan, ontbijten en hond uitlaten. Om 11 uur moeten we in Oisterwijk zijn voor de opening van het zomerkamp van de bevers. Loes is lid van de bevers en Janneke is leidster. Het thema is Toverschool.

Yvonne en ik blijven met Guusje koffie drinken en lunchen. Guusje begint pijn te krijgen. Als ik voorstel om thuis even te gaan rusten, wordt Guusje boos. Ze wil maar een ding: naar het zomerkamp van haar eigen groep. Yvonne spreekt met onze dochter af dat ze vanmiddag even gaat rusten.

We nemen afscheid van Loes en Janneke. Vanaf Oisterwijk rijden we naar Lier-op. Onderweg kopen we taart om te trakteren. Ik ben immers jarig. Guusje vermaakt zich op kamp. Een leuke middag en avond. Met goede en slechte momenten.

Maandag 11 juli

Het is 9 uur. Yvonne en ik staan op. Ook Guusje komt haar bed uit. Wassen, aankleden en ontbijt. Vandaag geen zomerkamp in Lierop, maar chemo in Amsterdam. Toch zit Guusje goedgemutst aan het ontbijt. Ze draagt haar t-shirt van het zomerkamp.

Om half 12 vertrekken we richting Amsterdam. Bij Raamsdonksveer moet ik even van de snelweg af. Ik stop op de carpoolplaats. Guusje heeft zoveel pijn dat Yvonne haar extra medicatie geeft.

Anderhalf uur later melden wij ons bij F8 Noord. Helaas duurt het drie kwartier voordat we naar de behandelkamer gaan. Een arts ziet plekjes op Guusje's tong. Ze maakt ons meteen duidelijk dat dit vragen oproept. Kan de chemo doorgaan? De arts verlaat de kamer om ruggespraak te houden. Weer wachten. Zowel Yvonne als ik beginnen te gapen. Het lijkt wel een wedstrijd: wie kan het meeste gapen.

Dit is een typisch klein voorbeeld van de constante onzekerheid waarmee we te maken hebben. We rijden voor chemo naar Amsterdam. Geen klein ritje. Bijna honderd kilometer. Voor Guusje betekent het een dag geen zomerkamp. Dan kom je aan in het AMC en dan wordt de vraag gesteld: kan de chemo doorgaan?

De arts keert na een tijdje terug met nog twee andere artsen. Even kijken naar de plekjes op de tong. Groen licht. De chemo gaat door. Yvonne en ik halen opgelucht adem. Zijn we niet voor niets naar Amsterdam gereden. Even later wordt het infuus geprikt. De chemo kan beginnen.

Tijdens de chemo krijgt Guusje helaas weer pijn bij het infuus. Lang leve de portacath. Het is onzeker of onze dochter een nieuwe portacath krijgt. Ook niet of we doorgaan met de chemo. Maandag 18 juli geen chemo. Woensdag 20 juli CT-scan. Daarna ... onduidelijk over het vervolg. Dokter Marianne heeft wel een chemo ingepland voor maandag 25 juli. Het is niet zeker dat deze doorgaat. Alles draait om het resultaat van de scan. De basis voor het vervolg. Ik laat artsen foto's en filmpjes zien die ik de afgelopen week heb gemaakt. Daarop is een heel wisselend beeld van Guusje zichtbaar. Zwierend aan de kabelbaan in de speeltuin. Zittend in verkrampte houding in een stoel. Het maakt duidelijk dat Guusje ook goede momenten heeft. Daar doen we het voor. Daar houden we ons aan vast.

Het beeld tijdens de chemo, is afgezien van de momenten van pijn, een slapende Guusje. Het lijkt wel een slaapkuur in plaats van een chemokuur. Elke maandag weer. Om half 7 wordt het infuus eruit gehaald. We eten nog een ijsje en daarna rijden we naar huis. Het is bijna half 9 als we Kaatsheuvel binnenrijden. Weer een lange chemodag. Even koffiedrinken en lekker Balou uitlaten. Frisse buitenlucht. Het was een vermoeiende dag. Er dreigt instortingsgevaar. Ik voel het. Als ik klaar ben met de hond uitlaten, ga ik in de woonkamer op de bank liggen. Ik val direct in slaap. Yvonne maakt mij wakker. Ze stelt voor om in bed te gaan slapen. Een zeer aantrekkelijk aanbod dat ik niet kan weigeren. Ik ben moe. Heel erg moe. Ook toe aan een slaapkuur.

Dinsdag 12 juli

Dinsdagochtend staan Guusje en ik om 9 uur op. We zijn alleen thuis. Yvonne is werken. Alle andere kinderen zijn op scoutingkamp. De hele ochtend vraagt Guusje wanneer mama naar huis komt. Ze verlangt naar het kamp van haar groep.

Om 12 uur is Yvonne thuis. We lunchen samen. Daarna spullen pakken. Yvonne gaat naar het beverkamp. Ze is altijd leidster geweest bij die groep. Ik vertrek met Guusje naar zwembad de Tongelreep in Eindhoven. Daar is haar groep. Yvonne heeft voor Guusje een zwempak uitgezocht, zodat haar littekens van de operaties nauwelijks zichtbaar zijn. Dokter Marianne heeft gisteren bevestigd dat Guusje gewoon kan gaan zwemmen. Dat was heel goed nieuws voor onze dochter. Op de randweg van Eindhoven valt Guusje's oog op een bord met het woord 'crematorium'.

'Wat is een crematorium?'
'Daar worden lichamen verbrand van dode mensen. Je kunt in Nederland kiezen voor cremeren of begraven.'
'Ik weet nog niet wat ik wil.'
'Heb je wel eens gedacht aan doodgaan?'
'Jawel.'
'Wanneer?'
'In het ziekenhuis en thuis.'
'Wanneer in het ziekenhuis?'
'In het begin. Toen moesten mama en jij veel huilen.'
'We waren bang dat je dood zou gaan. Er gaan kinderen dood door kanker. Je zei ook dat je thuis aan doodgaan had gedacht. Wanneer was dat dan?'
'Ik werd een keer 's avonds wakker en toen dacht ik eraan.'
'Heb je ons toen geroepen?'
'Ja, maar ik heb niks gezegd.'
'Je weet dat je altijd alles tegen mama en papa kunt zeggen. Zeker als je bang bent.'
'Zijn jullie nu ook nog bang dat ik dood zal gaan?'
'Je bent heel erg ziek. Je zult nooit helemaal beter worden. Niet worden zoals je vroeger was. Dus nooit helemaal beter zoals Janneke, Lisa, Hans, Anton en Loes nu zijn. De artsen doen hun uiterste best om ervoor te zorgen dat de tumor in jouw lichaam niet groter wordt. Als dat lukt, kun jij nog heel lang leven. Verder moet ook de pijn minder worden. Het is heel moeilijk. Het gaat ook veel tijd kosten. Ik ga er wel vanuit dat het de artsen gaat lukken.'
'Wat wil jij?'
'Hoe bedoel je?'
'Cremeren of begraven?'

In de Tongelreep voegen we ons bij de andere kinderen van Guusje's scoutinggroep. Eerst liggen we nog buiten, maar als de zon verdwijnt en vervangen wordt door grijze wolken, verplaatsen we ons naar binnen. Guusje gaat eenmaal van de glijbaan

Samen lachen op
zomerkamp

af en tweemaal door de draaikolk. Meer zwemmen zit er voor haar niet in. De rest van de middag brengt ze door aan de kant. Op zulke momenten valt het op dat ze weinig meer kan. Ze zou zo graag de hele middag in het zwembad zijn. Net zoals haar broer Anton. Ik zie hem enkele keren voorbij flitsen.

Terug op het kampterrein is de blokhut veranderd in een wokrestaurant. De kinderen smullen. Daarna film kijken. De avond wordt afgesloten met een spannend themaverhaal. Een bezoek aan de geest van de zee. Het is 11 uur als ik met Guusje in de auto stap. Ze is heel erg moe. Ze zit vol enthousiaste verhalen over het piratenthema.

Woensdag 13 juli

Vandaag blijven we het grootste deel van de dag thuis. Guusje is duidelijk vermoeid. Daarom gaan we 's middags eerst naar de afsluiting van het beverkamp. Bever Loes is blij me weer te zien. Beverleidster Janneke wellicht ook, maar laat dat, waarschijnlijk door haar leeftijd, niet erg merken.

Aan het einde van de middag rijd ik met Guusje naar haar kamp. We komen weer in de buurt van Eindhoven. Gisteren hadden we hier het gesprek over doodgaan. Vanavond gelukkig een minder zwaar onderwerp. Uit de luidsprekers klinkt Guus Meeuwis. Guusje luistert naar de teksten en wil de betekenis weten van 'verstoven grond', 'uit en thuis', 'jouw idee van geluk', 'de dag omarmd' en 'laat mij in die waan'.

Het regent. Daarom blijven we vanavond binnen. De kinderen praten over een stukje voor de bonte avond. Helaas is er onenigheid tussen de meisjes. Guusje wordt buitengesloten. Een meisje zegt dat ze bang is voor schut te staan, als Guusje meedoet. Twee meisjes huilen, omdat ze hun zin niet krijgen. Guusje huilt, omdat ze gekwetst is.

Donderdag 14 juli

Ik arriveer met Guusje aan het begin van de middag op het kampterrein. De bonte avond wordt voorbereid. Er is geen onenigheid meer tussen de meisjes. Ze oefenen samen een dansje. Ook het grimeren verloopt leuk. De bonte avond is gezellig. Dat kan niet gezegd worden over het weer. Het regent de hele dag. Soms met bakken. Het is tegen middernacht als ik met Guusje in de auto stap. We rijden naar huis door de stromende regen. Ze zegt: 'Als ik mijn ogen sluit, dan droom ik. Wat was het leuk op kamp.'

Vrijdag 15 juli

Zo slecht het weer de afgelopen dagen is geweest, zo heerlijk zomers warm is het vandaag. Opruimen, bingo, friet en afsluiting van het zomerkamp. Op de terugweg vertelt Anton met schorre stem hoe leuk en geweldig het scoutingkamp was. Hij had nog wel vijf weken door willen gaan. Een beter compliment kan de leiding niet krijgen.

Zaterdag 16 juli

Hans en Lisa keren terug van hun zomerkamp. Ook zij hebben een leuke week gehad. Ze hebben veel gefietst. Meer dan tweehonderd kilometer. Vaak door wind en regen. 's Avonds zitten we als vanouds met z'n achten aan tafel. Verhalen vol plezier. Als ik terugkijk op de zomerkampen, zijn onze kinderen dolenthousiast. Ze hebben genoten. Ook Guusje heeft fijne herinneringen. Ze betaalt een behoorlijke tol. Dat blijkt op zaterdag. Ze is moe. Ze heeft zich de afgelopen week enorm ingespannen. Ze kan niet veel vergeleken met andere kinderen. Toch heeft ze hele goede momenten gehad. Deze zijn helaas schaars en van korte duur.

Zondag 17 juli

Vandaag doen we niet veel. Guusje is heel erg moe. Als ik kijk naar de extra pijnmedicatie van de afgelopen week, dan constateer ik helaas dat we haar erg veel hebben moeten geven om deel te kunnen nemen aan het zomerkamp. Ze heeft genoten.

Het is natuurlijk geweldig dat ze zo vaak op het kampterrein is geweest. Toch heeft ze aan weinig dingen meegedaan. Niet zoals de andere kinderen van haar groep.

Een kort bezoek aan de speeltuin in het Wandelbos is ons enige uitstapje vandaag. Even op de wip en daarna weer snel in de rolstoel. Ondertussen vermaken Anton en Loes zich op de verschillende speeltoestellen. Ook een ijsje slaat Guusje af. Alles is anders.

's Middags een verrassingsbezoek. Twee oud-collega's staan voor de deur. Enkele jaren terug werkte ik op het Cambreurcollege. Dit is een middelbare school in Dongen. Twee collega's komen een heel mooi cadeau aanbieden: een dagje Beekse Bergen voor ons hele gezin. Aangeboden door een groep docenten die met ons meeleeft. We praten veel over Guusje en haar ziekte. Het gegeven dat ze nooit helemaal beter kan worden. Dat ze zo weinig meer kan. Dat de scan van woensdag de basis gaat zijn voor verdere stappen. Dat ik hierdoor behoorlijk gespannen ben. Dat ik hoop dat de tumor niet groeit. Dat ik leef met onzekerheid. Dat ik hiermee moet dealen.

Om 7 uur geeft Guusje aan dat ze naar bed wil. Ze is op. Als ze laat in de avond roept om hulp, kan ze nauwelijks op haar benen staan. Yvonne ondersteunt haar lopend naar het toilet. Een heel ziek meisje. Onze dochter. Ik hoop echt dat ze zich morgen beter voelt. Daar draait het om: hoop.

Maandag 18 juli

Guusje heeft een hele slechte nacht. Veel wakker, veel zweet en veel pijn. Om 10 uur komt ze uit bed. Na het ontbijt een bad om op te frissen. Ondertussen ben ik bij de Gemeentewinkel gaan informeren voor een rolstoel. We gebruiken nu een leenmodel van de thuiszorg. Voor de aanvraag is nodig dat Guusje meegaat. Daar had ik niet op gerekend. Daarom weer terug naar huis. Guusje ophalen. Onze dochter zit stilletjes in haar rolstoel. Ze heeft zichtbaar veel pijn. De ambtenaar die alles regelt is meteen duidelijk dat Guusje recht heeft op een goede rolstoel. De aanvraag wordt in gang gezet.

Guusje heeft nog altijd veel pijn. Er is steeds extra medicatie nodig om haar op de been te houden. Ook lopen gaat moeilijk. We moeten haar vaak ondersteunen. Ze klaagt nu ook over pijn in haar knieën. Daarom nemen we contact op met het Pijnteam. 's Middags belt de arts terug. De medicatie wordt aangepast, maar ook zij geeft aan dat veel afhangt van de uitkomst van de scan die woensdag wordt gemaakt. Vaak vragen mensen mij wanneer we de uitslag krijgen van de scan. Dat weten we niet. Dokter Marianne heeft al eerder aangegeven tijd nodig te hebben voor het bepalen van vervolgstappen. Volgende week maandag is er een chemo gepland. Dan krijgen we vast een en ander te horen over de scan. Dokter Marianne heeft al laten weten dat ze volgende week misschien nog geen antwoorden voor ons heeft. Voor buitenstaanders klinkt dit vreemd. Misschien zelfs onacceptabel. Natuurlijk willen Yvonne en ik het liefst meteen weten of de tumor is gekrompen en wat de vervolgstappen zijn. Toch begrijpen wij dat artsen tijd nodig hebben. Vergelijk het met een bestaand huis dat je wil gaan kopen. Zolang je niet binnen bent geweest, weet je niet welke verbouwingswerkzaamheden nodig zijn en hoe je deze gaat aanpakken. Pas na bezichtiging ben je in staat om je aanpak te bepalen en ook dan heb je tijd nodig. Wat heb je gezien? Hoe was de staat van het huis? Welke werkzaamheden zijn nodig? Hoe lang gaan deze duren? Wie gaan ze uitvoeren? Ik heb al eerder aangegeven dat een ziekte als kanker niet past in onze moderne tijd. Voor alle problemen eisen we tegenwoordig snelle oplossingen. Hier en nu. Guusje's ziekte kent geen standaardoplossing. Het ontwikkelen van de juiste aanpak kost tijd.

De middag wordt door Yvonne en mij gebruikt voor het doen van enkele nood-zakelijke aankopen die te lang zijn uitgesteld. Bijvoorbeeld nieuwe schoenen. Daar-naast pleeg ik telefoontjes met onder andere onze ziektekostenverzekeraar. Soms lijkt het of ik de hele dag bezig ben met de ziekte van onze dochter. Ondertussen is het in de keuken een grote puinhoop. Onze dochters hebben zich gestort op het bakken van cakejes.

Na het avondeten rijden we richting de Efteling. We hebben een uitnodiging gekregen voor het bijwonen van een voorstelling van Raveleijn. We hebben mooie plaatsen. Onze kinderen genieten. In het ziekenhuis heb ik Guusje het verhaal voor-gelezen van Raveleijn. Zij herkent meteen personages en avonturen uit het boek. Ze praat honderduit en geniet enorm. Heerlijk een avondje weg met ons hele gezin. Moeten we vaker doen.

Als we thuiskomen gaat Guusje meteen slapen. Ze is heel erg moe. Ook aan het begin van de middag heeft ze geslapen. Is ze nog aan het bijkomen van een week scoutingkamp? Heeft ze weinig conditie meer? Geen idee. Veel is onverklaarbaar. Ook het feit dat ze de afgelopen dagen veel extra pijnmedicatie nodig had. Daarom hebben we vandaag contact opgenomen met het Pijnteam. Vanaf de lunch is de extra pijnmedicatie ineens veel minder. Wat een rare ziekte.

Dinsdag 19 juli

Guusje had een lastige nacht. Veel zweten maar geen koorts. Ze komt laat haar bed uit. 's Ochtends werk ik de stapel post weg op mijn bureau. Formulieren invullen en rekeningen betalen. Met Guusje pasfoto's maken. Weer een kort bezoek aan de Gemeentewinkel. De ochtend is snel voorbij.

's Middags krijgen we bezoek van Anja en haar gezin. Anja heeft een blog over haar dochter Xena die leukemie heeft. Begin mei heeft Anja mijn blog ontdekt en vervolgens ik het hare. We zijn gaan mailen en twitteren. Vorige week kwam Anja met het voorstel een keer met haar man en dochters op bezoek te komen. Dat is best wel spannend, want we hebben een zeer leuk contact over het web, maar je weet natuurlijk nooit hoe een 'live' ontmoeting verloopt. Doet denken aan daten over internet. Schijnt vaak tegen te vallen. Gelukkig is dat niet bij ons het geval. De familie staat om half 2 voor de deur. Pas rond 8 uur zwaaien we ze uit. We kijken terug op een zeer gezellig bezoek van lotgenoten. We voelen ons verbonden met elkaar. Zelfs tussen de honden klikte het. Kan ook niet anders. Tussen labradors klikt het altijd.

Meestal gaat Guusje vroeg in de avond slapen. Het bezoek heeft haar een stoot energie gegeven. Ze wil vanavond gezellig met haar zussen kijken naar een moderne Assepoesterfilm op TV. Toch ziet ze het einde van de film pas morgen, want rond half 10 dwingt Yvonne haar met zachte hand naar boven.

Morgenmiddag staan een CT-scan en een röntgenfoto op het programma. Als het goed is, weten we maandag hoe de behandeling verder gaat verlopen. Onzekerheid voert de boventoon. Je zou denken dat we daar aan wennen, maar dat doen we natuurlijk nooit.

Woensdag 20 juli

We staan laat op. Rustig ontbijten. Guusje had een goede nacht. Na het ontbijt neem ik contact op met het AMC. Er moet vandaag een röntgenfoto worden gemaakt, maar we hebben hiervoor geen aanvraagformulier. De dame aan de andere kant van de telefoon bevestigt dat we dit formulier nodig hebben. Zonder dit formulier geen foto.

In het ziekenhuis gaan we eerst het aanvraagformulier ophalen bij F8 Noord. Vervolgens gaan we naar de balie waar we ons moeten melden voor de röntgenfoto. Dan is de vraag of een foto wel noodzakelijk is. Er wordt vanmiddag ook een CT-scan gemaakt. Een telefonische zoektocht naar dokter Marianne levert niets op. Waarschijnlijk afwezig vandaag. Yvonne merkt op dat dokter Marianne waarschijnlijk niet voor niets ook een foto zal hebben aangevraagd. Dan toch maar een röntgenfoto maken. Dat is zo gepiept. Vervolgens moet Guusje veel drinken. Nodig voor de CT-scan. Tijdens de scan moet ik in een kamertje wachten. Ik mag niet bij onze dochter blijven. Ik hoor dat ze best lang haar adem moet inhouden. Arme Guusje. Dat vindt ze heel moeilijk. Ik hoor mezelf elke keer denken: 'Nu is het genoeg.'

Onderweg naar huis is het druk, maar gelukkig geen file. Als we thuiskomen, ben ik erg moe. Ik ga meteen liggen en val in een diepe slaap. Tussendoor eten. Weer slapen. Om 8 uur word ik gewekt door Anton. We gaan Kolonisten van Catan spelen. Het spelletje is best gezellig, maar in mijn achterhoofd spookt steeds die ene gedachte: heeft de chemo effect?

Donderdag 21 juli

Guusje heeft een slechte nacht. Ze is vaak wakker. Regelmatig roept ze Yvonne of mij. Als onze dochter naar het toilet moet, ondersteunen we haar. Lopen is lastig. We zijn laat uit bed. Na het ontbijt gaat Guusje op de bank liggen. Onder haar eigen droomdekentje. Ze slaapt.

Er is weer post bijgekomen. Formulieren om in te vullen. Eerst maar snel tandenpoetsen, scheren en douchen. Na het tandenpoetsen wil ik scheermes en scheerschuim pakken. Ik grijp mis. Weg! Hoe kan dat nu? Ze staan altijd op dezelfde plaats. Zou Yvonne ze gisteren hebben ingepakt? Waarom? Bang dat we in het ziekenhuis moesten blijven. Nee, dat kan niet. Wat een belachelijke gedachte. Wie heeft mijn scheerspullen verstopt? Eerst zoeken. Niets vinden. Yvonne vragen. Die kijkt me aan vol ongeloof. De ondervraagronde begint. Hans, Anton, Guusje en Loes weten van niks. Iemand moet die spullen toch hebben weggenomen. Oh ja, er is een inbreker geweest die enkel geïnteresseerd was in mijn scheermes en scheerschuim. Een freak. Yvonne belt Lisa. Die past op kinderen van vrienden. Lisa weet van niks. Ik bel Janneke. Die is logeren bij vriendinnen. Janneke heeft ze ook niet gehad. Ze meldt wel dat ze deze spullen de laatste keer aantrof op de rand van het bad. Ik trek het douchegordijn weg. Daar staan mes en schuim. Er is niemand die weet hoe deze spullen daar terecht zijn gekomen. Ik scheer me nooit in bad. Het is weer eens dat zevende onzichtbare kind dat altijd rotzooi maakt en spullen verstopt. Wanneer zou die het huis eindelijk eens gaan verlaten? Schijnt dat zo'n zevende kind vaak vertrekt tegelijk met een van de andere kinderen. Pas dan ontdek je na jaren de grootste troepmaker onder je eigen kinderschaar.

Ik ga vandaag weer formulieren invullen. Ondertussen bespreek ik met Yvonne dat het eigenlijk vakantie is. We willen zo graag niet steeds nadenken over de uitslag van de scan en de vervolgstappen. Wegwuiven gaat niet, want daarvoor zit het gevoel te diep. Leuke dingen doen kan natuurlijk wel. Daarom besluiten we tickets te kopen voor de laatste bioscoopfilm van Harry Potter. We weten dat Guusje en ook onze andere kinderen hier enorm van kunnen genieten. Guusje is een enorme fan van Harry Potter. Lisa gaat vanavond met scoutingvriendinnen naar Harry Potter in Waalwijk. Janneke heeft de film al gezien. Zij kan mooi op Loes passen. Yvonne en ik gaan vanavond samen met Hans, Anton en Guusje naar Tilburg.

Tijdens de lunch gaat de bel van de voordeur. De postbode levert een pakketje af dat niet in onze smalle brievenbus past. Een zeer aangename verrassing. CD en DVD van Guus Meeuwis. Voorzien van zijn handtekening. Daarnaast leuke kaarten. Soms ook van mensen van wie je het niet verwacht. Het is heel prettig om steeds kaarten te ontvangen. Ook na drie maanden.

Na de lunch zit ik weer op mijn kamer. Bezig met de administratie. Loes en Yvonne zijn druk in de weer op de slaapkamer van de jongste meiden. Volgens Yvonne heeft met name Loes er een grote bende van gemaakt. Tijd voor de schoonmaak. Ineens staat Loes naast me. In haar hand heeft ze een cadeau. Het is voor mij. Eigenlijk bestemd voor Vaderdag. Was onze jongste dochter vergeten te geven. Heel trots toont ze mij een tekening van een peer. Volgens haar een toffe peer. Haar vader.

Het is kwart voor 6. Snel eten. We willen op tijd in Tilburg zijn, zodat we goede zitplaatsen hebben in de bioscoopzaal. De film begint om 7 uur. Autorijden duurt een half uur. Opschieten dus. We zijn bijna klaar met eten. Het is 6 uur. Mijn mobiel gaat. Een 020-nummer. Dat moet het Emma Kinderziekenhuis zijn. Ik neem op. Ik hoor de stem van dokter Marianne. Yvonne is in de bijkeuken. Snel loop ik naar haar toe en fluister de naam van de arts. Samen lopen we naar boven. Op onze slaapkamer gaat Yvonne op bed zitten. Ik aan mijn bureau. Ik pak pen en papier om aantekeningen te maken.

Vandaag is de CT-scan bekeken. De grote tumor in de linkerlong is op het eerste gezicht niet kleiner geworden. De plekjes in de rechterlong moeten nauwkeurig worden bestudeerd voor het trekken van conclusies.

Misschien is het te vroeg voor een positief resultaat. Bij volwassenen zou volgens dokter Marianne pas na vier of zes cycli een CT-scan worden gemaakt om resultaat van de chemo te kunnen zien. Bij Guusje heeft ze de CT-scan laten maken na twee cycli (1 cyclus = 4 weken). Het zou mooi zijn geweest, als de tumor spectaculair kleiner was geworden. Dit is niet het geval. Het was wel onze hoop.

Dokter Marianne denkt dat er sprake is van een stabiele situatie. De tumor zou niet groeien. We gaan door met chemo. Maandag starten met de derde cyclus. Verder bespreek ik met dokter Marianne de mogelijke bijwerkingen van de chemo en de pijnbestrijding. Het laatste zou beter moeten. Bij minder pijn krijgt Guusje meer kwaliteit van leven. Na het gesprek kijken Yvonne en ik elkaar aan.

Negatief bericht. Geen geslonken tumor. Een kleinere tumor is onze hoop.
Positief bericht. Geen groeiende tumor. Een grotere tumor is onze angst.
Guusje zo lang mogelijk bij ons. Wel met kwaliteit van leven. Dat moet onze hoop zijn.

We hebben minder dan drie kwartier en dan begint de film. Toch moeten we eerst, het liefst duidelijk en rustig, aan Guusje vertellen wat zojuist besproken is. Guusje is de hele dag al gespannen. Zij weet verdomd goed wat het gevaar is van een groeiende tumor. Yvonne en ik kleden de conclusie in als goed nieuws. Daarna is het dus echt haasten. Zorgen dat we op tijd in de bioscoop zijn. Enorm haasten. Waarom is het bij ons altijd een gekkenhuis? Waarom altijd chaos? Waarom nooit rustig?

We zijn gelukkig op tijd in de bioscoop. Op de derde rij van onderen zijn mooie plaatsen vrij in het midden. Nu even proberen te genieten van de film. Het lukt. Is het de kwaliteit van de film? Of laat ik me maar gewoon meeslepen in het verhaal? Tijdens de film denk ik plotseling aan Guusje als het over doodgaan gaat. Ik gluur onopvallend naar rechts. Onze dochter gaat helemaal op in de film. Ze geniet van Harry Potter. Geniet jij maar. Wij gaan nog heel lang genieten van jou. Dat is mijn hoop.

Geef mij nu je angst
Ik geef je er hoop voor terug
Geef mij nu de nacht
Ik geef je een morgen terug
Zolang ik je niet verlies
Vind ik heus wel m'n weg met jou

Vrijdag 22 juli

Vandaag vroeger opstaan dan op andere dagen. Valt niet mee in de vakantie. Uitslapen went. Guusje moet bloed laten prikken in het ziekenhuis. De verpleegkundige probeert haar over te halen tot een prikje in haar arm. Zou weinig pijn doen. Een babyprikje. Guusje blijft weigeren. Ze wil enkel bloedafname door middel van een vingerprikje.

Hoewel Guusje een goede nacht had, voelt ze zich vandaag niet lekker. Dat wordt vandaag veel bankhangen.

's Ochtends krijgen we bezoek van een gezin uit Maastricht. Ze waren een week in Villa Pardoes. Hun dochter heeft leukemie. Net als afgelopen dinsdag is het prettig om te spreken met lotgenoten. Er zijn veel raakvlakken. Dingen waar je tegenaan loopt. Zaken die je moet missen. Gewoon vakantie vieren bijvoorbeeld. Dat elimineer je uit je systeem. Ook een aantal dagen vooruit iets plannen is niet mogelijk. Sommige dagen is het zelfs moeilijk om in de ochtend iets te plannen voor de middag. De afgelopen dagen maak ik mee dat Guusje zich soms in de ochtend niet goed voelt, maar in de middag juist wel. Andersom komt ook voor. Hoe zal Guusje zich straks voelen? Ik weet het nooit. Het is onvoorspelbaar.

Er is vandaag nieuws. Begin mei werd bij de overbuurman kanker geconstateerd. Hij heeft aan het begin van de week een CT-scan gehad. Vandaag de uitslag. Goed nieuws. Hij is schoon. Chemo is niet meer nodig. Ook bij ons gaat de vlag uit. De overbuurman zelf kan het maar moeilijk geloven. De ziekte denderde zijn leven keihard binnen. Nog geen drie maanden later dendert deze er weer uit. Niet te bevatten. Weken tussen hoop en vrees maken plaats voor een zucht. Een grote zucht van opluchting.

's Middags gaan Yvonne en ik met onze drie jongste kinderen naar de Mediamarkt in Breda. We kopen een nieuwe frituurpan. Het is druk. Althans ik vind het druk. Ineens heb er geen zin meer in. Naar huis. Ik wil rust. Dat is moeilijk in een groot gezin. Zeker als ook nog mijn oudste zus en haar man aanschuiven bij het avondeten. Pas laat in de avond schrijf ik mijn blog. Ik zit alleen in de kamer. Heerlijk. Rust.

Deze stilte is de mooiste
Aan het einde van de dag
Zonde om de rust te storen
Aan het einde van de dag

Zaterdag 23 juli

Yvonne en ik hebben besloten dat we meer leuke dingen moeten doen. In februari hebben we museumkaarten gekocht. Deze geven gratis toegang tot veel musea. In de voorjaarsvakantie hebben we deze kaarten een aantal keren gebruikt. Toen viel ons op dat minder bekende musea interessant kunnen zijn. Mooi voorbeeld is Nieuw Land bij Lelystad.

Vanmiddag brengen we een bezoek aan het Museon in Den Haag. Het grote minpunt: de reisafstand. Op en neer is tweehonderd kilometer. Om 1 uur zijn we in het museum. De kinderen vermaken zich met de interactieve onderdelen. Ze vinden het leuk. Ik ervaar de verzameling rondom wetenschap en cultuur als los zand. Twee uur later besluiten we terug te rijden naar Kaatsheuvel. Voor Guusje is het genoeg geweest. De rest van de dag verloopt rustig. Samen met de kinderen bankhangen. Hond uitlaten. Blogs en kranten lezen.

Interview met mezelf:

Is het niet kleiner worden van de tumor slecht nieuws?
Zo wil ik het niet zien.

Wat dan wel?
Stilstand. Geen vooruitgang. Geen achteruitgang.

Is het stil in mijn hoofd?
Allesbehalve. Ik sta op met Guusje's ziekte en ik ga ermee naar bed.

Is dat erg?
Nee, want ik hou heel erg veel van ons kleine blonde meisje.
Ik hou overigens ook veel van onze andere vijf kinderen, maar over hen maak ik mij geen zorgen. Over Guusje wel.

Wat moeten mensen niet tegen je zeggen?
Zeggen dat het goed komt met Guusje.

Waarom niet?
Omdat niemand dat weet. Zekerheid bestaat niet. Zeker niet bij kanker.

Zondag 24 juli

Vandaag lekker lang uitslapen. Het weer werkt mee. Wind en regen. Guusje ligt tussen Yvonne en mij in. Ze heeft naar gedroomd. Daarnaast is ze bedroefd. Ze kan zo weinig meer. Door de pijn levert ze enorm in. Dat realiseert ze zich.

Pas om half 11 komen we ons bed uit. Bij het ontbijt valt op dat Guusje zich niet lekker voelt. We doen het rustig aan.

Om 2 uur gaan we naar de verjaardag van een nichtje. We zitten binnen, want buiten is het herfstweer. Eind juli hoor je in de tuin te zitten, maar deze zomer valt in het water. Als we thuis zijn, ga ik naar de bossen met Balou. Pet op tegen de regen en winterjas aan tegen de wind. Ik maak er een kort rondje van.

Na het avondeten zit Guusje op de bank. Ze vermaakt zich met broer Anton. Samen spelletjes spelen op de iPad en de iPod. Een ander beeld dan in de ochtend. Guusje straalt energie uit. Morgen gaan we weer naar het Emma Kinderziekenhuis voor chemo. We zullen spreken over de CT-scan, de chemokuren, de portacath en de pijnbestrijding. Het laatste punt is onze grootste zorg.

Maandag 25 juli

Om 10 uur rijd ik de parkeergarage van het AMC binnen. We zijn mooi op tijd. Heerlijk dat er nooit meer files zijn op maandagochtend richting Amsterdam. Dat leek een aantal jaren geleden sciencefiction. Nu is het realiteit. Met dank aan de bredere snelwegen. Aangekomen op F8 Noord krijgen we een plaats toegewezen op een zaaltje met vier andere bedden. Guusje verkiest een stoel boven een bed.

Naast Guusje ligt een meisje. Twee weken geleden lag zij er ook al. Toen de hele dag met gesloten gordijnen. Zo ook vandaag. We zien dat enkele keren wordt gevraagd aan de moeder van het meisje of de gordijnen open mogen. Moeder geeft aan dat ze dit niet wil. Yvonne en ik hebben het idee dat moeder chagrijnig is, maar we kunnen het mis hebben. We hebben geen behoefte om het te vragen. Omdat dit meisje bij het raam ligt, zitten wij de hele dag in het duister. Een donkere en deprimerende sfeer. Als we hier voor meerdere dagen zouden zijn, hadden we om een andere plaats gevraagd. Gelukkig zijn we hier voor slechts enkele uurtjes.

Na het prikken van het infuus verschijnt dokter Marianne. Spannend. Yvonne en ik bespreken met haar de uitslag van de CT-scan en de vervolgstappen. Guusje is hierbij aanwezig. Het zou bijzonder zijn geweest, als de scan van afgelopen woensdag had laten zien dat de tumor kleiner was geworden. De dosering van de chemo is laag. Mogelijk effect is waarschijnlijk pas zichtbaar na zeven cycli.

Waarom dan toch al een scan gemaakt na twee cycli? Omdat je het natuurlijk nooit weet. De scan toont aan dat de tumor in de linkerlong niet groter is geworden. Hetzelfde geldt voor de plekjes in de rechterlong. Laten we eerlijk zijn. Dit is positief nieuws voor Guusje. Zij maakt zich immers zorgen dat de tumor groter kan worden. Dokter Marianne is een internationaal rondje aan het maken langs andere oncologen die samen met haar dit behandelplan voor Guusje hebben opgesteld. Op dit moment heeft ze nog niet iedereen gesproken. Ze heeft tijd nodig. We gaan voorlopig door met chemo. We beginnen aan de derde cyclus. Een cyclus duurt vier weken. Drie maandagen chemo en vervolgens een maandag rust. We waren van plan om vandaag ook de mogelijkheid van een nieuwe portacath te bespreken, maar later constateren we dat we dit vergeten zijn. Geen probleem. Eerst maar eens kijken of we de komende weken blijven doorgaan met chemo. Veel belangrijker is pijnbestrijding. Yvonne en ik zijn van mening dat de huidige medicatie Guusje te weinig kwaliteit van leven geeft. Ons ongenoegen bespreken we met dokter Marianne en een arts van het Pijnteam. Guusje gebruikt extra medicatie om acute pijn te onderdrukken. Sinds haar ontslag eind mei hebben Yvonne en ik dagelijks de hoeveelheid extra medicatie geregistreerd. In het gebruik zit een stijgende lijn. Helaas. We vragen of het Pijnteam met een betere oplossing kan komen voor het probleem. We wachten af.

Zoals altijd ligt Guusje te slapen. Gevolg van het middel tegen allergie. Alleen tijdens het inlopen van het chemomedicijn wordt ze wakker. Pijn bij het infuus. Het nadeel van geen portacath. Dan zou ze er geen last van hebben. Aan de andere kant kent een portacath ook nadelen. Er is een operatie nodig om deze te plaatsen.

Slapen op de rechterzij is onmogelijk. Tot slot is er de gevoeligheid voor infecties. Dat is inmiddels al gebleken bij Guusje. We zijn niet onverdeeld positief ten aanzien van de portacath.

Dinsdag 26 juli

Vroeg op. Janneke wegbrengen naar haar vriend in Drunen. Samen vertrekken ze naar zijn ouders die in Duitsland op een camping verblijven. Zaterdag is Janneke weer thuis. Een paar daagjes weg. Een flitsvakantie.

Ook zoon Anton is vroeg uit de veren. Ongewoon voor zijn doen. Hij gaat deze ochtend vissen met een gepensioneerde man uit onze straat. Anton heeft er veel zin in, hoewel hij nog nooit heeft gevist. Heel prettig voor Yvonne en mij. Anton heeft veel energie die hij niet kwijt kan. Kortom, hij is een beetje druk.

Vroeg in de ochtend belt een arts van het Pijnteam. Het gesprek duurt langer dan een kwartier. Voor- en nadelen van verschillende medicijnen worden besproken. Vooralsnog blijven we bij de huidige medicatie. De dosering wordt verhoogd.

Omdat de tumor in de linkerlong en de plekjes in de rechterlong volgens de uitslag van de CT-scan niet zijn gegroeid, verplaatst onze zorg zich naar de pijn die Guusje heeft. Minder pijn betekent beter leven.

Aan het einde van de ochtend krijgen we bezoek van onze huisarts. Met haar bespreken we de huidige situatie. Ze is voor Yvonne en mij een goed klankbord.

Om 12 uur komt Anton weer thuis. Hij vond vissen geweldig. Prima vermaak voor onze wildebras. We lunchen snel en vertrekken naar Leiden. Vanmiddag brengen we een bezoek aan Naturalis. Getipt als leuk museum voor kinderen. Tijdens ons bezoek constateer ik dat Naturalis niet geschikt is voor hele jonge kinderen zoals Loes. Zij is zeven. Helaas zijn er veel kinderen jonger dan Loes. Voor Hans en Anton, dertien en elf jaar, is dit een prima museum.

Aan het einde van de middag bezoeken we mijn jongste zus in Den Haag. We blijven eten. Brabantse gastvrijheid in de Randstad. Het is gezellig. Mijn zus is druk en ratelt honderduit.

Voor Guusje is dit een drukke dag. Gelukkig trekt ze soms gewoon haar eigen plan. Zo valt ze na het avondeten in slaap.

We bieden Guusje door de uitstapjes afleiding. Ze heeft vaak pijn. Thuis op de bank liggen of samen op stap. De pijn blijft hetzelfde. We proberen er wel rustige uitjes van te maken. Niet te druk voor onze zieke dochter.

Als we thuiskomen is er weer post. Soms van mensen die we niet kennen. Zo ontvangen wij een kaartje met onderstaande tekst.

Lieve Guusje; lieve kanjer en de rest van de familie,

Ja het is een beetje gek want ik ken jou en je familie alleen via Twitter en je vaders blog. Maar je zit elke dag in m'n hoofd! Zo bijzonder ben je nou. Ik wens je dat

de pijn nou eens minder wordt en dat je behandeling zo goed mogelijk aanslaat!
Veel groetjes uit Amsterdam – zet 'm op meis.

Een voorbeeld van een kaartje. Zo ontvangen wij er veel. Van bekende en van onbekende afzenders. Ze doen ons goed.

Woensdag 27 juli

Uitslapen hoort bij vakantie. We komen lekker laat ons bed uit. Rustig ontbijten. Daarna ga ik samen met Anton naar Tilburg. Het is prettig om met hem alleen op stap te gaan. Sinds half maart zijn Yvonne en ik heel erg veel bezig met Guusje. Tijd maken voor de andere kinderen is ook belangrijk.

Vorige week is tijdens een boswandeling mijn bril van mijn neus gevallen. Ik riep de hond. Draaide me om en begon te lopen. Knal ik met mijn hoofd tegen een boom. Niet gezien. Klinkt vreemd. Er staan natuurlijk veel bomen in een bos. Dit exemplaar hing scheef over het wandelpad. Mijn bril viel van mijn neus. Vandaag laat ik mijn bril recht zetten bij de opticien in Tilburg.

Anton is op zoek naar een hoesje voor zijn iPod Touch. Hij heeft deze gekocht van een nichtje. Het is een ouder model. Een hoesje hiervoor is niet te koop bij moderne elektronicawinkels. Het wordt een zoektocht die eindigt bij een Turkse telefoonzaak. Hoesjes voor oude modellen in overvloed.

Rond het middaguur regent het. Anton en ik lopen over de kermis. We hebben geen jas aan. Snel naar huis. Geen zin in een nat pak. Thuisgekomen zit Guusje op

Vandaag draait alles om genieten op de Tilburgse kermis

de bank. Uitgerust. Ze wil graag naar de kermis. Loes heeft dezelfde wens. Even later rijden Yvonne en ik met onze drie jongste kinderen naar de kermis. Weer of geen weer. Ze hebben er zin in.

Er zijn enorm veel attracties en natuurlijk veel mensen. De zon breekt door. We eten buiten op een terras. Doen we bijna nooit. Vandaag wel. Vandaag draait alles om genieten met Anton, Guusje en Loes. Gezelligheid op de Tilburgse kermis.

Donderdag 28 juli

Maandag chemo in Amsterdam, dinsdag Naturalis in Leiden en woensdag kermis in Tilburg. Drie drukke dagen. Vandaag bankhangen in Kaatsheuvel. Guusje moet bijkomen. Slapen en rusten. De hele dag.

Het liggen op de bank wordt alleen 's middags even onderbroken. Vriendin Annabel komt spelen. Samen maken ze 3D-kaarten. Onder andere een kaart voor Xena. Die heeft een KanjerKetting van maar liefst zes meter. De behandelingen zijn zwaar voor Xena. Daarom verdient ze volgens Guusje een mooie kaart.

Vrijdag 29 juli

Gisteravond hebben we gebarbecued met onze buren. Het vlees was erg lekker. Hoewel ik geen alcohol heb gedronken, kan ik moeilijk uit bed komen. Uitslapen kan niet. Guusje moet naar het ziekenhuis voor bloedprikken. Nodig om te bepalen of de chemo maandag door kan gaan. Onze dochter wil alleen bloed laten afnemen uit haar vinger. Volgens haar de minst pijnlijke optie. Ook deze week begint een verpleegkundige over andere mogelijkheden. Ik erger me hieraan. We gaan toch niet

De nieuwe pet staat haar goed

elke week hierover beginnen. Guusje is duidelijk. Ze is tevreden over de vingerprik. Dus ophouden over alternatieven.

Thuisgekomen gaat Guusje op de bank liggen. Ze voelt zich niet lekker en heeft pijn. Dit beeld zien we de hele ochtend. Alsof ze nog steeds moet bijkomen van de drukke dagen aan het begin van de week. Ik vind het steeds moeilijker om aan te zien. Onze dochter heeft enorm veel pijn. Met extra medicatie gaat het een tijdje beter. Soms een half uur. Soms twee uur. Dan komt de pijn terug. In alle hevigheid. Gaat dit ooit goed komen? Wat is goed? Geen idee. Een paar uren spelen bij een vriendin? Een ochtend naar school? Zonder extra medicijnen tegen de pijn. Dat zou echt een enorme stap vooruit zijn.

Na de lunch gaat Anton met zijn neefje spelen. Loes met haar nichtje. Guusje niet. Zij kan niet de hele middag met een ander kind spelen. Een van de beperkingen van haar ziekte. Een middagje spelen. Gewoon zoals andere kinderen. Het gaat niet meer.

Guusje is niet kaal geworden van de chemo. Wel verliest ze nog steeds haren. Gelukkig had ze veel. Ik kom regelmatig lange blonde haren tegen. Op de bank of op de grond. Guusje's kapsel wordt dun. De hoofdhuid duidelijk zichtbaar. Achterop ontstaat een kale plek. Tijd voor een hoofddeksel. Daarom nemen Yvonne en ik onze dochter vanmiddag mee naar 's-Hertogenbosch. Op zoek naar een leuk petje of hoedje.

Als ik Guusje in haar rolstoel een warenhuis induw, geeft ze aan graag iets te willen eten en drinken. Goed idee. Even later zitten we aan een tafeltje in het restaurant. Plotseling gaat mijn telefoon. Ik kijk op het display. Een 020-nummer. Dat moet het Emma Kinderziekenhuis zijn. Waarschijnlijk om te melden dat de chemo maandag doorgaat. Als ik opneem, hoor ik de stem van dokter Marianne. Ik schrik. Die belt niet om mee te delen dat de chemo doorgaat. Gaan we stoppen met chemo? Die vraag schiet meteen door mijn hoofd. De vraag kan meteen overboord. Dokter Marianne begint met te vertellen dat wij maandag naar Amsterdam komen voor chemo. Dat gaat dus door. Ze wil iets anders met me bespreken. Eind mei heeft ze bestraling genoemd als mogelijke optie voor pijnbestrijding. Guusje gebruikt medicijnen tegen de pijn, maar het effect is niet voldoende. Ik kan haar analyse alleen maar bevestigen. Voor kwaliteit van leven zal meer uit de kast moeten worden gehaald dan de huidige middelen. Daarom laat dokter Marianne voor maandag een gesprek inplannen met een radiotherapeut. Deze kan ons dan vertellen hoe hij ervoor kan zorgen dat Guusje minder pijn zal hebben. Mooi als het waar is. Mooi? Geweldig!

Dokter Marianne legt uit dat bestraling enkel wordt ingezet voor pijnbestrijding. De tumor wordt aangepakt met chemo. Ik maak al langer in gesprekken de vergelijking tussen Guusje's ziekte en de ramp in Japan. Dat land is getroffen door een aardbeving en daarna door een kernramp. Ik zeg vaak dat de tumor Guusje's aardverschuiving is. De pijn is haar Fukushima.

De tumor wordt aangepakt met chemo. Voor pijn komt nu bestraling om de hoek kijken. Dan is die vergelijking met Fukushima zo gek nog niet. Of juist wel. Een kernramp aanpakken met bestraling? Nee, dat kan niet waar zijn. Guusje's pijn eronder krijgen door bestraling. Te mooi om waar te zijn.

Als het telefoongesprek voorbij is, vertel ik tegen Yvonne en Guusje wat ik heb gehoord. Guusje is gespannen. Altijd als dokter Marianne belt. Wat gaat er gebeuren? Wat hangt haar nu weer boven het hoofd? Is het pijnlijk? Moet ze hiervoor worden opgenomen? Allemaal vragen die Guusje bezighouden. Wat kunnen Yvonne en ik er tegenover zetten? Geruststellende woorden. Inhoudelijk niet veel. Wij weten ook niet wat er maandag wordt verteld. Hoe en wat? We hebben weinig kennis van radiotherapie. Maandag horen we meer.

Yvonne en ik besluiten snel verder te gaan. Zorgen voor afleiding voor Guusje. Gelukkig slagen we erin om mooie hoofddeksels te vinden. Onze dochter krijgt een hoedje en een pet. Ze is blij. De pet zet ze meteen op haar hoofd. Meisjes houden niet van kaal. Het staat haar goed.

Zaterdag 30 juli

9 uur opstaan. Yvonne wil leuke activiteiten ondernemen. Samen met onze kinderen. Lisa gaat niet mee. Ze heeft afgesproken met een vriendin om vandaag naar de Efteling te gaan. Janneke ook niet. Ze komt vandaag terug van vakantie. Morgen zijn we weer compleet. Ik overleg met Yvonne. Als we morgen weg willen met het hele gezin, moeten we onze twee oudste dochters hierover inlichten. Doen we dat niet, dan plannen onze meiden andere activiteiten. Na het ontbijt stuurt Yvonne de dames een sms met de mededeling dat ze morgenochtend niet uit kunnen slapen. We gaan morgen een dagje uit met het hele gezin.

Vandaag op stap met onze vier jongste kinderen. Veel interessante musea liggen niet in Brabant. We rijden naar Den Haag. We hebben een tip gehad van mijn jongste zus dat het Museum voor Communicatie leuk is voor kinderen. Op zaterdag is parkeren vlakbij het museum geen probleem. Dat is makkelijk met de rolstoel.

Om half 1 arriveren we in Den Haag. Het bezoek aan het museum is een succes. Onze kinderen vermaken zich prima. Twee etages zijn speciaal ingericht voor kinderen met leuke interactieve onderdelen.

Tegen 4 uur besluiten we dat het tijd is om te vertrekken. Verderop in de straat is Panorama Mesdag. Pikken we mooi even mee. Onze kinderen zijn onder de indruk. Met name van de grootte van het doek. Honderdtwintig meter in lengte en veertien meter in hoogte.

In de hal richting het panorama hangen schilderijen van Mesdag. Guusje kijkt haar ogen uit. Ze houdt van schilderen. Ze is lid van een schilderclubje dat wekelijks samenkomt. Misschien moeten we binnenkort een museum met schilderijen bezoeken. Zal ze van genieten. Ons kleine blonde meisje.

Op de terugweg eten we bij McDonalds. Voor onze kinderen een feest. Daarna halen we Janneke op bij haar vriend in Drunen. Ze heeft een leuke vakantie gehad. Aan Guusje merk ik dat ze blij is haar zus weer te zien. Ze vraagt Janneke het hemd van het lijf.

Thuisgekomen ligt Guusje op de bank. Moe. Yvonne brengt haar naar bed.

Onze dochter maakt zich zorgen. Waarover? Maandag. Wat hangt haar nu weer boven het hoofd? Mama weet het niet. Dat is lastig.

Zondag 31 juli

De laatste dag van juli. Geen zomers weer. Niet wat wij willen. Wij houden van blauw, zon en warm. We hebben grijs, regen en kou. We vierden de afgelopen jaren een aantal keren zomervakantie in Nederland. Het woord 'vieren' was niet van toepassing. Het was altijd slecht weer.

We houden van het buitenland. Spanje is voor zomervakanties favoriet. Onze kinderen hebben hele goede herinneringen aan vakanties in dat land. Altijd mooi weer. De hele dag in zwemkleding rondlopen. Overdag strand of zwembad. In de avonduren een spelletje spelen bij de tent. Meer is niet nodig.

Vakantie in Spanje zit er dit jaar niet in. Toch willen Yvonne en ik ervoor zorgen dat het voor onze kinderen een leuke vakantie is. Vandaag bezoeken we het Nederlands Instituut voor Beeld en Geluid in Hilversum. Alle kinderen gaan mee. Van 11 tot 5 vermaken ze zich. Het fun-gehalte is hoog.

Thuisgekomen heeft niemand zin om te koken. Chinees is snel gehaald. Na het avondeten is Yvonne druk bezig met morgen. Dan gaan we weer naar het Emma Kinderziekenhuis in Amsterdam. Yvonne vult een vragenlijst in over bijzonderheden van de afgelopen week en controleert de voorraad medicijnen.

Guusje neemt een bad. Ze praat voor tien. Ze bestudeert haar littekens. Vooral het 5-mei-litteken vindt ze heel erg groot. Geen gezicht als je gaat zwemmen. Onze dochter kijkt vooruit. Yvonne vraagt waar ze wil gaan zwemmen. Guusje wil naar de zon. Zwemmen in Spanje. Ze is duidelijk een kind van ons.

Maandag 1 augustus

Het is vakantie. Toch zitten we vroeg aan het ontbijt. Anton springt enthousiast rond. Vandaag de hele dag vissen. Ergens aan een riviertje. Guusje zit rustig aan tafel. Beetje gespannen. Vandaag weer naar het Emma Kinderziekenhuis. Sowieso chemo. Verder staat een gesprek met een radiotherapeut op het programma. Over bestralen heeft ze veel vragen.

Om 8 uur rijden we thuis weg. Eerst naar de garage. De Ford afleveren. De remlichten zijn stuk. Daarnaast doorgeven dat we een nieuw logo willen voor de BMW. Op de achterkant is een lelijke kale plek. Het logo is gejat.

Bij het autobedrijf merkt Guusje op dat mama vergeten is toverzalf te smeren op haar handen. Noodzakelijk bij het prikken van een infuus. Rijden we terug naar huis? Terugrijden kost tijd. Straks wachten tot de zalf werkt ook. Het maakt weinig uit. We rijden door naar Amsterdam. Bij aankomst op F8 Noord wordt direct de toverzalf aangebracht op de handen van Guusje.

Voor de chemo is een infuus nodig. De laatste keren had Guusje geluk. De artsen

Radio Robbie doet zijn werk sneller dan Chemo Kasper

prikten meteen raak. Vandaag heeft onze dochter pech. Twee pogingen mislukken. Het doet heel erg pijn. Dikke tranen over haar wangen. Wat een drama voor Guusje. De arts baalt zichtbaar. Ze kiest er voor een andere arts te laten komen. Derde poging. Ik zie bij Guusje het verdriet erger worden en de spanning stijgen. Poging drie is gelukkig succesvol.

Na het prikken van het infuus snel naar beneden. De radiotherapeut wacht op ons. Een eerste ontmoeting. Een aardige kerel. Hij schrikt van Guusje. Hij mompelt: 'Uw dochter is wel erg ziek.' De radiotherapeut laat ons kort vertellen wat er sinds half maart is gebeurd. Hij is goed op de hoogte met betrekking tot de tumor. Hij bevestigt wat we weten. Het is onduidelijk hoe Guusje's tumor moet worden bestreden. Er is geen kant-en-klaar aanvalsplan. Aangezien de medicijnen tegen de pijn niet het gewenste resultaat opleveren, zetten we vandaag een stap richting bestraling. Niet gericht op het verkleinen van de tumor. Daarvoor is de chemo bedoeld. Bestraling heeft als doel pijnbestrijding. De radiotherapeut benadrukt enkele keren dat hij geen garanties kan geven. Het is dus niet zeker dat de pijn vermindert. Yvonne en ik willen weten hoe lang het duurt voordat een mogelijk effect van een eerste keer bestralen zichtbaar wordt. Dat kan morgen zijn. Het kan ook pas volgende week zijn. Zei hij morgen? Dat klopt. De radiotherapeut houdt van doorpakken. Hij stelt voor om Guusje vanmiddag te bestralen. Yvonne en ik kijken naar elkaar. Zo snel. Dat hadden we niet verwacht. Wat we ervan vinden? Weer kijken naar elkaar. Conclusie: doen! Guusje's kwaliteit van leven is laag. De pijn belemmert haar enorm.

We verlaten de spreekkamer en gaan meteen door naar een ruimte waar met een CT-simulator de te bestralen plaatsen worden bepaald. Met een moeilijk afwasbare stift worden grote lijnen op Guusje's lichaam getekend. Het werkelijke bestralen vindt vanmiddag na de chemo plaats.

Na de CT-simulator krijgen we een korte rondleiding. Heel belangrijk voor Guusje. Ze krijgt een goed idee van wat er later vandaag gaat gebeuren. Voordat we de afdeling verlaten, krijgt Guusje een pop van Radio Robbie. Zoals Chemo Kasper symbool staat voor chemotherapie, staat Radio Robbie symbool voor radiotherapie. Naast de pop krijgt onze dochter een boekje over Radio Robbie. Uitleg over bestralen in kindertaal. Ook handig voor papa en mama.

Terug op F8 Noord wordt meteen gestart met de chemokuur. Eerst medicijnen tegen allergie en misselijkheid. Zoals altijd ligt Guusje vrij snel te slapen. Haar standaardreactie op de medicatie. Guusje is Doornroosje. Yvonne en ik hebben ondertussen gesprekken met de psycholoog en de maatschappelijk werkster. Geen zweverige praat, zoals sommige mensen denken. Vaak praktische tips.

De chemo is bijna klaar, als dokter Marianne naar haar komt kijken. Guusje wil graag weten of er een nieuwe portacath wordt geplaatst. Het prikken van het infuus deze ochtend was allesbehalve een succes. Drie pogingen waren nodig. De eerste twee deden haar veel pijn.

Dokter Marianne vertelt dat ze er nog steeds niet uit is. Ze is van plan na vier cycli van chemo een CT-scan te laten maken. Ik merk op dat vorige week gezegd werd pas na zeven cycli een scan te maken. Verandering van inzicht dus. Zo is het ook eerder aan Yvonne en mij uitgelegd. Anderhalve week geleden is een CT-scan gemaakt. Deze is de basis voor de volgende stap. Veel artsen denken mee. Niet iedereen denkt hetzelfde. Op basis van diverse input bepaalt dokter Marianne haar eigen plan voor onze dochter. Er is geen kant-en-klaar protocol.

Als besloten wordt om na vier cycli te stoppen, dan krijgt Guusje nog vier keer chemo na vandaag. Is het waard om hiervoor een portacath te plaatsen? Dokter Marianne geeft aan dat niet plaatsen van een nieuwe portacath voor dit moment de beste optie is. Verder kijkt dokter Marianne naar Guusje's hoofd. Ze verliest meer haren dan verwacht. Marianne raadt Yvonne aan contact op te nemen met Haarwensen. Dit is een organisatie die gratis pruiken ter beschikking stelt aan kinderen die kaal worden door chemo.

We verlaten F8 Noord. We nemen de lift naar beneden. Voor de tweede keer vandaag naar Radiotherapie. Niet voor een gesprek nu, maar voor bestraling tegen de pijn. Radio Robbie doet zijn werk sneller dan Chemo Kasper. Guusje ligt op een tafel terwijl het bestralingsapparaat ronddraait. In een andere ruimte zijn Yvonne en ik. Samen met het personeel. Ik sta achter een microfoon. Lees voor uit een boek. Bedoeld om Guusje te laten luisteren naar een bekende stem. Rust geven. Ze ligt daar helemaal alleen in die grote ruimte. Best eng voor zo'n klein meisje.

Dinsdag 2 augustus

Vandaag is het echt zomer. De zon schijnt door het slaapkamergordijn. Onze jongste dochter Loes kruipt bij ons in bed. Yvonne vraagt waar ze zin in heeft. Namen grabbelen uit een ton en daar dan cadeaus voor kopen. Yvonne en ik begrijpen niet wat onze dochter bedoelt. Even doorvragen. Dan roept mama uit: 'Het is zomer! Sinterklaas is pas over vier maanden!'

Even later zitten we aan het ontbijt. Lisa is er niet bij. Zij was al vroeg uit de veren. Op weg naar haar oppasadres. Geld verdienen. Yvonne informeert bij de andere kinderen naar de plannen voor vandaag. Janneke klaagt. Eindelijk een mooie zomerdag. Moet zij de hele middag bij de HEMA werken. Hans heeft één doel voor vandaag: zo weinig mogelijk doen. Anton gaat zwemmen met een vriendje. Guusje krijgt bezoek van een vriendinnetje van toneel. Samen gaan ze taartjes versieren. Yvonne en ik houden ons vandaag bezig met huishoudelijke klusjes.

Een rustige vakantiedag thuis in een normaal gezin. Zo lijkt het. Een gewoon gezin zijn we echter niet meer. Vier maanden geleden zaten Yvonne en ik tegenover drie artsen. Zij spraken over kanker bij Guusje. Meteen was er angst. Angst om onze dochter te verliezen. Doodgaan en kanker horen bij elkaar.

Na het bericht van de artsen mocht ik Guusje vertellen dat ze ernstig ziek is. Dat we een dag later naar een ziekenhuis in Amsterdam zouden gaan met hele knappe artsen. Dat we een lastige tijd tegemoet zouden gaan met vervelende onderzoeken. Een lastige tijd is het geworden. De onderzoeken ingrijpend. Zeker voor Guusje. Dit blijkt uit haar KanjerKetting. Elke kraal staat voor een behandeling of onderzoek. Guusje's ketting telt meer dan honderdtachtig kralen. Bijvoorbeeld voor bloedprikken, scans, narcose, IC en chemokuren. Meer dan tweeëneenhalve meter kralen die in chronologische volgorde het verhaal vertellen van haar ziek zijn. De laatste kraal staat symbool voor gistermiddag: bestraling.

Inmiddels is duidelijk dat Guusje een vasculaire tumor heeft in haar linkerlong. Zo groot als de vuist van een volwassene. Er zijn ook plekjes in de rechterlong en in de benen. Op 5 mei is Guusje geopereerd. Doel was zoveel mogelijk verwijderen van de tumor in de linkerlong. Helaas is de tumor verbakken met vliezen en organen. Operatief verwijderen is onmogelijk.

Altijd na het eten. Even bij papa op schoot.

Nog nooit eerder heeft men zoiets gezien bij kinderen. Ook bij volwassenen is het zeldzaam. Er is geen protocol. Geen kant-en-klaar aanvalsplan.

Na de operatie moest dokter Marianne diep nadenken. Overleggen met andere artsen. Guusje's ziekte is complex. Past niet in onze moderne tijd. Daarin eisen we voor alles een oplossing. Hier en nu. Er zijn geen pasklare antwoorden bij de bestrijding van de tumor. Ook niet bij de vreselijke pijn die deze veroorzaakt. Er zijn artsen die hun uiterste best doen om Guusje's leven te redden. Proberen haar een zo goed mogelijke kwaliteit van leven te bieden.

Ook Yvonne en ik hebben veel meegemaakt. We hebben veel gehuild. Zeker in het begin. Onze wereld is totaal veranderd. Nooit wordt de lucht meer strak blauw. Nooit meer onbezorgd zonnig. We hebben veel contact gekregen met lotgenoten. Ouders in hetzelfde schuitje.

We merken dat veel mensen in onze omgeving geen benul hebben van wat wij meemaken. Dat is niet vreemd. Dat is ook geen probleem voor ons. Wij hadden tot eind maart ook geen idee van de ellende die ouders meemaken van een kind met kanker. De reële angst van ouders om je dierbaarste bezit te verliezen.

Onze dochter heeft door haar ziekte een KanjerKetting. Ik heb een blog. Begin april besloot ik iedereen op de hoogte te brengen van de situatie. Ik wist niet waar ik aan begon. Elke avond schrijf ik. Ik ging door toen we eind mei naar huis kwamen. Thuisgekomen na wekenlang verblijf in het ziekenhuis. Elke dag een verslag over de ziekte van Guusje. Meer dan honderdduizend opgevraagde webpagina's. Meer dan honderd e-mailabonnementen. Meer dan honderdvijftig bladzijden op A4-formaat. Mijn verhaal over de ziekte van onze dochter.

Op straat spreken buurtbewoners mij aan. Ze lezen mijn verhaal. In mijn mailbox vind ik berichtjes. Mensen die ik niet ken. Ze leven mee met onze kanjer. Kanjer-Guusje is de naam die we voor onze dochter gebruiken op Twitter. Het internetmedium om nog meer mensen te informeren over ons kleine blonde meisje. Inmiddels duikt Kanjerguusje op in de bladen. Pak de Libelle van deze week. Lees de column van Babette van Veen. Neem de Viva van begin juli. Hadjar Benmiloud schrijft een column met daarin #kanjerguusje.

Vaak stellen mensen mij de vraag hoe het met Guusje zelf gaat. Hoe ervaart onze dochter haar ziekte? Guusje beleeft haar ziekte als een meisje van tien. Ze weet dat kinderen aan kanker overlijden. De tumor kan niet weg. Daarvan is ze zich bewust. Guusje heeft als kind een groot vertrouwen in de artsen. Zeker in dokter Marianne. Een schat van een dame. Verder heeft ze een hele goede band opgebouwd met enkele verpleegkundigen. Het medisch personeel leeft erg met haar mee. Dat merkt ze. Dat voelt ze. Samen gaan zij ervoor zorgen dat Guusje beter wordt. Daar vertrouwt ze op. Afgelopen week sprak Guusje over vakantie in Spanje. Zal het grote litteken dan nog zichtbaar zijn bij het zwemmen? Zo'n vraag toont aan: Guusje gelooft in haar eigen toekomst.

Hoe ervaar ik Guusje's ziekte? Er is geen standaardplan. De te volgen route ligt niet vast. De weg verandert steeds. Onzekerheid voert de boventoon. Kan ik daarmee leven? Ik zal wel moeten. Ik heb geen keuze. Ik sta met Guusje's ziekte op en ik ga ermee naar bed. Volledig in de ban van haar tumor en haar pijn.

Een tijd geleden dacht ik dat Guusje het nieuwe schooljaar niet zou halen. Twee weken geleden een CT-scan. De tumor bleek niet groter geworden. Nu denk ik aan het nieuwe schooljaar. Guusje die naar groep 7 gaat. Langzaamaan verder in de toekomst. Niet te ver. Spreekt Loes vanmorgen over Sinterklaas, dan denk ik met-een: 'Zal Guusje erbij zijn?' Die vraag flitst als eerste door mijn hoofd. Zo is het leven. Leven van een vader met een dochter die kanker heeft.

Is dat erg voor mij? Ik vind van niet. Het is erg voor onze dochter. Zij ondergaat alle behandelingen op een wijze die respect afdwingt. Voor haar is het pas echt erg. Zij is ziek. Heel ernstig ziek.

Er is veel veranderd in ons gezin sinds eind maart. Er zijn ook dingen die het-zelfde blijven. Die hopelijk niet veranderen. Guusje gaat na het eten bijna altijd bij mij op schoot zitten. Doet ze al jaren. Ook vanmiddag na de lunch.

Woensdag 3 augustus

Yvonne en ik proberen zoveel mogelijk leuke uitstapjes te maken met onze kinderen. Een dagje weg met alle zes lijkt bijna onmogelijk. Ook vandaag werken onze twee oudste kinderen.

Met onze vier jongste kinderen maken we een rondvaart door de Rotterdamse haven. We stappen op nabij de Erasmusbrug. Nederland vanaf het water. Weinig bedrijvigheid. Hebben de schepen ook zomervakantie?

De rondvaart vind ik achteraf te duur. Ik maak een kostenbatenanalyse. Ik had meer verwacht voor vijftig euro.

Vlakbij de Erasmusbrug ligt het Maritiem Museum Rotterdam. Deze pikken we

Een dagje Rotterdam

ook even mee. We wagen het erop om onze vier kinderen even alleen los te laten in het museum. Ondertussen gaan Yvonne en ik een kop koffie drinken. We zien het groepje het museum in lopen. Anton duwt de rolstoel. Zorgzaam voor zijn zusje. Een mooi gezicht.

In het museumcafé bespreek ik met Yvonne de reacties die ik heb ontvangen naar aanleiding van mijn blogbericht van gisteren. Het valt ons op dat de buitenwereld graag snel resultaat wil zien. Dat snappen we. Dat wilden wij ook altijd. De ervaring van de afgelopen maanden leert ons hierop niet te rekenen. Geen snel resultaat. Stapje voor stapje verbetering van de situatie is ook vooruit. Alleen niet in het tempo dat iedereen om ons heen zo graag wil zien.

De pijnmedicatie is niet minder. De nachtrust is beter. Guusje vroeg deze ochtend pas om 9 uur om extra medicijnen tegen de pijn. Dit zegt niets. Een zwaluw maakt nog geen zomer. Misschien was ze gewoon heel erg moe. Gisteravond laat lag Guusje zwetend in haar bed. Geen koorts. Wel boze dromen. Zo boos. Ze riep ons.

Volgens Yvonne kun je vooruitgang zien bij Guusje. Onze dochter heeft het minder benauwd dan tijdens de wekenlange ziekenhuisopname in april en mei. Ze kan weer op haar zij slapen. Haar speciale bed staat inmiddels bijna horizontaal. Onze dochter loopt deze week in de ochtend zelfstandig naar het toilet. Ondersteunende begeleiding van Yvonne of mij is ineens niet meer nodig. Steeds meer goede momenten voor Guusje.

We blijven niet lang in het museum. We zijn allemaal moe. Morgen willen Yvonne en ik met alle kinderen een dagje weg. Daarom nu snel naar huis en uitrusten. Thuisgekomen ga ik naar de videotheek en huur twee films.

'Dik Trom' kijken we met het hele gezin direct na het avondeten. Een gezellige familiefilm. Het is niet erg om dik te zijn. Het gaat erom dat je gelukkig bent. Tijdens de film staat een grote doos chocolaatjes op tafel. Na de film is deze bijna leeg. Ik zie een verband tussen de film en ons snoepgedrag.

Als Loes en Guusje in bed liggen, is het tijd voor de volwassenenfilm. Het is 'The kids are alright'. Hans kruipt meteen achter de laptop. Geen zin in wat hij een Lisafilm noemt. Bijnaam voor romantische komedies. Anton kijkt alleen het eerste deel. Janneke en Lisa gaan er echt voor zitten. De film begint met twee cocaïne snuivende jongeren. Misschien niet zo'n goede keuze voor een avondje gezellig thuis. Voor je het weet, heb je als ouder ineens heel veel uit te leggen.

Donderdag 4 augustus

De leuke uitstapjes van de familie Van Gorp. Vandaag het vervolg. Waarom gezelligheid? Ze hebben toch een dochter met een levensbedreigende ziekte? Juist daarom. Alle pijlen gericht op overleven. De weg naar dat doel zo aangenaam mogelijk maken. Voor Guusje, haar brussen en haar ouders.

Half juli kwam hulp bij onze leuke-dagjes-missie. Een dagje Safaripark Beekse Bergen. Volledig verzorgd door oud-collega's van het Cambreurcollege: entree, eten, zelfs parkeren. Een prachtig cadeau. Een uitstapje naar een attractiepark is voor een doorsneegezin bijna onbetaalbaar. Wij zijn niet de familie Doorsnee. Wij zijn de Van Gorpjes: papa, mama en zes kinderen. De entree is voor ons altijd prijzig.

Janneke en Lisa werken vandaag niet. We kunnen met alle kinderen het cadeau verzilveren. Iedereen vroeg uit bed. Drukte bij het ontbijt. Ik hoop dat Guusje vandaag een goede dag heeft. Dat lijkt mis te gaan.

'Ik voel me niet lekker, papa. Ik krijg bijna geen lucht.'

Ik leg mijn ene hand op haar buik. De andere tussen haar schouderbladen.

'Probeer zo rustig mogelijk te ademen.'

Beetje vreemde zin. Ze zegt dat ze geen lucht krijgt. Ik wacht. Kijk naar haar. Straal rust uit.

'Gaat het, meisje?'

Ze kijkt naar me.

'Ja, het gaat wel weer.'

Een zucht in mijn hoofd. Opluchting.

We vertrekken. De kinderen zijn al buiten bij de auto. Ik loop nog door de huiskamer. In de bank liggen knuffels. Zo te zien blijft Chemo Kasper thuis. Als ik buiten kom, zit Guusje in de auto. Met Radio Robbie. Zou mooi zijn als Robbie soelaas biedt. We hebben geduld.

Het is een heerlijke dag. Eindelijk zomer na dagen met regen. Beekse Bergen biedt veel. Safari per bus, per boot of te voet. Een indrukwekkende show met roofvogels. Hilariteit bij het voeren van geiten.

In de avonduren gaan we nog even naar de bibliotheek in Tilburg. We komen er graag. Je kunt er DVD's en luisterboeken lenen. Zomervakantie in Nederland met slecht weer. Dan wil je wel eens een filmpje kijken. We rijden naar huis met een flinke stapel. Er zijn ook boeken bij. Daarvoor ging je ooit naar de bieb.

Thuisgekomen kruipt de hele familie voor de TV. De eerste film wordt gestart. Onze kinderen genieten van 'Verschrikkelijke Ikke'. Ik doe mee. Zit op de bank tussen Guusje en Yvonne. Mijn ogen dicht. Weinig concentratie voor de film. Af en toe kijk ik naar Guusje. Ze vindt de film leuk. Ze heeft ook pijn. Radio Robbie boekt nog geen succes.

Het is avond. Regen. De volle lading weer. Typerend voor deze zomer. Tot de avond was het zonnig. Genoten we. Wat een mooie dag. We hebben 'm geplukt.

Zo wil ik mijn blog voor vandaag afsluiten. Met een positieve noot. Plotseling staat Guusje beneden. Flink bezweet en veel pijn. Ontzettend balen. Geen koorts. Yvonne geeft drinken en medicijnen. Daarna terug naar boven. Hoop dat Guusje doorslaapt tot morgenvroeg.

Vrijdag 5 augustus

Ik kan moeilijk mijn bed uitkomen. Ik moet. Vrijdag betekent bloedprikken in de ochtend en gebeld worden in de middag. Telefonisch horen we dan of Guusje zich kwalificeert voor de chemo van maandag.

Slapen bij mama in het
wokrestaurant

Tijdens het ontbijt vraagt Guusje voor de eerste keer vandaag om extra pijnmedicatie. Het is half 10. De laatste keer was gisteravond om half 11. Dit betekent dat
onze dochter elf uur achter elkaar niet heeft gevraagd om extra medicatie. Ze is wel
een paar keer wakker geweest, maar had geen behoefte aan extra medicijnen tegen
de pijn. Een record! Zou die Radio Robbie dan toch succes hebben? Graag wil ik dat
geloven, maar in de loop van de ochtend vraagt Guusje zo vaak om extra medicijnen
tegen de pijn dat Yvonne en ik er moedeloos van worden.

De afgelopen nacht was goed, maar het lijkt erop dat een zwaluw weer geen zomer maakt. Daarvoor zijn meer zwaluwen nodig. Meer lange nachten zonder vraag
naar extra pijnmedicatie.

's Middags ligt Guusje op de bank. Spelend op haar iPad en kijkend naar films.
Vandaag bewust een rustdag. Al een tijdje spreken we over wokken op vrijdagavond. Bij mijn afscheid van Avans Hogeschool heb ik een cadeau gekregen: uit
eten met mijn hele gezin. Onze kinderen waren er al snel uit. Ze zijn dol op wokken.
We gaan bijna nooit uit eten. Guusje's rustdag is voor mij een uitgelezen mogelijkheid
om mijn kamer op te ruimen. In gereedheid brengen om na de zomervakantie aan de
slag te gaan. Als Yvonne en ik even pauzeren en een kop koffie drinken, kijk ik naar
Guusje die op de bank ligt. Ze oogt ziekjes.

'Gaat het?'

'Een beetje.'

'Als het niet gaat, dan gaan we een ander keertje.'

'Maar we kunnen wel gaan wokken, papa.'

Aan het eind van de middag worden we twee keer gebeld door het Emma Kinderziekenhuis. Het eerste telefoontje is een verpleegkundige naar aanleiding van het bloedprikken deze ochtend. Guusje heeft zich gekwalificeerd voor de chemo van maandag. Het tweede telefoontje is van dokter Marianne. Ze wil graag weten hoe het ervoor staat met de pijn. We hebben deze week ook al een telefoontje gehad van de radiotherapeut. Tekenen dat er wordt nagedacht over onze dochter. Nu nog iemand die komt met het 'Ei van Columbus': Guusje pijnvrij.

Zaterdag 6 augustus

Hetzelfde beeld als gisteren. Guusje slaapt goed door zonder extra pijnmedicatie. 's Ochtends veel pijn. Dus veel vraag naar medicijnen. Zoveel zelfs dat Yvonne en ik weigeren om nog meer te geven. Dit vindt onze dochter niet prettig. Ze ligt als een ziek vogeltje op de bank. Als we spreken over morgen iets leuks doen, geeft ze aan dat het niet zal gaan. Ze voelt zich beroerd en klaagt over pijn.

Ik laat de hond even uit. Een dame spreekt me aan. Ik ken haar niet. Ze leest mijn blog. Ze wenst me sterkte. Een soortgelijke ontmoeting in de supermarkt. Een bekende van vroeger, ook lezer van mijn blog, vertelt dat haar dochter leukemie heeft. De behandelingen duren twee jaar. Ongelofelijk zwaar. Ze zegt: 'Je krijgt een ander kind. Zowel lichamelijk als geestelijk.' Daar kan ik me inmiddels iets bij voorstellen. Kanker heeft een enorme impact. Guusje maakt onvoorstelbaar veel mee. Lichamelijk ondergaat ze onderzoeken en behandelingen. Weergegeven door haar KanjerKetting. Geestelijk is het zwaar. Leeft ze in een andere wereld dan kinderen van haar leeftijd.

Pizza- en kaasbroodjes bij de lunch. Yvonne hoopt dat Guusje zal smullen. Die zit echter met een beroerde blik aan tafel. Ze wil gewoon een boterham met stroop. Yvonne merkt op dat ze de pizza- en kaasbroodjes speciaal voor Guusje heeft gekocht, maar die geeft aan dat ze al misselijk wordt bij de gedachte alleen.

De overige familieleden hebben wel zin in hartige broodjes. Guusje's pizzabroodje ligt al snel op het Hans' bord. Als deze een hap neemt, staat Anton naast hem met een mes. Na het uitspreken van de woorden 'dat had je gedacht' wordt het broodje gedeeld.

's Middags ligt Guusje nog steeds op de bank. Beroerd en pijn. Toch nemen Yvonne en ik haar mee naar een terras. Zus Loes gaat ook mee. We ontmoeten Karel en Marleen. Samen met hun zoon Pieter. We hebben een speciale band met dit gezin. Zij hoorden ook op 31 maart dat hun kind kanker had. Dit is de eerste keer dat we samenzijn buiten het ziekenhuis. We hebben veel te bespreken. Het delen van emotionele ervaringen en het uitwisselen van praktische tips. Hoewel het ziekteverloop van onze kinderen totaal anders is, hebben we veel gemeenschappelijk. Waardevol contact met lotgenoten.

Ook voor Guusje is het een positieve middag. Terwijl Pieter en Loes zich uitleven in de speeltuin, zit Guusje sipjes te kijken in de rolstoel. Als een spelletje midgetgolf wordt voorgesteld, komt ze tot leven. Alsof er een metamorfose plaatsvindt. Hoewel ze door haar ziekte een beetje krom loopt, beweegt ze redelijk soepel langs de banen. Samen met Pieter en Loes vermaakt ze zich prima.

Het einde van de middag. Pieter en Loes in de speeltuin. Guusje uitgeteld op schoot bij Yvonne. We nemen afscheid en rijden naar huis. Kijken terug op een goed gesprek. Denken aan het mooie beeld van spelende kinderen. Met name aan Guusje. Vrolijk golfend met Pieter en Loes.

Zondag 7 augustus

Enkele weken geleden stond een leidster van scouting aan de voordeur. Ze had een verrassing voor ons: vrijkaartjes voor de Efteling. Onze kinderen waren dolblij. Vandaag een dagje genieten. We wonen in Kaatsheuvel. De Efteling is heel dichtbij. Van 10 tot 8 zijn we in het park. Als we 's avonds thuiskomen, kijken we terug op een hele prettige dag. Samen met onze kinderen in het mooiste attractiepark van Nederland. Morgen een dagje Emma Kinderziekenhuis. Dat is minder relaxed.

Maandag 8 augustus

Vroeg op. Om 10 uur worden we in het Emma Kinderziekenhuis verwacht. Vandaag diverse afspraken. Naast de chemotherapie van Guusje hebben we gesprekken met de psycholoog, de kinderoncoloog, de radiotherapeut en een arts van het Pijnteam.

Om half 9 stappen we met alle gezinsleden in de Ford. De afspraak met de psycholoog betreft een groepsgesprek met alle kinderen. Met de oudste kinderen spreken we af dat ze na dit gesprek naar het winkelcentrum bij de Arena gaan. Met de metro is dit snel bereikbaar. Lisa wil een nieuwe jas kopen. Janneke is geïnteresseerd in een iPod. Hans is aan het sparen voor een eigen laptop.

Aangekomen op F8 Noord zien we dat het rustig is. Dat komt goed uit. Wij zijn immers met een grote groep. Zoals altijd moeten we wachten tot een arts het infuus prikt. Dit wachten duurt lang. De spanning stijgt bij Guusje. Ze zit 'zichzelf op te vreten'. Ik kan het niet aanzien en ik ga informeren of het nog lang duurt. Gelukkig wordt er snel actie ondernomen.

Om 11 uur neemt de psycholoog ons mee naar een kamertje. Daar hebben we een gesprek met alle gezinsleden. Doel is om samen stil te staan bij de veranderende situatie in ons gezin. Definitief anders door Guusje's ziekte.

Het is een goed gesprek. Waardevolle informatie voor Yvonne en mij. Ik vind het prettig dat een buitenstaander onze kinderen duidelijk maakt dat Guusje ernstig ziek is. Verder zien de kinderen wat er gedurende een dagje ziekenhuis gebeurt. Wat is chemo? Medicijnen die inlopen via een infuus. Loes wil weten waarom het in een bruine zak zit. Kan Chemo Kasper niet tegen het daglicht?

Na het gesprek vertrekken onze oudste drie kinderen richting de Arena. Yvonne en ik blijven met de jongste drie in het ziekenhuis.

Aan het begin van de middag voeren Yvonne en ik gesprekken met dokter Marianne en een arts van het Pijnteam. Medicijnen kunnen nadelen hebben.

We spreken over bijwerkingen. Vaak zaken die je voor lief neemt. Soms vraag je je echter af: 'Wat is erger: het medicijn of de kwaal?' Een duivels dilemma. Yvonne en ik zetten vraagtekens bij de huidige pijnmedicatie voor Guusje. Het onder controle krijgen van de pijn met medicijnen is nog altijd een probleem. Daarnaast zijn er bijwerkingen die het moeilijk maken om in te schatten of de medicijnen voldoende effect hebben. Dokter Marianne kan zich vinden in ons beeld. De huidige medicijnen tegen de pijn hebben ervoor gezorgd dat Guusje eind mei ontslagen kon worden uit het ziekenhuis. Er dient nu, meer dan twee maanden later, een betere oplossing te worden gevonden. Eentje die past bij de langere termijn. Hierover moet worden nagedacht. Deze schudden de artsen niet uit hun mouw.

Na afloop van de chemo brengen Yvonne en ik met Guusje een bezoek aan de radiotherapeut. We vertellen weer ons verhaal over de pijnmedicatie. Hieruit blijkt dat het lastig is om vast te stellen of het bestralen effect heeft gehad. In elk geval niet zoveel effect dat de pijn verdwenen is. Misschien is Guusje's pijn wel minder geworden, maar dat kan niet objectief worden vastgesteld. Ook de radiotherapeut zal in overleg gaan met dokter Marianne. Na het laatste gesprek ontmoeten we onze oudste kinderen weer in de hal van het AMC. We kopen voor Guusje een hoofddoekje bij de kapper. Mooi alternatief voor haar hoed en pet. Tot slot eten we een ijsje en vertrekken we richting Kaatsheuvel.

Na het avondeten maken Yvonne en ik een korte boswandeling. Samen praten zonder kinderen. We nemen de dag door. Er is veel gezegd. Door kinderen en artsen. Bij de medici beluisterden we een ondertoon. Een positieve toon: ze spreken over een oplossing gericht op de langere termijn. Vooruit in de toekomst. Dat klinkt als muziek. Goede muziek.

Wees maar niet bang
Overwin dat gevoel
Het gaat niet vanzelf
Ik weet precies wat je bedoelt

Nu heb je angst
Weet je niet hoe het moet
Wees maar niet bang
Het komt vanzelf weer goed

Dinsdag 9 augustus

Vandaag is een rustige dag. 's Morgens koffie drinken met de overbuurman. 's Middags voorbereidingen voor mijn nieuwe baan. Guusje brengt de dag door op de bank. Ze speelt met haar iPad en ze kijkt televisie.

Vandaag is ook een dag waarop ik me weer realiseer dat er kinderen overlijden aan kanker. Op Twitter komen berichtjes voorbij over twee tieners. Een van hen is Fleur. Pas elf jaar.

Gisteren had ik het gevoel dat we nog lang van Guusje gaan genieten, waarbij ik hoop dat de kwaliteit van leven beter is dan nu. De pijn belemmert haar enorm. Vasthouden aan dat goede gevoel is lastig. Ons kleine blonde meisje heeft die vreselijke ziekte. Het kan zomaar omslaan. In sneltreinvaart omlaag. De ouders staan erbij en kijken toe. Machteloos verlies.

Het leven gaat door. Ook dat van onze andere vijf kinderen. Een groot gezin is druk. Ook met enkel gezonde kinderen. Nu is er sinds kort de intensieve zorg voor Guusje bijgekomen. Fijn om te doen, maar wel zwaar. Vooral mentaal. Onze andere kinderen zorgen voor afleiding. Kleine zorgen en groot plezier.

Janneke heeft de afgelopen tijd vele uren gewerkt. Dus geld verdiend. Ze wil graag een iPod Touch kopen. Of ik even naar de Mediamarkt in Breda wil rijden. Ik vraag of ze weet wat dat kost. Ik ben toch niet gek.

Om half 8 komt Janneke thuis van haar werk. Guusje wil meerijden naar Breda. Ze is het binnen zitten beu. Yvonne heeft hetzelfde gevoel. Met Yvonne, Janneke en Guusje rij ik even later naar de Mediamarkt in Breda. Het is gezellig in de auto. Guusje heeft goede zin. Ze vindt shoppen gezellig. Op de terugweg vraagt Guusje of we thuis nog een spelletje gaan doen. Dit is een andere Guusje dan een tijdje terug. Die wilde elke avond vroeg naar bed. Misschien heeft het ermee te maken dat ze deze middag lang heeft geslapen.

Thuisgekomen gaan cola en koekjes er goed in. Broer Anton is inmiddels ook weer thuis. Hij mocht een dagje mee naar Walibi. Samen met zijn vriend Jasper. Het is een vrolijke boel. Guusje op goede momenten. Zo mooi om te zien.

Woensdag 10 augustus

Vandaag net als gisteren een rustige dag. Yvonne ruimt op. Uitzoeken van kledingkasten. Zakken worden gevuld met kleding. Ondertussen houd ik me bezig met de voorbereidingen voor het nieuwe schooljaar. Voor Guusje weer een rustdag. Om 3 uur geeft ze aan iets leuks te willen gaan doen. Dat komt goed uit. Bij de Gemeentewinkel kunnen we een parkeerkaart ophalen. Hiermee kunnen we gebruik maken van parkeerplaatsen voor gehandicapten. Om er een uitje van te maken besluit ik te voet te gaan. Guusje in de rolstoel. Anton loopt ernaast. De dame achter de balie bij de gemeentewinkel vraagt: 'Zet u of uw dochter een handtekening op de parkeerkaart?' Ik geef aan dat Guusje moet tekenen. Het is haar kaart. Voor de eerste keer in haar leven zet Guusje een handtekening. Heel nauwkeurig schrijft ze haar voor- en achternaam.

We lopen via een andere weg terug naar huis. Onderweg tijd voor een lekker ijsje. Een paar jaar geleden kon je in Kaatsheuvel nergens schepijs kopen. Tegenwoordig zijn er drie verkooppunten. Ik stel voor dat we vergelijkend warenonderzoek gaan doen. Vandaag de Chocolademan. Volgens Anton de beste van de drie. Slim om dat duidelijk te maken bij de dame achter de toonbank. Het levert ons drie hele

grote ijsjes op. Volgens de dame moeten de ijsjes die verkocht worden bij de parkeerplaats naast de IJsbaan ook lekker zijn. Volgens Anton niet zo lekker als bij de
Chocolademan. Dat is vreemd volgens de dame, want het is hetzelfde ijs.

Thuis kijk ik op Twitter. Mijn aandacht wordt getrokken door een tweet dat de
vader van Fleur, het meisje dat gisteren overleed aan kanker, een bericht op zijn blog
over de laatste nacht van zijn dochter heeft geplaatst. Zijn verhaal roept emoties op.
Dit is mijn diepste angst.

Na het avondeten gaan we naar de bibliotheek in Tilburg. We maken altijd gebruik van de parkeergarage onder het Koningsplein. Vandaag niet. De parkeergarage heeft geen lift. Tenminste dat denken wij. We hebben er nooit een ontdekt.
Ook nooit nodig gehad. Er is een speciale parkeerplaats voor gehandicapten naast
de bieb. Dankzij Guusje's parkeerkaart kunnen we deze gebruiken. Onze kinderen
lenen veel films en luisterboeken. Handig tijdens de vakantie in regenland Nederland.
In de bieb wordt Guusje herkend door een onbekende bloglezer.

Thuisgekomen ga ik naar de verjaardag van een vriend. Helaas gaat Yvonne niet
mee. Guusje is niet van plan om vroeg naar bed te gaan. De kans dat ze regelmatig
om papa of mama vraagt is groot.

Donderdag 11 augustus

Iedereen is vroeg op. We gaan met het hele gezin een dagje naar Amsterdam.
Deden we afgelopen maandag ook. Toen namen we afslag AMC. Vandaag afslag
Arena. We parkeren onze Ford en ontvangen vijf tickets voor de metro. Het liefst
zouden we in verband met Guusje's rolstoel ergens parkeren in het centrum, maar
dat is onbetaalbaar. Voor acht euro kun je een hele dag onder het stadion parkeren.
We nemen de metro richting centrum.

We zijn nog maar net vertrokken, als Yvonne leest dat de metro niet verder rijdt
dan Station Amstel. Vanaf daar worden passagiers met bussen naar het Centraal
Station vervoerd. Het wachten op de bus duurt lang. Er zijn veel passagiers die
moeite hebben met een wachtende rij. Zij vinden achteraan sluiten lastig. Gelukkig
is het personeel van het GVB behulpzaam, als we bijna vooraan staan. Ze houden
andere passagiers tegen. Ik mag met Guusje in de rolstoel als eerste de bus in.

Vanaf het Centraal Station lopen we naar het Anne Frank Huis. Niemand van
ons gezin is er ooit binnen geweest. Aangekomen bij het Anne Frank Huis zien we
de bekende lange rij voor de ingang. Het enthousiasme op de gezichten van onze
kinderen is verdwenen. Hun blikken zeggen: daar gaan wij toch niet tussen staan.
Ik stel voor om naar het Van Gogh Museum te gaan. Anton en Guusje schilderen
graag. Vincent van Gogh zal indruk maken.

We lopen van het Anne Frank Huis naar het Van Gogh Museum. Bij het Museumplein aangekomen ogen onze kinderen en Yvonne erg vermoeid. Weet je wel hoe
laat het is? Dat is de vraag die mij duidelijk moet maken dat het tijd is voor de lunch.
Het begint zachtjes te regenen. Binnen is nergens plaats voor acht personen en vrijwillig nat worden op een terras heeft niemands voorkeur.

Aangekomen bij het Van Gogh Museum worden enkele kinderen chagrijnig. Weer een lange rij voor de ingang.

'We gaan toch niet aansluiten. Ik ga geen uur wachten.'

'Misschien is het twee uren wachten. We gaan wel iets zien vandaag. Vooruit aansluiten.'

Daar staan we dan. Het regent. Weinig vrolijke gezichten. Voor en achter ons spreken mensen over tickets. Is er een rij voor mensen met tickets en een andere rij voor mensen zonder ticket? Janneke besluit informatie te gaan inwinnen bij een dame van het museum die buiten rondloopt. Janneke en deze dame komen naar ons toelopen. De dame zegt: 'Volgt u mij maar.' We lopen achter haar aan. Langs de lange rij. Naar een liftje speciaal voor rolstoelen.

Tien minuten later zitten we in het museumcafé. Ik neem koffie en een broodje zalm. Guusje is trots. Dankzij haar zijn we snel binnen. Geen uur wachten. Uitkijkend over het Museumplein zien we mensen wind en regen trotseren. Je moet er niet aan denken buiten te zijn. Zomer in Nederland.

We kunnen met onze kinderen langs de schilderijen gaan lopen en zelf proberen er iets over te vertellen, maar dat heeft niet mijn voorkeur. Loes kiest voor een puzzeltocht. Guusje en Anton nemen elk een audiotour voor kinderen. Hans en Lisa hetzelfde maar dan voor volwassenen.

Yvonne helpt Loes met de puzzeltocht. Ik duw de rolstoel met Guusje langs de schilderijen. Bij bepaalde werken luistert ze naar een verhaal dat wordt verteld door een koptelefoon. Ze vindt het geweldig. Enthousiast vertelt ze wat ze heeft gehoord. Van Gogh heeft een aantal schilderijen gemaakt terwijl hij in het ziekenhuis lag. Dat vindt ze heel interessant. Dat Vincent pas beroemd werd na zijn dood vindt ze heel raar.

Omdat we gisteren via internet met korting tickets hebben gekocht voor Madame Tussauds, kunnen we geen uren blijven in het Van Gogh Museum. Wel jammer. Praten met Guusje over schilderijen is boeiend.

Als we buiten komen, staat er nog altijd een lange rij voor de ingang. Het weer is er niet beter op geworden. Het regent hard. De tocht naar Madame Tussauds is lang. We worden allemaal erg nat. Zeker Guusje. Zij zit in haar rolstoel.

Ook bij Madame Tussauds een lange rij. Niet voor ons. Wij mogen meteen naar binnen. Het bezoek aan de wassenbeelden van beroemdheden is leuk. We maken veel foto's. Na Madame Tussauds besluiten we naar huis te gaan. Er is weinig aan om in het centrum van Amsterdam te blijven. Het is veel te nat. Speciaal voor Guusje lopen we een winkel binnen om een regencape aan te schaffen. De winkelbediende zegt dat ze uitverkocht zijn. Nog slechts een exemplaar. Een pop bij de voordeur. Yvonne zegt dat we er echt een nodig hebben. Voor vijf euro wil hij de cape wel van de pop halen. Terwijl hij naar voren loopt, ziet hij Guusje zitten. Hij haalt de cape van de pop en geeft deze aan Yvonne. Gratis voor het meisje in de rolstoel. De weg naar huis kost veel tijd, maar verloopt toch voorspoedig. Onderweg eten we bij McDonalds. Een goed alternatief bij dit slechte weer. Graag had ik in de avondzon op een terras gezeten. Alles is anders deze zomer. Ook het weer. Weggespoeld uit Amsterdam.

Vrijdag 12 augustus

Guusje heeft een matige nacht. Ze is regelmatig wakker. Dan heeft ze pijn. Hierdoor zijn Yvonne en ik vaak wakker. Als ik denk dat het echt tijd is om op te staan, blijkt het 11 uur te zijn. Tijdens het ontbijt zie ik het kaartje liggen dat gisteravond in de bus lag. Het is van een moeder. Wij kennen haar niet. Ze leest dagelijks de blogberichten over Guusje. Op haar vakantie in Zwitserland is de internetverbinding slecht. Toch lukt het soms het blog te lezen. Als ze daarmee bezig is, kijkt haar zoon mee. Deze herkent mij als zijn leraar economie van vorig jaar. Hoe klein kan de wereld zijn.

We hebben voor Guusje een PGB aangevraagd, omdat ze erg veel zorg nodig heeft. Na het ontbijt ga ik kijken hoe het ervoor staat met dit PGB. Veel lezen en telefoneren met instanties zoals het Zorgkantoor. Er is een indicatie afgegeven, maar er is nog geen budget toegekend. Ik ben hier al een tijdje mee bezig. Alle formulieren zijn ingestuurd. Toch kan het nog enkele weken duren voordat we zeker weten dat alles rond is. Ondertussen moet er wel een en ander worden geregeld. Hoe ik dat moet gaan doen, weet ik inmiddels. Contact met lotgenoten is hierbij erg waardevol. Nu maar hopen dat het Zorgkantoor snel het budget toekent.

We lunchen laat vandaag. Goed eten is belangrijk voor kinderen. Zeker voor Guusje. Yvonne komt met het idee naar een terras te gaan. Daar kan ik nog wat informatie doorlezen over het PGB. Yvonne kan met Guusje en Loes een partijtje midgetgolf spelen. We willen voorkomen dat Guusje alleen maar op de bank zit.

Het weer deze middag past bij deze zomer. Aangekomen bij het terras is het zo warm dat ik me afvraag waarom ik geen korte broek draag. Even later waait het fris. Fijn die lange broek. Nog later begint het te regenen. Het terras loopt leeg. Mensen die midgetgolf spelen staan te schuilen onder de bomen. Ik zie mezelf in gedachten in een hangmat onder bomen. Luierend onder de Spaanse zon. Dat waren nog eens vakanties.

Guusje heeft geen fijne dag. Regelmatig heeft ze pijn. Ook na het avondeten. We kijken de film 'Het Geheim'. Een bijzonder amusante film met Theo Maassen. Gelukkig een korte film, want onze dochter heeft moeite om het vol te houden. Na de film snel naar bed. Ik hoop dat ze een betere nacht heeft. Het doet me vaak denken aan de tijd dat we hele kleine kinderen hadden. Ook dan constateerde ik vaak 's morgens dat de nachtrust geen succes was. Toen dacht ik vooral aan mezelf. Nu denk ik vooral aan Guusje. Laat ze gewoon een keertje lekker slapen. Dat heeft ze nodig. Dat verdient ze.

Zaterdag 13 augustus

Vrijdag was een slechte dag. Gekenmerkt door pijn. Hopen op een goede nachtrust. Soms wordt hoop werkelijkheid. Bijna tien uren zonder extra medicijnen. We kijken terug op een rustige nacht.

Een rustig zaterdagochtend. Om 11 uur naar de kapper. Als ik thuiskom, vertrekken we naar Tilburg. Guusje en Loes hebben zin in shoppen. Yvonne is toe aan nieuwe kleding.

's Ochtends heeft Yvonne contact gehad met een lotgenoot. Zij weet waar in Tilburg de parkeerplaatsen voor gehandicapten zijn. Die waar je gratis kunt parkeren. Na ons bezoek aan Amsterdam heb ik reacties gehad dat je met een parkeerkaart vaak gratis kunt parkeren. Ook in Amsterdam. Was het hannesen met ons kleine blonde meisje tussen de Arena en het Centraal Station afgelopen donderdag niet nodig geweest. De slechte vrijdag van Guusje is waarschijnlijk het gevolg van een veel te drukke donderdag in Amsterdam.

We parkeren vlakbij het Pieter Vreedeplein. Het voelt vreemd om geen gebruik te maken van de parkeergarage. Het is wel makkelijk. Nooit gedacht dat ik ooit gebruik zou maken van een parkeerplaats voor gehandicapten. Er is zoveel dat ik nooit had verwacht. Zeker de laatste maanden. Een opeenstapeling van nooit verwachte gebeurtenissen. Ervaringen die je niemand toewenst.

Yvonne, Guusje en Loes vermaken zich prima. Yvonne slaagt bij een kledingwinkel en Guusje en Loes bij een sieradenshop. Ik ben man. Kijk toe vanaf de zijlijn. Doe mijn best een beetje interesse te tonen. Daarna lunchen en terug naar huis. Thuisgekomen is het rommelig in de keuken. Het ruikt lekker. Lisa is met vriendin Daniëlle koekjes aan het bakken. Yvonne geeft aan dat ze boodschappen wil doen voor het avondeten. De supermarkt is vlakbij ons huis. Om de hoek. We gaan altijd te voet. Yvonne en ik willen even samen gaan. Guusje wil mee. Als ik aangeef geen zin te hebben om de rolstoel achter uit de auto te halen, roept Guusje dat ze wel gaat lopen. Dat is prima. Lichaamsbeweging is goed voor haar. Even later lopen we door de supermarkt. Guusje maakt grapjes. Ze heeft goede zin. Het valt me op dat ze erg krom loopt. In een pijnontlastende houding.

De rest van de dag ben ik vooral druk met apparatuur. Ik brand twee CD's voor in de auto. Verandering van spijs doet eten. Al weken luister ik alleen maar naar Guus Meeuwis. Terwijl ik bezig ben, vraagt Lisa of het laatste album van Adele al beschikbaar is in iTunes. Deze wil ze graag op haar iPod. Laat ik nou toevallig net een CD'tje hebben gebrand van het laatste Album '21'.

Om 9 uur kom ik naar beneden. Loes en Guusje gaan naar bed. Mooi gelakte nagels. Janneke heeft de keuken ingericht als nagelstudio. Wat een lucht. Gelukkig hebben we een afzuigkap.

Als de jongste twee naar bed gaan, is het een ouderwetse drukte in ons gezin. We gaan een spelletje doen. Even een muziekje opzetten. Ik heb een CD'tje gebrand met muziek uit de Top 40. Voor ieder wat wils. Bij het eerst nummer roept er al iemand: 'Nee, niet dit liedje! Verschrikkelijk!' Ondertussen maakt iemand anders al danspassen. Terwijl de nagelstudio wordt opgeruimd in de keuken en Kolonisten van Catan wordt klaargelegd in de woonkamer, loopt een gezinslid boos naar boven. Geïrriteerd omdat de laptop niet meer mag worden gebruikt. Dan maar naar bed. De rest van het gezin trekt er zich niks van aan. Als je lastig bent, kun je beter gaan slapen.

Kolonisten van Catan verloopt niet vlekkeloos. Tijdens het tweede spelletje stoot iemand een glas sinas om. Met handdoeken proberen we het spel van de ondergang te redden. Valt niet mee, want het spel is oud en heeft zijn beste tijd gehad. De avond eindigt met een spelletje kaarten. We beginnen allemaal met evenveel geld. Ik verlies fors. Aan het eind van de avond ben ik blut. Ingemaakt door mijn kinderen en mijn vrouw. Blije gezichten kijken me aan. Ik vind het prima. Iemand moet de slachtofferrol op zich nemen. Laat ik dat vanavond maar doen. Mijn kinderen voelen zich winnaars. Hebben mijn kinderen een goed gevoel, dan heb ik het ook. Af en toe laat ik mijn kinderen daarom winnen. Deed ik dat vanavond ook? Als ik zeg van wel, geloven ze me toch niet.

Zondag 14 augustus

Ik ben vroeg wakker. Duw het gordijn opzij. Regen. Dat hebben we deze zomer nog niet gehad. Zou mooi zijn, als ik dat kon zeggen. Geen reden om vroeg op te staan. Slaap verder.

We zijn in Spanje. We komen aan bij het zwembad. Wie als eerste in het water is. Snel mijn t-shirt en slippers uit. Rennen. Springen. Mijn telefoon! Mijn telefoon zit in mijn broek!

'Papa!'
'Ja.'
'Papa! Kom je?'
'Volgens mij roept ze mama, Yvonne.'
'Ik ben om half 6 al bij haar geweest. Nu is het jouw beurt.'
'Ze riep toch echt mama.'
'Papa!'
'Ja, ik kom al. Rustig maar. Wat is er?'
'Ik heb pijn.'
'Wat vervelend voor je. Ik zal even je medicijnen pakken. Kom je gezellig bij ons in bed liggen?'
'Dat is goed. Waar kan ik liggen?'
'Tussen papa en mama.'

Even later lachen. Die droom van mij. Met mijn telefoon in het zwembad. Guusje wil weten of het echt gebeurd is. Ik vertel over een scoutingkamp van jaren geleden. We kwamen aan bij het zwembad. We deden wedstrijdje. Wie het eerste in het water zou liggen. Ik won. Er zat een pakje sigaretten in mijn broekzak. Was ik vergeten.

Jarenlang antirookcampagnes. Ik rook gewoon door. Het doet me niets. Tot die vreselijke boodschap. Uw dochter heeft een tumor in haar long. Papa stopt direct. Het is geen longkanker. Het heeft niets met roken te maken. Toch rookt papa niet meer. Veel stoppers herinneren hun laatste sigaret. Ik niet.

Guusje wil graag naar de camping. Yvonne's broer kampeert met vrouw en vier kinderen op een camping bij St. Oedenrode. Zijn vrouw twittert een foto. Daarop

Op de camping is het gezellig

is duidelijk te zien dat de regenbuien de camping hebben bezocht. Laten we eerst maar eens kijken hoe het weer zich ontwikkelt. Als ik het gordijn opzij duw, zie ik nog altijd een natte Van Beurdenstraat.

Zondagochtend en vakantie. Lekker ontbijten. Geroosterd brood en gekookte eieren. Yvonne gaat zorgen dat alles in gereedheid komt voor het campingbezoek. De vooruitzichten qua weer zijn goed.

Ik ga Balou uitlaten in de bossen. Op zondagochtend zijn er veel honden. Dan kan hij lekker rennen. Hij springt enthousiast rondjes. Soms springt hij over andere honden. Dan maak ik de opmerking dat hij in zijn vorig leven een hertje was.

Terug in de auto kijk ik achterom. Ik zie de stoel waar Guusje altijd zit. Lange blonde haren. Best veel. Onze dochter is nog steeds niet kaal. Toch verliest ze veel haren. Wie veel heeft, kan veel verliezen. Bovenop is haar huid duidelijk zichtbaar. Een pruik is nog niet nodig. Een hoed, pet of hoofddoekje wel.

Als ik thuiskom, vertelt Yvonne dat Guusje moest overgeven. Ik merk op dat het de eerste keer is. Iedereen spuugt bij chemo. Onze dochter nog nooit. Tot nu toe dan. Ze vroeg tijdens het ontbijt om een pilletje tegen de misselijkheid.

Als Guusje moet spugen en zich ziek voelt, kunnen we beter thuisblijven. Daar is Guusje het niet mee eens. Ze is kind en wil dolgraag naar de camping. Als we vragen hoe ze zich voelt, kunnen we het antwoord raden.

Even later rijden we richting St. Oedenrode. Janneke en Lisa blijven thuis. Achterin de auto zijn de kinderen druk. We gaan naar de camping. Hans, Anton, Guusje en Loes hebben er zin in.

Het bezoek aan de camping is leuk. We zijn nog maar net gearriveerd of de zon begint te schijnen. Warme zonnestralen. Ik rits de pijpen van mijn broek. Sandalen aan. Onze kinderen trekken zwemkleding aan. Tijd voor waterpret.

Helaas blijft het weer niet mooi. De zon verdwijnt. De lucht wordt grijzer. Aan het eind van de middag zitten we met twaalf mensen in een tentje. Vier volwassenen en acht kinderen. Het plenst. We gaan terug naar huis. In de auto belt Yvonne met Janneke. Ze geeft de bestelling door voor de afhaalchinees.

Helaas weer geen avond in de tuin. Na het avondeten huren we bij de videotheek twee DVD's. We beginnen aan de laatste week zomervakantie van de basisschool. Twee wensen voor komende week: weinig pijn voor Guusje en veel zon voor ons allen. Een mooie combinatie.

Maandag 15 augustus

Vandaag een rustig dagje. Huishoudelijk werk en voorbereidingen voor het nieuwe schooljaar. Guusje had een redelijk goede nacht. Tegen de ochtend even wakker vanwege een nare droom.

Vaak zien we dat Guusje in de ochtend veel behoefte heeft aan extra pijnmedicatie. Misschien komt het vandaag door de spanning. Lindy komt kennismaken en Guusje kent haar niet. Binnenkort gaan Yvonne en ik weer aan het werk. Als Guusje niet in staat is om naar school te gaan, zal Lindy haar verzorgen. Yvonne en ik hebben er alle vertrouwen in dat het goed gaat. Nu maar hopen dat het Zorgkantoor snel het budget toekent.

In een groot gezin valt er altijd wat te beleven. Zo ook vandaag. Janneke en Hans hebben samen een folderwijk. Janneke wil gaan vertrekken. Plotseling komt ze naar binnen lopen. Haar fiets heeft het begeven. Is de fiets te oud en te zwak of waren

Kind zijn in de speeltuin

de folderpakketten te zwaar? Wie het weet mag het zeggen. Twee keer op en neer fietsen was ook een optie geweest.

Na het avondeten gaan we naar een terras met speeltuin. Omdat we van afwisseling houden, rijden we een keer naar een ander terras. Helaas gelegen in de schaduw. Dat blijkt bij aankomst. Er staat een frisse wind. Anton, Guusje en Loes hebben geen last van de kou. Zij vermaken zich in de speeltuin. De hele dag beweegt Guusje weinig. In een speeltuin gaat ze vaak even los. Ook vandaag. Dan zie ik vooruitgang. Beelden om van te genieten. Dan denk ik terug aan begin april en zie ik Guusje voor me, met een zuurstofkapje in een ziekenhuisbed. Ze komt van ver. Kleine stapjes vooruit.

Midden in de nacht. Guusje roept me. Slapend loop ik naar haar bed. Ze kan niet alleen naar het toilet. Ik ondersteun haar. Soms kan ze alleen. Nu niet. Ik merk dat ze pijn heeft. Terug in bed geef ik haar extra medicijnen. Daarna een kusje en ons vaste ritueel. Slaap lekker. Welterusten. Tot morgen. Doei dag.

Dinsdag 16 augustus

Voor het ontbijt zegt Yvonne dat ons geplande uitstapje voor vandaag niet doorgaat. Guusje heeft verhoging. Temperatuur net boven achtendertig. Dat is balen. We hebben geen andere activiteiten gepland. Het is nu nog bewolkt, maar de weersvoorspelling is gunstig. Misschien zon vanmiddag.

Na het ontbijt weer temperatuur opnemen. De koorts is gezakt tot normaal niveau. Snel maken we ons op om richting Den Haag te gaan. Yvonne heeft een tip gekregen van een collega: het Kinderboekenmuseum. Wie gaan er mee?

Sowieso onze jongste drie kinderen. Hoe zit het met onze oudste drie? Janneke is niet thuis. Lisa heeft afgesproken met een vriendin. Hans heeft niets gepland. Yvonne en ik willen graag dat onze oudste zoon meegaat. Goed voor de sfeer. Hoe we ook praten, het helpt niet. Hans heeft een blik in zijn ogen die genoeg zegt. Laat me met rust. Geen bemoeienis van niemand. Helemaal niks. Een dag alleen. Dat is alles wat ik wil. Gaan jullie maar lekker weg. Ik vermaak me wel. Prima. Alleen.

Onderweg naar Den Haag geeft Anton aan dat hij ook liever thuis was gebleven. Anton is dyslectisch en ziet een museum over boeken niet zitten. Alleen maar lezen. Een museum lang. Hij moet er niet aan denken. Yvonne en ik negeren zijn gemopper.

Vlakbij het museum vinden we een parkeerplaats voor gehandicapten. Dat komt goed uit. Als we uitstappen, staan we tussen hoge gebouwen. Het waait fris. Zou de zon nog gaan schijnen vandaag? Lijkt me sterk. Zonder trui of jas kun je niet de deur uit deze zomer.

Het bezoek aan het Kinderboekenmuseum is een groot succes. Er zijn veel interactieve onderdelen. Aan het eind van de tocht heeft elk kind een eigen hoofdpersoon gecreëerd voor een zelf te verzinnen verhaal. Veel creativiteit en eigen inbreng. Volgens onze kinderen is dit museum helemaal top. Zelfs Anton is helemaal om. Guusje heeft weinig behoefte aan extra pijnmedicatie in het museum. Ik duw steeds een lege rolstoel. Pijn lijkt niet te bestaan in de wereld van de kinderboeken.

Samen lachen in de wereld van de kinderboeken

Halverwege de middag stappen we naar buiten. De zon schijnt. Het is warm. Yvonne en ik weten de volgende bestemming: Scheveningen. Ook daar hebben we geluk. Pal naast het strand een vrije parkeerplaats. We maken een wandeling over de boulevard. Guusje in een rolstoel. Daarna besluiten we op het strand te gaan liggen. Klein probleem. We hebben slechts één handdoek bij ons.

De wandeling over het strand is moeilijk. Guusje wordt ondersteund door Yvonne. Langzaam richting zee. Ondertussen rennen Anton en Loes al door het water.

Na ongeveer een kwartiertje rusten op ons handdoekje, begint ook Guusje te spelen. Niet in het water. Kastelen bouwen en schelpen zoeken. Samen met Anton. Ondertussen rent Loes door de golven. Zonder kleren. Deze zijn drijfnat. Gelukkig snel droog door wind en zon.

Aan het eind van de middag beginnen onze kinderen honger te krijgen. Bij de auto aangekomen stel ik voor om ergens aan de boulevard een hapje te eten. Yvonne heeft een beter idee. Tenminste dat vindt ze zelf. Madurodam is vlakbij. Ik heb bezwaren. Denk aan Guusje en haar beperkingen. Het is nu al een fantastische dag. Soms moet je stoppen op het hoogtepunt. Onze kinderen hebben echter duidelijk gehoord wat mama voorstelde. Ik kan inpakken met mijn argumenten. We rijden naar Madurodam. Een ritje van enkele minuten.

Aangekomen in Madurodam gaan we eerst eten. Daarna lopen we door miniatuurstad Nederland. Het lijkt wel of deze dag gewoon niet stuk kan. Het is eten is goed. Onze kinderen blijven enthousiast. Ook Guusje. Om 8 uur gaat Yvonne's telefoon. Onze zoon Hans wil weten waarom wij nog steeds niet thuis zijn. Anton kan het niet laten om zijn broer toe te roepen dat we ons geweldig vermaken.

Op de terugweg hoor ik spontaan: het was een fantastische dag. Uit drie monden. Mooier kan niet. Guusje is ernstig ziek, maar wij vieren het leven.

Als iedereen naar bed is, zit ik alleen in de woonkamer. Mijn laptop op schoot. Klaar om te bloggen. Voordat ik begin met schrijven, kijk ik eerst op het blog over Fleur. Veel aan het meisje gedacht. Vanmiddag was haar uitvaart. Ook dat is vandaag.

Woensdag 17 augustus

Gisteren een hele drukke dag. We hebben vakantie. Uitslapen is een mogelijkheid, maar niet voor Yvonne. Zij heeft om 9 uur een afspraak bij de kapper. Foutje in de planning. Guusje heeft een goede nacht. Ze is bezweet bij het opstaan. Komt vaak voor. Zweten zonder koorts.

Yvonne en ik realiseren ons dat volgende week de vakantie voorbij is. We hadden grootse plannen met betrekking tot opruimen, maar veel is blijven liggen. Toch moeten we ervoor zorgen dat volgende week het huis een beetje aan kant is. Dat valt niet mee met zes kinderen. Maandag gaan Anton en Loes weer naar school. Yvonne gaat werken. Ik zal met Guusje naar het ziekenhuis gaan.

Vandaag veel bezoek. 's Middags Jan-Willem en zijn gezin. Jan-Willem is een vriend en goede collega van toen ik werkte bij Oracle, een Amerikaans IT-bedrijf. We spreken over het werken in het onderwijs. De roosters op een school liggen vast. Toen ik bij Oracle werkte had ik een flexibele agenda. Kon ik veel thuiswerken.

Hoe ga ik een voltijdbaan op school combineren met de zorg voor Guusje? We hebben wel een PGB om zorg in te kopen, maar bezoeken aan het ziekenhuis kun je niet uitbesteden. Ik zal wel zien hoe het loopt. Misschien gaat het over enkele weken wel beter met Guusje. In mijn achterhoofd een stemmetje: 'Geloof je het zelf?'

Afgelopen maandag zakte Janneke's fiets door haar hoeven. Deze kreupele fiets voer ik vandaag af naar de stort. We hebben een klein plaatsje achter het huis. Zo'n bonk roest staat al snel in de weg. 's Avonds rijd ik met Janneke naar een vriendin. Deze belde dat ze een fiets heeft voor onze oudste dochter. Helemaal gratis. Janneke is blij. Vorige week schafte ze van haar spaargeld een iPod Touch aan. Daardoor zijn haar financiële reserves krap. Te krap voor een nieuwe fiets.

Guusje heeft een leuke middag. Ze gaat midgetgolfen. Samen met vriendin Nikki. Als ze weer thuis is, komt een ander vriendinnetje langs. Onze dochter vindt het leuk om haar klasgenoten weer te zien. Volgende week naar school. Voor de vakantie was ze niet in staat om een hele ochtend op school te blijven. We zullen zien hoe lang Guusje het vol kan houden in de klas. Ik ga niet gissen. Niets is voorspelbaar.

Donderdag 18 augustus

De laatste vakantiedagen. Rustig opstaan. Hond uitlaten in de bossen. Als ik thuis kom, pakken Yvonne en ik de kamer van onze jongens aan. Hans en Anton helpen mee. Onze jongens werken snel. Maandag eerste schooldag. Guusje kan dan niet naar school in verband met chemo. Ik bel met juf Ilse. Ze is op school. Samen met juf Bianca komt ze zo meteen op bezoek. Wij wonen op loopafstand van school. Als de bel klinkt, zijn zij het. Fijn om ze beiden te spreken. We maken afspraken voor het nieuwe schooljaar.

Ik leg uit dat we wachten op toekenning van een PGB voor Guusje. Met behulp van een PGB kunnen we zorg regelen voor onze dochter. Ook op dagen dat Yvonne en ik gaan werken. We hopen Guusje nog heel lang bij ons te hebben. Vanuit die hoop hebben we besloten als ouders weer aan het werk te gaan.

Het is mooi weer. We zitten lekker buiten. Guusje komt erbij zitten. Naast juf Bianca. Het verschil is groot. De juf is bruin. Onze dochter spierwit. Bij het afscheid van de juffen regent het pijpenstelen. Vragende gezichten. Ik geef een paraplu mee.

Na de lunch is er post. Een brief van het Zorgkantoor. Goed nieuws. Het PGB voor Guusje is toegekend. Yvonne stuurt een sms naar Lindy. We kunnen haar nu officieel in dienst nemen om voor Guusje te zorgen op de dagen dat Yvonne en ik gaan werken.

Enkele weken geleden gingen we met drie kinderen naar Harry Potter in de bioscoop. Onze jongste dochter Loes is te jong voor Harry Potter. Yvonne en ik hebben haar beloofd dat zij nog een keertje mee mag naar de bioscoop.

Loes constateert dat de vakantie bijna voorbij is en dat ze waarschijnlijk kan fluiten naar haar bioscoopbezoek. Hoe is het mogelijk? Juist nu de Smurfen te zien zijn. In 3D zelfs. Loes is een volhouder. We horen al dagenlang over onze belofte. Als we vragen of de andere kinderen ook mee zouden willen naar de Smurfen, krijgen we een antwoord in de trant van 'wat een domme vraag'. Loes en Guusje vliegen me om de nek, als ik vertel dat ik kaartjes heb besteld. Onze kinderen genieten enorm van de film. Er wordt veel gelachen. Ook door onze twee oudste dochters. Die liggen opvallend vaak in een deuk op andere momenten dan het erg jonge publiek.

Met Guusje gaat het vandaag best goed. Ze gebruikt relatief weinig extra pijn-medicatie. Wel heeft ze moeite met lopen. Ze heeft ondersteuning nodig. Ik merk dat alle ogen in de bioscoopzaal op onze dochter zijn gericht. Als we thuiskomen is Guusje helemaal op. Ze heeft maar een wens en dat is zo snel mogelijk naar bed. Ze kan niet meer.

Als Loes en Guusje op bed liggen, is de rest van de familie klaar om te spelen met ons nieuwe spel Kolonisten van Catan. Hebben we vandaag toegestuurd ge-kregen. Iemand had Yvonne's tweet gelezen dat het oude spel gesneuveld was. Ik heb er veel zin in, maar wil eerst even rustig een kopje koffie drinken. Althans dat is de bedoeling. De hond lanceert met zijn staart mijn kopje vanaf de salontafel. Het is niet het eerste knoei incident vandaag. Tijdens de lunch duwde Hans, toch ook niet meer de jongste binnen ons gezin, een beker melk om. Zou er ooit een week voorbij gaan zonder omvallende bekers, kopjes en glazen? Ik denk dat we er nog lang op moeten wachten in huize Van Gorp.

Vaak wordt Guusje laat in de avond wakker. Vanavond niet. Daarom wekt Yvon-ne haar voor de medicijnen.
'Waarom maak je me wakker?'
'Voor je medicijnen.'
'Maar ik had net een leuke droom.'
'Waarover?'
'Dat weet ik niet, maar het was wel leuk.'

Vrijdag 19 augustus

Ik rijd het parkeerterrein op van het Tweesteden Ziekenhuis in Waalwijk. Er zijn ruime parkeerplaatsen voor gehandicapten. Helaas ben ik de invalidenparkeerkaart vergeten. Die ligt in de andere auto. Nadeel van het hebben van twee auto's.

Vriendelijke gezichten groeten ons vanachter de balie. De dames van het bloedprikken kennen Guusje. Vrij snel is onze dochter aan de beurt. De verpleegkundige wil weten wie die twee leuke poppen zijn in haar rolstoel. Ik leg uit wie Radio Robbie en Chemo Kasper zijn. De dame is enorm vriendelijk. Vingerprikken is vanzelfsprekend. Geen gezeur dat het ook anders zou kunnen. Als ik Guusje door de hoofdingang naar buiten duw, zegt ze: 'Dat ging snel. Die mevrouw was echt heel erg aardig.'

Thuis is iedereen bezig. Yvonne verdeelt taken onder onze kinderen. Anton mag vandaag oefenen voor tuinman. Daar is hij zo mee klaar. Anton doet alles snel en tuin is een te groot woord voor ons plaatsje.

De weersvoorspelling voor morgen is zon. Tijdens de lunch vragen we welke kinderen zin hebben om naar zee te gaan. Yvonne's ouders huren een stacaravan in Westkapelle. Iedereen wil graag naar het strand. Alleen Janneke heeft andere verplichtingen. Ik moet onze kinderen alvast duidelijk maken dat we morgenochtend tijdig vertrekken. Ik heb geen zin in file richting strand.

'Wat bedoel je met vroeg, papa?'
'8 uur.'
'Dat is vroeg opstaan.'
'Nee, dat bedoel ik niet.'
'Wat dan wel?'
'Vertrekken. Om 8 uur wil ik wegrijden.'
'Ik geloof dat ik zo meteen naar Hans Anders moet voor een gehoortest.'
'Nee, er is niets mis met onze oren. Er hangt hier een hallucinerende gaslucht. Daarvan gaat papa raar praten.'

De rest van de dag verloopt rustig. Tweemaal bezoeken we een terras met speeltuin. Anton, Guusje en Loes spelen. Yvonne en ik genieten. We zien Guusje steeds vrijer bewegen.

Onze dochter is ernstig ziek. Hoogstwaarschijnlijk wordt ze nooit meer onze 'oude' Guusje. Toch zien we vooruitgang. Ze kan meer dan vier maanden geleden. We zijn blij. Blij dat we haar nog altijd bij ons hebben, hoe moeilijk de omstandigheden soms ook zijn.

Zaterdag 20 augustus

Afgelopen dagen mooie reacties gehad. Vaak van onbekenden. Fijn om te weten dat veel mensen met Guusje meeleven. Gisteravond laat kwam de volgende reactie binnen:

Een dagje aan het strand in Zeeland

*Fijne dag morgen! (ben benieuwd hoe laat jullie uiteindelijk zullen vertrekken...
c.q. wie er de baas is, haha)*

Het is 7 uur. Ik word wakker en denk aan bovenstaande reactie. Iedereen slaapt.
Als ik niets doe, dan liggen we om 10 uur nog in ons bed. Gisteren heb ik 8 uur
genoemd als tijdstip van vertrek naar Zeeland. Hans en Lisa hebben toen gelachen.
In de trant van 'in your wildest dreams'. Wie is hier de baas? Vooruit Lowie. Trommel
ze uit bed. Actie!

Inclusief Brabants kwartiertje rijden we om 8 uur weg. Ik toets de bestemming
in op de TomTom: Westkapelle. Dat is dan honderdzevenenveertig kilometer rijden.
Toch even schrikken. We zijn anderhalf uur onderweg. De maximumsnelheid is vaak
honderddertig. Doorrijden zou mogelijk zijn, maar niet met zoveel auto's richting Zeeland. Gelukkig geen file.

Vanaf de gehuurde stacaravan lopen we samen met Yvonne's ouders naar het
strand. In het begin is de wind nog fris. Gelukkig breekt al snel de zon door. Het is
een heerlijke dagje strand. Zandkastelen bouwen. Krabben vangen. Te weinig zon-
nebrand smeren. Rondspringen in zee. Terug van het strand eten we friet. Daarna
nog even spelen. Kinderen hebben altijd energie.

De terugreis verloopt voorspoedig. We kunnen flink doorrijden. Om 8 uur zijn we
thuis. Nog steeds mooi weer. Het is aangenaam zitten achter op het plaatsje. Ook al
ben je erg verbrand. Strand en zee zijn geweldig. Zeker voor onze kinderen. Jammer
dat Zeeland zo ver weg is. Guusje heeft vandaag veel extra pijnmedicatie gebruikt.
Toch maar hopen dat ze lekker doorslaapt. Als ze droomt van de mooie momenten
van vandaag, dan gaat het goedkomen.

Zondag 21 augustus

Laatste vakantiedag. Heerlijk uitslapen. Guusje had een goede nachtrust. Wat gaan we doen vandaag? Niet veel. Een rustdag. Tweemaal een terrasje.

Voor onze basisschoolkinderen sluiten we de vakantie af met midgetgolf. Anton, Guusje en Loes hebben er zin in. Het begint leuk. Bij de eerste baan slaat Guusje een hole-in-one. Vanaf de tweede baan ontstaat er onenigheid tussen onze kinderen over de puntentelling. Yvonne en ik bemiddelen.

Morgen begint Guusje aan de vierde cyclus chemo. Een cyclus duurt vier weken. Drie maandagen chemo gevolgd door een maandag rust. Ik ga morgen met onze dochter naar Amsterdam. De eerste keer zonder Yvonne. Zij gaat werken.

Vanavond maken we een lijstje van de medicijnen die we nodig hebben. Daarnaast een overzicht met vragen voor de artsen. Hoop dat de chemo morgen zonder problemen verloopt.

Soms denk ik terug aan begin juni. Guusje was net uit het ziekenhuis. Ik vroeg op school of het mogelijk was dat Guusje's groep komend schooljaar een lokaal zou krijgen op de begane grond. In mijn hoofd spookte 'misschien haalt ze het einde van de zomervakantie niet'.

Vandaag einde zomervakantie. In mijn hoofd een mijlpaal. Volgende bestemming: herfstvakantie.

Ruimte

22 augustus – 19 september

● ●

Maandag 22 augustus

De vakantie is voorbij. Eerst schooldag voor Anton en Loes. Eerste werkdag voor Yvonne. Om half 8 vertrekken Guusje en ik richting Amsterdam. Er is geen oponthoud onderweg. Om kwart voor 9 arriveren we op F8 Noord van het Emma Kinderziekenhuis. Drie kwartier te vroeg. Dat betekent wachten op het prikken van het infuus. Terwijl we zitten te wachten komt de fysiotherapeut langs. Guusje loopt krom. Hoogstwaarschijnlijk door de pijn veroorzaakt door de tumor. Ze heeft aangegeven dat ze eigenlijk niet meer weet wat recht staan is. De fysiotherapeut heeft enkele tips.

Eindelijk is Guusje aan de beurt voor het prikken. Bij de behandelkamer staat een klein schilderijtje in het raamkozijn. Het is gemaakt door Guusje. Eerst wordt onze dochter onderzocht door een arts. Daarna gaat hij prikken. Deze arts was meerdere malen succesvol, maar niet vandaag. Twee pogingen en hij besluit om het stokje over te geven aan een ander. Dikke tranen bij ons kleine blonde meisje. Ook de volgende arts lukt het niet.

Tot nu toe werd enkel in de hand geprikt. Besloten wordt om in de arm te gaan prikken, maar dan moet wel eerst toverzalf worden aangebracht. Deze moet vervolgens minstens een half uur inwerken. Guusje is totaal overstuur. Tijd nodig om af te koelen. Ik ga voorlezen in de speelkamer. Na enkele bladzijden verschijnen twee redders in nood: de cliniclowns. Heerlijke ontspanning op het juiste moment. Na een uurtje worden we opgehaald om opnieuw naar de behandelkamer te gaan. Ik speel voor onze dochter de relaxte papa, maar onderhuids voel ik nu ook spanning. Dit blijkt niet nodig. De infuusnaald glijdt in het bloedvat. Klaar. Alsof het een fluitje van een cent is.

Guusje wil tijdens een chemokuur nooit in bed liggen. De voorkeur gaat uit naar een luie tuinstoel. Onze dochter verzoekt mij door te gaan met voorlezen. Vooruit dan maar. Ik onderbreek het verhaal om te lunchen. Voor Guusje twee boterhammen met appelstroop. Ze eet de helft op. Dan zie ik haar ogen wegdraaien. Elke chemo hetzelfde liedje. Guusje transformeert tot Doornroosje en ik tot haar lakei.

Als de chemo bijna is doorgelopen, stopt plotseling het infuus. Er wordt door enkele verpleegkundigen naar gekeken. Niemand krijgt het systeem aan de praat.

Er is overleg nodig met dokter Marianne. Gelukkig komt na een tijdje het bericht dat het niet nodig is om opnieuw een infuus te prikken. Ik moet er niet aan denken. Niet weer een prikdrama. Niet vandaag.

Twee weken geleden hebben Yvonne en ik uitgebreid gesproken over de beperkingen van de pijnmedicatie. We hoopten op een alternatief, maar we hebben niets meer gehoord. Vandaag wil ik hierover graag spreken met dokter Marianne en een arts van het Pijnteam. De hele middag wacht ik op deze artsen. Het is rond half 5 als eindelijk de arts van het Pijnteam Guusje's kamer binnenstapt. Nog geen minuut later komt ook dokter Marianne binnen. Al snel blijkt dat de huidige medicijnen worden gezien als de beste oplossing voor dit moment. Ook andere oplossingen hebben beperkingen.

Alle ogen zijn vanaf nu gericht op een CT-scan die gemaakt gaat worden na de vierde cyclus. Vandaag zijn we met deze cyclus gestart. Drie maandagen chemo. Daarna een maandag rust. In de rustweek wordt een scan gemaakt. Daarna wordt besloten wat de vervolgstappen zullen zijn. Dokter Marianne werkt hiervoor samen met artsen uit andere landen. De tumor is zeldzaam. De kennis beperkt. Negen uur na aankomst duw ik Guusje in haar rolstoel het ziekenhuis uit. Een veel te lange dag.

Ik kan op deze dag terugkijken en denken aan de ellende die Guusje meemaakt. Ik kan echter ook herinneringen oproepen aan mooie momenten. Ook vandaag. Vanmiddag kreeg Guusje spontaan bezoek van verpleegkundige Marij. Regelmatig heeft Guusje contact met haar. Betrokkenheid is fijn voor onze dochter.

Als ik het parkeerterrein afrijd, geeft Guusje aan dat ze trek heeft. Onderweg eten we een hapje. Als we thuiskomen, hebben Yvonne en ik veel te bespreken. Ik over het ziekenhuis en Yvonne over haar werk. Haar contract is met een jaar verlengd. Wel gaat ze drie dagen werken in plaats van vier.

Hoe ging het thuis? Onze oudste kinderen moesten op de winkel passen. De was is gestreken. De hond is bij de dierenarts geweest. De folders zijn bezorgd. De jongste kinderen van school gehaald. Alles is goed verlopen. Het voordeel van grote kinderen.

Dinsdag 23 augustus

De bassischool begint om half 9. Ik zorg dat onze drie jongste kinderen erop tijd zijn. Voor Guusje is dit haar eerste schooldag na de zomervakantie. Gaat zij het de hele ochtend volhouden? Ik overhandig de extra pijnmedicatie aan juf Bianca. Spreek af op welke momenten deze medicatie mag worden toegediend.

Thuis is het stil. Yvonne is naar haar werk. Onze drie oudste kinderen liggen in bed. Ik zie dat ik een e-mail heb ontvangen over mijn rooster voor het komend schooljaar. Veel tussenuren. Dat vind ik niet prettig.

Om kwart over 11 gaat de telefoon. Het gaat niet goed. Ik haal Guusje snel op. Thuis geeft ze aan veel pijn te hebben. Volgens onze dochter ging het redelijk goed op school. Later hoor ik van juf Ilse dat Guusje slechts een half uur actief heeft mee-gedaan. Erbij zijn is voor ons meisje belangrijker dan meedoen.

Na de lunch spelen Hans, Anton, Guusje en Loes een spel op de WII. Als de school weer is begonnen, blijft Guusje thuis. Ik ga verder met lessen voorbereiden. Guusje wil nog even spelen.

Om 3 uur gaat de bel. Het is Lindy. Zij gaat voor Guusje zorgen op de dagen dat Yvonne en ik werken. Met school heb ik afgesproken dat ik Lindy deze middag kom voorstellen. Guusje speelt sinds de lunch met de WII. Is dit het meisje dat zo weinig fut had vanmorgen? Wat een tegenstelling. Ochtend versus middag.

Tegen 4 uur lopen we terug naar huis. Lindy duwt de rolstoel. Guusje geeft aan dat ze graag met Ina wil spelen. Bij haar vriendin blijft ze maar een half uurtje. Dan staat ze weer aan de deur. Het gaat niet goed.

Misschien is het voor buitenstaanders een vreemde dag, maar voor ons niet: goede en slechte tijden wisselen elkaar af. Typisch voor onze zieke dochter. Het is afwachten. Elke dag. Wat worden de goede en slechte momenten? Niemand die het vooraf weet.

Guusje's ziekte is onvoorstelbaar
Het dagelijkse verloop onvoorspelbaar

Woensdag 24 augustus

Yvonne en ik zijn vandaag thuis. We brengen Anton, Guusje en Loes samen naar school. Bij het afscheid willen Guusje en Loes een zoen. Anton moet er niet aan denken een zoen te krijgen van papa en mama. Zeker niet op het schoolplein. Wat zullen de mensen wel niet denken. Een jongen uit groep 8 die zijn ouders nog zoent.

Op weg naar huis zegt Yvonne dat ze denkt dat Guusje het de hele ochtend vol gaat houden op school. Ik moet het nog zien. Heel vaak hoop gehad de laatste tijd en het te vaak mis zien gaan. Ik waag me niet meer aan dit soort uitspraken.

Thuis ga ik naar boven. Planningen maken voor het komend schooljaar. Af en toe kijk ik op de klok. Na 11 uur wordt het spannend. De woensdagochtend duurt lang op school. Zal ze het volhouden? Hoe zit ze erbij? Gisteren werd ik om kwart over 11 gebeld, maar later hoorde ik dat na een half uur de energie al op was.

Het is tegen 12 uur, als Yvonne mijn kamer binnenstapt. Ze vraagt of ik meeloop naar school. Natuurlijk. Ik wil ontzettend graag weten hoe het met ons kleine blonde meisje is. Bij school aangekomen maken we een praatje met andere ouders. Ik zie dat het bijna kwart over 12 is. Ik loop alvast naar binnen. Yvonne volgt.

Het is de gewoonte dat ouders buiten wachten, maar als kinderen die een ca-deautje uit mogen zoeken in de speelgoedwinkel, snellen Yvonne en ik naar binnen. We gluren door het raampje van de klas. Guusje zit er redelijk actief bij. Als de zoe-mer is gegaan, lopen we de klas binnen. Ik kijk naar juf Bianca. Het is goed gegaan vandaag. Heel anders dan gisteren. Vele malen beter.

Ik voel een zekere trots. Ons zieke meisje doet het toch maar mooi. Ik zeg te-

Een fijne nieuwe rolstoel

gen Guusje dat ik het heel fijn vind voor haar dat het gelukt is. Een hele ochtend op school. Knap hoor. Ik geef wel aan dat ze niet moet gaan forceren. Als het niet gaat, dan is het beter om naar huis te komen. Dat is moeilijk voor Guusje. Ze wil immers gewoon kind zijn tussen alle andere meiden en jongens van haar klas.

'sMiddags wordt voor Guusje een eigen rolstoel bezorgd. We zijn er erg blij mee. Onze dochter heeft mooie roze spaakbeschermers uitgezocht.

Het ging 's morgens goed op school. Dan gaat het vaak een stuk minder in de middag. Dat is niet het geval. Het blijft goed gaan. Guusje's vriendin Annabel komt langs. Ze vermaken zich prima.

Pas tegen het avondeten krijgt Guusje veel pijn. Deze pijn is moeilijk te onderdrukken. Het is ook te lang goed gegaan vandaag. Na het avondeten ligt Guusje verkrampt op de bank. Eerder op de dag heb ik beloofd dat we naar het nieuwe huis van een scoutingleidster zullen lopen. Guusje wil nog steeds. Ze beweert zich beter te voelen buiten zittend in de rolstoel dan thuis liggend op de bank.

Onderweg loopt aan de overkant van de straat Guusje's vriendin Ina. Ik roep: 'Hoe vind je Guusje's nieuwe rolstoel? Mooi hè.' Het meisje kijkt mij aan. Ze zegt niks. Haar ogen zeggen genoeg. Doe alsjeblieft normaal, papa van Guusje. Een mooie rolstoel bestaat niet. Rolstoelen kunnen niet mooi zijn.

Op weg naar huis is Guusje weer opgeknapt. Ze heeft goede zin. Vrolijk babbelend in haar rolstoel. Als ik voorstel om haar te fotograferen in de nieuwe rolstoel, dan is dat geen probleem. Ze heeft hele goede zin.

Donderdag 25 augustus

Vanaf deze week moet Guusje bloed laten prikken op donderdag om zich te kwalificeren voor de chemo op maandag. We zijn voor 8 uur in het ziekenhuis in Waalwijk. Ik rijd het parkeerterrein af. Guusje zit met een verkrampt gezicht. Haar ogen dicht.

'Gaat het? Heb je pijn?'

'Een beetje.'

'Wil je naar school?'

Guusje knikt.

'Als het niet gaat, dan kun je beter thuisblijven.'

Guusje zwijgt.

Als we bijna thuis zijn, stel ik de vragen opnieuw. Guusje geeft aan dat ze naar school wil. Daarnaast geeft ze aan in de klas te willen zitten in haar rolstoel. Als dat maar goed gaat! Het is bijna half 9. Ik besluit door te rijden naar school. Sinds kort hebben wij een parkeerkaart voor invaliden. Dat kan handig zijn. Helaas zijn alle parkeerplaatsen voor school bezet. Ook de plaatsen speciaal voor invaliden. Daarop staan auto's zonder parkeerkaart. Wat een teleurstellend asociaal gedrag. Misschien willen deze mensen ook een handicap. Dan kunnen ze gebruik maken van de speciale parkeerplaatsen en zijn ze nu alvast aan het oefenen.

Ik ga weg van school met een ander gevoel dan gisteren. Ik verwacht dat ik Guusje in de loop van de ochtend moet ophalen. Nu heb ik het al vaker mis gehad. Vandaag ook. Om kwart voor 12 haal ik een vrolijke Guusje op. Ze heeft goede zin. Ook 's middags gaat het goed met Guusje. Thuis speelt ze met Hans een computerspel. Om half 4 stap ik met Guusje in de auto. Ze heeft afgesproken met twee vriendinnen uit haar klas. Ik spreek geen tijd af om haar op te halen. Ik zie wel hoe het gaat.

Nog geen uur later word ik gebeld. Het gaat niet goed. Guusje heeft enorm veel pijn. Ik heb haar extra medicijnen gegeven voordat ze naar haar vriendinnen ging, maar het mag niet baten. De pijn is heftig en wil niet verdwijnen. Thuis duurt het een tijd voordat het weer goed gaat met haar. De avond verloopt rustig.

Terugkijkend op vandaag zie ik hetzelfde wisselende onvoorspelbare beeld dat ik de laatste tijd vaker zie. Een moeilijk moment aan het begin van de ochtend. Een forse dip aan het eind van de middag. Verder een redelijk stabiel beeld.

Pijn is moeilijk te doorgronden. Ook voor mij die zo dicht bij Guusje staat. Toch heb ik het idee dat ze beter met haar pijn om kan gaan dan enkele weken terug. Nu ik het opschrijf, realiseer ik me dat dit misschien vreemd klinkt. Toch laat ik mijn zinnen staan. Het is wat ik zie. Misschien heb ik het mis. Rare pijn.

Vrijdag 26 augustus

Vandaag gaan Yvonne en ik werken. Ik breng Anton, Guusje en Loes naar school. Ik merk dat ze onzeker zijn. Zal het goed gaan zonder papa en mama? Ik heb er vertrouwen in. Guusje is in goede handen bij Lindy. Zoals afgesproken gaat deze voor haar zorgen, als wij er niet zijn.

Nadat ik de kinderen naar school heb gebracht, vertrek ik richting Eindhoven. Vandaag kennismaking met andere nieuwe medewerkers. Het weer is slecht bij vertrek. Wind, regen en onweer. Ik hoop dat het geen voorteken is voor het komend schooljaar. Dichter bij mijn bestemming klaart het op. Dat is gunstig. Ik zie het positief. Het kan alleen maar beter worden.

In de tweede helft van de middag ben ik weer thuis. Lindy vertelt dat ze Guusje om kwart voor 11 heeft opgehaald. School belde. Het ging niet meer. Na de lunch heeft Guusje vrij lang geslapen. Daarna schoolwerk met Lindy gedaan. Samen bezig zijn. Dat is goed voor Guusje.

Na het avondeten breng ik Janneke en Lisa samen met twee vriendinnen naar de bioscoop in Tilburg. Papa speelt weer eens voor taxichauffeur. Weer thuis stappen twee nieuwe passagiers in. Anton en Guusje willen naar de scouting. Guusje geniet zichtbaar. Gewoon lekker kind zijn. Samen spelletjes doen. Het gaat goed. De bijeenkomst begint om 7 uur. Het ziet er naar uit dat ze 9 uur gaat halen. Dan worden de kinderen opgehaald door hun ouders. Twintig minuten voor het einde komt ze naar me toe. Het gaat niet meer. Ik moedig haar aan nog even vol te houden. Dat gaat ze doen. Makkelijker gezegd dan gedaan. Vijf minuten later staat ze weer voor mijn neus. Het gaat echt niet meer. Ze heeft nog geen drie kwartier eerder extra medicijnen gehad en nu is de pijn weer niet te verdragen. Meteen vertrek ik met haar naar huis. Ze is helemaal op.

De afgelopen dagen veel goede momenten afgewisseld door enkele mindere. Vandaag een hele matige dag. Veel pijn en dus veel extra medicatie. Het is niet anders.

Zaterdag 27 augustus

Gisteren had Guusje een matige dag. Het beeld is onvoorspelbaar. Er volgt een hele goede nacht. Al meer dan een week gebruikt Guusje geen middelen meer om in slaap te komen. Laten we het maar als een stapje vooruit beschouwen. Moed houden.

's Middags ga ik samen met Yvonne en Guusje naar Tilburg. We zoeken een plaats om te parkeren voor gehandicapten. Het lijkt wel of alle beschikbare plaatsen bezet zijn. Ik merk op dat ook gehandicapten een vrije zaterdag hebben. Ze hebben ook nog allemaal een auto. Of zijn de parkeerkaarten ooit gratis weggegeven bij een pakje boter? Onze ervaring is anders. We vinden na lang zoeken een plaatsje achter een feestwinkel.

Guusje heeft nieuwe schoenen nodig. Ik ben blij met de nieuwe rolstoel. Geen lomp en zwaar geval. Lekker licht en makkelijk wendbaar. In een van de winkels is een lift. Personeel stapt voor ons de lift in. Ze zeggen dat ze de lift meteen voor ons naar beneden zullen sturen. Ik moet lachen. In deze winkel is de klant koning, maar het personeel keizer. Ik ben twee keer in de Verenigde Staten geweest. Ik hoor Ne-

Nieuwe schoenen voor Guusje

derlanders vaak afgeven op Amerikanen, maar van klantgerichtheid hebben ze aan de andere kant van de oceaan echt meer verstand. Daar zou een dergelijke actie van het personeel 'not done' zijn. Het zou gewoon niet in ze opkomen.

Het rijden met een rolstoel is iets waaraan je moet wennen. Er gaan regelmatig mensen net voor de rolstoel lopen en vervolgens stilstaan. Ook als ze ons willen passeren, levert dat kamikazeachtige taferelen op. Mensen die bijna over de rolstoel duiken om ons in te kunnen halen.

Ook liften zijn een uitdaging. Niet omdat het personeel in winkels voordringt, maar omdat veel mensen een houding hebben van 'ik eerst'. Het is me al vaak opgevallen bij het verlaten van een lift. Mensen, die de lift in willen gaan, blokkeren de doorgang. Blijven met hersenloze blik staan. Ik zou iedereen tegen de enkels kunnen rijden of vragen om doorgang. Ik heb echter een andere aanpak. Als de deuren opengaan van de lift, sta ik met mijn rug richting uitgang. Ik loop met de rolstoel achteruit. Zeg niks. Vraag niks. Vaak zie ik in de spiegel, die in de lift hangt, hoe mensen de ingang blokkeren en vervolgens uitwijken. Het meest vermakelijk zijn de mensen die proberen de lift binnen te dringen en er dan achter komen dat ze opzij moeten springen.

Actie schoenen kopen slaagt deze middag. Zelfs twee paren. In een winkel waar we prima worden geholpen. Het kan natuurlijk wel. Klantvriendelijkheid. Ook in Nederland.

Thuis ga ik een heerlijke boswandeling maken met de hond. Even tijd om na te denken. Met name over het komend schooljaar bij mijn nieuwe werkgever. Verder over Guusje. Vandaag een goede dag. Af en toe extra medicatie tegen de pijn, maar niet buitensporig veel. Het beeld van de momenten van pijn blijft grillig.

Ik krijg de laatste dagen regelmatig de vraag of Guusje nog steeds wordt bestraald. Op 1 augustus is onze dochter eenmalig bestraald. Het effect is onduidelijk. Daarom is besloten hiermee niet verder te gaan.

Gisteren lag er bij thuiskomst een enveloppe in de brievenbus. Een oproep voor een CT-scan op maandag 12 september. Na de vierde cyclus van chemo. Nu de datum bekend is, voel ik dat in mijn maag. Nog zestien dagen. Daarna weer een uitslag. Een vonnis.

Het regende vandaag hard. Terwijl ik door de bossen loop, begint de zon te schijnen.

Het wordt weer zomer, in de zomer
Is de lucht voor altijd blauw
Ik ben nergens zonder
Ik ben nergens zonder
Ik ben nergens zonder jou

Zondag 28 augustus

Gisteren een goede dag voor Guusje. Vandaag een slechte. Onze dochter klaagt dat de pijn niet weg wil gaan. Vandaag heb ik het druk. Voorbereidingen voor het komend schooljaar bij mijn nieuwe werkgever. Veel uitzoeken. Morgenmiddag vergaderingen. Dinsdag de eerste lessen. Veel nieuwe gezichten. Veel informatie. Geen tijd om een ernstig ziek kind te hebben. Ik zal me er toch doorheen moeten slaan. Ik ga ervan uit dat me dat gaat lukken.

Een groot deel van de dag breng ik door aan mijn bureau. Beneden ligt Guusje op de bank. Ik werk tot de lunch. Daarna gaan Yvonne en ik met de drie jongste kinderen naar Tilburg. Er is een boekenmarkt in het centrum. Guusje en Loes krijgen van Yvonne een boek. Anton staat ongeïnteresseerd naast mij. Hij vraagt zich af wat hier nou leuk aan is. Ik beloof hem dat we nog even naar de speeltuin gaan in het Wandelbos. Dat plan gaat helaas niet door. De regen komt weer eens met bakken uit de lucht.

Guusje's pijn is grillig. De ene dag veel. De andere dag weinig. Ik zie geen vooruitgang. Wat moet ik erover schrijven. Het is te heftig en te zwaar voor zo'n klein meisje. Gisteren publiceerde ik een foto van Guusje met hoofddoekje. Is ze kaal? Ze verliest nog steeds veel haren. Als ze een pet of hoed draagt, zie je niet dat het bovenop dun is. Heel erg dun. De hoofdhuid is zichtbaar. Yvonne zal er morgen over spreken met dokter Marianne.

Het is vandaag vijf maanden geleden dat Guusje voor de tweede keer werd opgenomen in het TweeSteden Ziekenhuis in Tilburg. Ik was aan het werk. Yvonne belde. Ik bleef slapen in het ziekenhuis. Eerst in Tilburg. Een dag later in Utrecht. Daarna in Amsterdam. Bijna acht weken was ik onafgebroken bij ons kleine blonde meisje in het ziekenhuis. Ook na thuiskomst ben ik elke dag intensief met Guusje bezig. Het is zwaar, maar ik doe het met liefde. Voor haar.

Morgen ga ik voor de eerste keer niet mee naar het Emma Kinderziekenhuis. Yvonne gaat alleen met Guusje naar Amsterdam. Ik vind het moeilijk. Vanavond na het eten zit Guusje bij me op schoot. Leunend tegen mijn borstkas. Ze eet goed, maar geeft aan dat het niet goed gaat. Niet goed met de pijn. Ook voor het slapen gaan kruipt ze op de bank tegen me aan. Ze wil niet gaan slapen. Ik stel voor dat ik boven ga werken aan mijn bureau. Ze knikt instemmend en loopt mee naar haar slaapkamer.

Slapen is lastig. Enkele keren wordt Guusje wakker. Klagend over pijn. Ik zeg tegen Yvonne dat ze morgen niet moet vergeten om aan de pedagogisch medewerkster te vragen om een groene kraal voor aan Guusje's KanjerKetting.

Verdiend voor vandaag. Een dag van strijd tegen pijn. Een groene kraal voor een rotdag, want dat was het.

Maandag 29 augustus

Vandaag weer naar Eindhoven. Kennismaken met collega's. Plenaire opening voor het personeel. Morgen de eerste lessen. Vandaag de eerste keer niet mee met Guusje naar het Emma Kinderziekenhuis.

Om half 9 brengen Yvonne en ik samen Anton en Loes naar school. Guusje gaat mee in de rolstoel. Vervolgens thuis koffie drinken. Daarna vertrekken Yvonne en Guusje richting Amsterdam. Het voelt vreemd. Ik wil erbij zijn in het ziekenhuis. Zorgen voor Guusje. Zo zit de wereld niet in elkaar. Thuis moet er brood op de plank. Aan het werk dus.

Afgelopen vrijdag zou Hans medicijnen ophalen bij de apotheek. Aan het einde van de middag bleek dat hij dit vergeten was. Een zelfde voorval op zaterdag. Hans zou Loes om half 4 ophalen bij de scouting. Yvonne en ik waren met Guusje in Tilburg. Om 4 uur kreeg Yvonne een telefoontje. Loes was niet opgehaald. Thuisgekomen had onze zoon een verklaring voor zijn gedrag. Intelligente mensen, zoals hij, vergeten vaak alledaagse dingen. Toen we vroegen om een voorbeeld, noemde Hans boterhammen voor lunch vergeten mee te nemen naar school.

Laat in de ochtend rijd ik naar mijn nieuwe school. Ik moet het een en ander regelen voordat ik kan starten met de lessen morgen. Als ik rond lunchtijd in de docentenkamer kom, zie ik collega's boterhammen uit hun tassen pakken. Ik weet meteen wat ik vergeten ben. Ik denk aan Hans. Hij is niet intelligent. Het zit in zijn genen. Het is erfelijk bepaald. Boterhammen vergeten.

Regelmatig ontvang ik berichtjes op mijn telefoon van Yvonne. Ze houdt me op de hoogte. Bij aankomst hoort ze dat er problemen zijn bij de apotheek in het ziekenhuis. Het gaat lang duren voordat de chemo beschikbaar is. Als er dan eindelijk moet worden geprikt en de spanning bij Guusje flink is gestegen, gaat het meteen goed. Een enorm verschil met het drama van vorige week.

Yvonne spreekt met een arts van het Pijnteam. Er is uitgebreid over onze dochter gesproken door een team van specialisten. De huidige pijnmedicatie heeft de voorkeur. De meeste alternatieven zijn minder effectief. Er is wel een middel dat beter werkt tegen pijn, maar dan is onze dochter niet meer mobiel. Dan zou ze dus niet meer in de speeltuin kunnen spelen. Het is en blijft een lastig verhaal. Bestrijden van pijn bij Guusje is ontzettend moeilijk.

Ook dokter Marianne komt langs. Deze raadt Yvonne aan contact op te nemen met Haarwensen. Guusje verliest nog steeds veel haren. Doorgaan met chemo betekent voor onze dochter kaalheid.

Wel of niet doorgaan met chemo? Het hangt af van de resultaten van een CT-scan. Gepland op maandag 12 september. Dat wordt een spannende week. Onmenselijke spanning.

De verpleegkundige doet er alles aan om Guusje en Yvonne zo snel mogelijk te laten vertrekken. Met succes. Als ik de Van Beurdenstraat inrijd, zie ik de Ford al te staan. Thuis hebben Yvonne en ik elkaar veel te vertellen. Zij over het ziekenhuis. Ik over mijn werk.

Na het avondeten wil Guusje heel graag naar toneel. Een dagje chemo is vermoeiend. Toch laten we haar gaan. Afleiding is goed voor Guusje. Ze houdt het maar een uurtje vol. We worden gebeld. Ik haal haar op. Ze heeft pijn. Onderweg naar de auto vertelt ze dat ze enorm heeft gelachen. Dat hoor ik graag. Lach jij maar onbekommerd, meisje. Het leven is voor jou al zwaar genoeg. Te zwaar voor een meisje van tien.

Dinsdag 30 augustus

Vandaag naar school. De eerste keer met leerlingen. Nieuwe leerlingen. Ik ken er geen een. Vroeg op. Ik zie Guusje opstaan. Ze zit op de rand van haar bed. Yvonne helpt haar met aankleden.

Als ik 's middags tegen half 4 thuiskom, gaat Lindy net de deur uit. Samen met Guusje en Loes. Even een frisse neus halen. Lindy vertelt dat ze om kwart over 9 al door school werd gebeld. 's Ochtends heeft onze dochter vooral gerust. Na de lunch ook aan school gewerkt.

Als Lindy vertrokken is, ga ik bij Guusje op de bank zitten. Ze voelt zich niet lekker en klaagt over pijn. Ik wil een USB-stick gaan kopen. Net voor mijn eerste les op school kwam ik erachter dat mijn huidige stick met alle bestanden gecrasht was. Lekker begin op mijn nieuwe school. Gelukkig heb ik ruime ervaring. Lesgeven met een ouderwets bord kan ik ook.

Guusje wil met me mee naar de winkel. Lijkt mij geen goed idee. Niet met die pijn. Ze blijft aandringen. Liever met pijn in de rolstoel naar buiten dan thuis met pijn op de bank. Even later duw ik onze dochter door de Hoofdstraat. Mensen kijken naar haar. Ik zie bezorgde blikken. Ondertussen praat ik vrolijk. Zorg voor afleiding.

Het is een vreemd plaatje. Een ziek meisje in een rolstoel met een vrolijke papa erachter.

Na het avondeten gaat Guusje mee naar school. De basisschool heeft inloopavond. Ik blijf thuis. Lessen voorbereiden. Volgens Yvonne gaat het prima tijdens de inloopavond. Guusje loopt zelfs trappen.

Woensdag 31 augustus

's Ochtends sta ik vroeg op. Als ik vertrek, ligt Guusje nog in bed. Op mijn werk vraag ik me regelmatig af hoe het met Guusje is. Yvonne is vandaag thuis. Zal ik bellen tijdens de pauze? Vragen hoe het gaat. Ik doe het niet. Pas als ik om kwart voor 4 in de auto stap, bel ik naar huis.

Guusje is voor de ochtendpauze door Yvonne opgehaald. Het ging niet meer op school. Gerust tot aan de lunch. Een fijne middag met weinig pijn. Samen boodschappen doen met mama. Het was gezellig. Pas tegen het einde van de middag ging het minder goed.

Tijdens het avondeten praten onze drie oudste kinderen druk over school. Ik merk dat Guusje moeite heeft met drukte. Ze vraagt of het wat rustiger kan. Ik ben niet ziek, maar wel heel erg moe. De eerste dagen op school vreten energie. Na het avondeten val ik op de bank in slaap. Ik hoor nog wel hoe Yvonne de oudste kinderen vraagt om mee te helpen met de tafel afruimen. Daar hebben ze weinig trek in. Ik hoor ze zeggen dat ze het druk hebben met school. Krachtige argumenten worden in stelling gebracht. Hoe ze ook tegensputteren het helpt niet. Yvonne is onverbiddelijk. Haar vraag wordt een bevel. Gelijk heeft ze. Dat blijkt later wel. Alle kinderen zijn klaar met huiswerk, als ik wakker word. Ik kijk naar de eerste beelden van het achtuurjournaal. Drink een kop koffie en kan er weer tegenaan. Vooruit aan het werk. Lessen voorbereiden.

Tijdens het werk word ik geroepen door Guusje. Ze heeft een tijdje geslapen. Ze heeft pijn. Na extra medicatie en een bekertje water neem ik weer plaats aan mijn bureau. Ze roept weer. Als ik vraag wat er aan de hand is, hoor ik wat ik vergeten ben.

Guusje: 'slaap lekker. Welterusten. Tot morgen. Doei dag.'

Ik: 'slaap lekker. Welterusten. Tot morgen. Doei dag.'

Guusje heeft een slechte nacht. Vaak pijn. Yvonne en ik slapen slecht. Ik sta aan haar bed. Ze zegt dat de pijn niet te harden is. Ze heeft het gevoel dat ze doodgaat. Zo erg. Die vreselijke pijn. In haar linkerzij. Extra medicijnen en het gaat gelukkig weer een tijdje goed. Wat een rotnacht.

Donderdag 1 september

Het eerste lesuur ben ik roostervrij. Gaat Yvonne of ik met onze dochter naar het ziekenhuis voor bloedprikken? Yvonne gaat. Het duurt best lang voordat ze aan de beurt zijn. Yvonne bespreekt met Guusje de mogelijkheid om thuis bloed te laten prikken. Daar wil onze dochter niets van weten. Geen ziekenhuisellende thuis.

Ik ben blij dat Yvonne met Guusje naar het ziekenhuis gaat. Oponthoud in het ziekenhuis en files onderweg naar het werk. Ik had het nooit gered. Ik zou te laat op school zijn gearriveerd.

Guusje wordt om half 12 door Lindy opgehaald van school. Het gaat niet meer. Toch gaat het volgens Lindy best goed in de middag. Yvonne en ik zijn heel blij met de hulp van Lindy. Guusje is erg te spreken over haar. Loes trouwens ook.

's Avonds sportschoenen kopen voor Hans, Anton en Loes. Nodig voor school. We rijden naar Tilburg. Daar is het koopavond. We zouden ook nog kijken naar een cadeau voor mama. Yvonne is dinsdag jarig. Nadat de schoenen zijn gekocht, gaan we echter snel naar huis. Yvonne en ik zijn op. Afgebrand. Hopelijk vannacht meer slaap.

Vrijdag 2 september

Sinds ik werk heb ik nauwelijks tijd voor Twitter. Bij het opstaan toch even snel een tweet versturen. Guusje heeft goed geslapen. Dat denk ik. Het is rustig geweest deze nacht. Ik vertrek vroeg. Tegen de avond ben ik pas weer thuis.

Guusje is maar kort naar school geweest. Soms vragen Yvonne en ik ons af of het alleen maar de pijn is. Het kan ook de drukte zijn. Guusje kan zich thuis ergeren aan Loes en Lisa. Die twee kunnen erg veel lawaai maken. Misschien is Lindy wel een te fijne oppas? Ze geeft Guusje alle aandacht. Samen doen ze leuke dingen. 's Middags samen naar de markt. Een stroopwafel eten. Boodschappen doen.

Tijdens het avondeten vraag ik aan Guusje hoe het is gegaan. Ik begin met vast te stellen dat de nacht goed was. Ik heb goed geslapen. Ga er vanuit zij ook. Guusje vertelt echter dat ze vaak wakker werd. Last had van pijn.

Na het eten ga ik op de bank zitten. De man met de hamer zit naast me. Ik val in een diepe slaap. Ik voel me gesloopt na vier dagen lesgeven. Loes maakt me wakker. Ze wil naar buiten. Samen met Guusje, mama en mij. Even later lopen we in de Hoofdstraat. We komen onze buurvrouw tegen. Zij vraagt aan Guusje hoe het gaat. Guusje geeft zelf aan dat vandaag geen beste dag is. Arme Guusje.

Zaterdag 3 september

Na het ontbijt naar Tilburg. Yvonne en ik nemen Guusje en Anton mee. Cadeautjes kopen voor verjaardagen. Het is mooi weer. Dat maakt veel goed. De zomer valt dit jaar op 3 september. Ik hoor vaak dat het voorjaar zo mooi was. Dat heb ik gezien. Vanuit onze kamer in het Emma Kinderziekenhuis.

Gisteravond kreeg ik een tweet van Nikki's papa. De rest van de middag brengen Guusje en ik door bij Nikki en haar vader. Voor mij een goed gesprek. Voor Guusje verfrissing in het zwembad. Op de terugweg zegt Guusje dat ze heeft genoten.

Voor het eerst dit jaar zitten we de hele avond buiten. Een warme zomeravond. De babyfoon op tafel. Als Guusje roept, snelt Yvonne naar boven. Terug beneden is het moeilijk. We hebben het gevoel dat het niet goed gaat. Dat Guusje niet goed in haar vel zit. Vorige week had Guusje hele goede momenten. Lukte het haar om een hele ochtend naar school te gaan. Deze week niet. Waren er vaak slechte momenten met heftige pijn. We werken beiden. Yvonne drie dagen. Ik vijf. De oppas is fantastisch. Toch vinden we het moeilijk. Het is zwaar. Hoe zwaar we het ook vinden, er is iemand die het pas echt moeilijk heeft. Die ligt boven in haar bed en ik hoop dat ze rustig slaapt.

Zondag 4 september

Als ik opsta, ligt Yvonne nog te slapen. Het was een moeilijke nacht. Guusje was vaak wakker. Yvonne vertelt dat een kroon in haar mond los is gegaan. Ik vraag hoe dat mogelijk is. Een hard dropje. Een snoepje? Hoe kan dat? Yvonne vertelt dat ze afgelopen nacht steeds wakker werd gemaakt door Guusje. Dan krijg je wel eens zin in iets lekkers. Ze belt een tandarts. Om half 12 is het inloopspreekuur voor pechvogels.

Gisteren was een hele mooie zomerdag. Nu is het grijs. Het regent. Om wakker te worden loop ik met de hond door het centrum. Daarna ontbijten. Mijn voornemen was om vroeg aan het werk te gaan. Toch begin ik pas aan het einde van de ochtend met lessen voorbereiden. Tussendoor een korte lunch en weer snel door.

Aan het begin van de middag komt Yvonne zeggen dat Guusje slaapt. Gelukkig maar. Het beeld van de afgelopen week zien we ook vandaag. Het gaat niet goed. Het lijkt erop alsof de medicijnen tegen de pijn steeds minder effectief zijn. Steeds vaker klaagt ze en zegt ze dat de pijn ondraaglijk is. Dat wil ik niet horen. Dat wil niemand horen. De keiharde werkelijkheid van kanker is al erg genoeg en dan ook nog die pijn. Daarom ben ik blij dat ze slaapt. Als ze slaapt, even geen pijn. Halverwege de middag ben ik klaar met lessen voorbereiden. Yvonne meldt dat Guusje wakker is. Mijn eerste vraag is: 'En?' Yvonne antwoordt: 'De slaap heeft haar goed gedaan.'

We gaan op bezoek bij Yvonne's broer. We zien onze kinderen Anton en Loes nauwelijks. Ze spelen met andere kinderen. In huis of op straat. De volwassenen zitten achter in de tuin. Ook Guusje. Dat is het verschil met de andere kinderen. We hebben haar rolstoel meegenomen. Daar zit ze het liefst in. In het begin gaat het goed. Ze klimt zelfs op de glijbaan. Vrij snel echter gaat ze toch alleen maar rustig zitten.

Afleiding is belangrijk voor Guusje. Daarom stel ik voor een rondje te lopen door de wijk. Kunnen we ons oude huis nog eens zien. Dat vindt ze een goed idee. Even later loop ik achter de rolstoel. Guusje's nichtje loopt ernaast. De twee meiden praten met elkaar. Het lijkt alsof ik er niet bij ben. Prima.

De rest van de dag gaat het redelijk. Morgen gaat Yvonne weer met Guusje naar het ziekenhuis voor chemotherapie. Laten we hopen dat de pijn niet erger wordt dan de afgelopen dagen. Als Guusje zegt dat de pijn ondraaglijk is, dan maak ik me zorgen. Heel veel zorgen.

Daarnaast is de impact van ziek zijn enorm. Niet alleen lichamelijk. Ook geestelijk is het zwaar voor Guusje. Ze heeft het idee dat wij als gezin veel dingen niet meer kunnen door haar ziekte. Bijvoorbeeld niet op vakantie gaan. Lekker kamperen in Spanje. Dat is ook zo. We proberen er zo weinig mogelijk over te praten, maar soms ontkomen we er niet aan. Bijvoorbeeld als mensen vragen waarom we dit jaar niet echt op vakantie zijn geweest.

We hebben de zomervakantie gevuld met uitstapjes. Meer dan ooit in een vakantie. Toch kan het niet op tegen Guusje's grote verlangen: een normaal leven van een tienjarig meisje. Dat leven komt helaas niet meer terug. Nooit meer.

Maandag 5 september

Vroeg op en met de auto richting Eindhoven. Bijna iedereen ligt nog in bed, als ik vertrek. Op de heenweg helaas weer file tussen Tilburg en Eindhoven. Vandaag de tweede keer dat Yvonne alleen met Guusje naar het Emma Kinderziekenhuis gaat.

Yvonne houdt mij op de hoogte van de ontwikkelingen via sms. Het infuus is vandaag snel geprikt. Het wachten op de chemo duurt lang. Yvonne spreekt met de fysiotherapeut en met een arts van het Pijnteam. De arts vraagt veel aan onze dochter. Nodig om beter inzicht te krijgen in de pijn. De arts spreekt met Yvonne over de pijnmedicatie. Ook waarom er geen medicijnen extra worden gegeven. Van bepaalde medicijnen kan onze dochter suf worden. Dat is ze nu niet. Guusje is helder van geest.

Belangrijke afwezige is vandaag dokter Marianne. Dat is jammer. Volgende week maandag is een CT-scan gepland. Hoe gaat het daarna verder? We weten het niet. Je zou misschien denken dat Yvonne en ik dit inmiddels gewend zijn. Laat ik duidelijk zijn. Onzekerheid went nooit. We horen graag van dokter Marianne waar ze staat in haar denkproces. Deze informatie missen we nu. Daarom geen idee hoe het verder gaat.

Om half 6 zijn Yvonne en Guusje weer thuis. Volgens Yvonne ging het goed in het ziekenhuis. Verpleegkundige Marij kwam even langs. Volgens Yvonne deed de ontmoeting Guusje zichtbaar goed. Guusje ligt op de bank. Vermoeid. Ze wil naar toneel. Dat vinden Yvonne en ik geen goed idee. De terugweg vanuit Amsterdam duurde lang. Het verkeer was druk. Guusje had het moeilijk. Pijn en zweet. Ook Yvonne is moe na een dag ziekenhuis. Gelukkig is onze oudste dochter Janneke heel actief. Ze bakt eieren voor iedereen.

Een uurtje na het avondeten knapt Guusje gelukkig weer wat op. Ze speelt spelletjes op haar iPad. Het wordt zelfs laat voor haar doen. Gewoonlijk wil ze vroeg naar bed. Neemt hiertoe zelf het initiatief. Vandaag niet. Ze babbelt vrolijk. Yvonne en ik zien een dochter die we vorige week niet zagen.

Het is 10 uur 's avonds. Ik zit aan mijn bureau. Yvonne ligt in bad. Onze oudste drie kinderen hebben beneden in de woonkamer duidelijk veel lol. Als ik beneden kom, zie ik dat Janneke, Lisa en Hans de woonkamer en de keuken hebben versierd. Morgen is mama jarig. Voor een feestje zijn kinderen altijd in. Helaas ben ik niet in de stemming. Daar zet ik me dan maar overheen. Voor de kinderen en vooral ook voor Yvonne. Doorgaan.

Dinsdag 6 september

Voor 7 uur al gaat de slaapkamerdeur open. Yvonne ligt in bed. Samen met de kinderen loop ik naar binnen. We zingen. Mama krijgt cadeautjes. Ik heb haast. Janneke heeft bedacht dat het wel leuk is om mama veel cadeautjes te geven die elk heel goed zijn ingepakt. Ik probeer te blijven lachen.

Het is een lange schooldag. Lesgeven en een bijeenkomst voor alle docenten. Pas tegen de avond rijd ik de Van Beurdenstraat in. Yvonne zit op de bank. Ik zie dat ze moe is. Vandaag niet koken. Snel naar de afhaalchinees. Yvonne zegt dat ze me eerst even wil spreken. Samen gaan we naar boven. Er is een brief gekomen van het AMC. Een poli-afspraak op woensdagmiddag 21 september met dokter Marianne. Wat zou haar plan zijn? Maandag staat een CT-scan gepland. Het zal toch geen negen dagen duren voordat we de uitslag krijgen. Ik pak de telefoon en bel naar F8 Noord. Helaas is dokter Marianne niet aanwezig. Morgen een nieuwe poging.

Na het avondeten gaat Guusje bij me op schoot zitten. Ik zeg dat ik een sms'je heb gekregen van juf Ilse dat Guusje is meegegaan naar de gymles. Ze knikt. Als ik zeg dat ik het knap vind dat ze een hele ochtend op school is gebleven, vertelt ze dat ze aan het begin van de ochtend dacht dat ze snel weer thuis zou zijn.

We zijn om 7 uur klaar met eten. Om 8 uur ben ik op het Moller in Waalwijk. De middelbare school waar ik mijn diploma heb gehaald en later een jaar als docent economie heb gewerkt. Een school met goede herinneringen. De reden van mijn bezoek is de informatieavond voor ouders van kinderen in Havo 4. Algemene informatie en kennismaken met de mentor van Lisa. Ik maak van de gelegenheid gebruik om haar mentor op de hoogte te brengen van de thuissituatie. Een thuis waar alles draait om de ziekte van haar zusje Guusje. Om 10 uur ben ik thuis. Snel naar boven. Lessen van morgen voorbereiden. Het vieren van Yvonne's verjaardag komt er niet van.

Woensdag 7 september

's Ochtends belt Yvonne naar het Emma Kinderziekenhuis. We willen weten wat de stappen zijn op korte termijn naast de CT-scan van maandag. Helaas is dokter Marianne weer afwezig. Ook vandaag voor mij weer een drukke werkdag. Tegen de avond ben ik pas weer thuis. Als ik binnenkom, is mijn eerste vraag: 'Hoe is het met Guusje?'

Vanavond ga ik weer naar het Moller. Dit keer kennismaken met de mentor van Hans. Tijdens de informatieavond wordt meegedeeld dat er in 2012 een reünie plaatsvindt voor oud-leerlingen. Zoals vaak schiet ook nu weer de vraag door mijn hoofd: Zal Guusje er dan nog zijn?

Donderdag 8 september

Een drukke werkdag. Na het avondeten slapen. Wat ben ik moe. Niet te lang. Ook in de avonduren werk ik. Lessen voorbereiden blijft noodzaak.

Yvonne probeert vandaag contact te krijgen met dokter Marianne. Helaas weer zonder resultaat. Morgen een nieuwe poging.

Guusje wordt na de pauze in de ochtend opgehaald door Lindy. Ik weet eerlijk gezegd niet hoe de rest van de dag is verlopen. Te druk met werk. Te moe om te praten.

Ik werk fulltime. Veel mensen vragen of het moeilijk is. Ik vind het lastig. Ik vind het zwaar. De afgelopen maanden heb ik intensief voor Guusje gezorgd. Die zorg heb ik uit handen gegeven. Niet omdat ik het wil. Omdat het niet anders kan. Omdat het moet. Naast Guusje heb ik vijf andere kinderen. Zonder inkomen rookt de schoorsteen niet. Zou ik niet liever voor Guusje zorgen? Niets liever.

Vrijdag 9 september

Ook vandaag een lange werkdag. Om 5 uur stap ik in de auto. Ik bel naar huis. Ik krijg Lindy aan de telefoon. Ze vertelt dat Guusje een hele matige dag heeft. Thuisgekomen laat Yvonne mij een brief zien. Dinsdag worden we gebeld over de uitslag van de CT-scan. Een week later worden we verwacht op de poli.

We voelen beiden de spanning stijgen in aanloop naar dinsdag. Yvonne zou maandagmiddag alleen met Guusje naar het ziekenhuis gaan. Ik beloof mee te gaan. Ik moet mee. Moet er niet aan denken thuis te blijven.

Na het avondeten val ik in slaap. Tegen 8 uur word ik wakker gemaakt. Samen met Yvonne en Guusje ga ik naar de scouting. Onze kinderen Loes, Anton en Lisa vliegen over naar een oudere speltak. Guusje zegt dat ze graag eerder had willen gaan. Het hele programma meedoen vanaf 7 uur. Haar uitspraken stroken niet met haar lichaam. Dat blijkt ook wel, als we bij de scouting zijn. Ze heeft veel pijn en wil niets liever dan snel terug naar huis.

Zaterdag 10 september

Ik had me voorgenomen om vroeg op te staan. Om 7 uur roept Guusje. Ze heeft pijn. Ik geef haar medicijnen. Daarna nog even liggen. Dat had ik beter niet kunnen doen. Om 10 uur pas uit bed. Heerlijk geslapen. Dat wel. Jammer van de plannen om vandaag veel lessen voor te bereiden. Dan maar een tandje minder.

Als ik me scheer, komt Guusje de badkamer binnen. Ze loopt krom. Houdt haar buik vast. Zo zie ik haar 's morgens vaak. Geen vrolijk rondspringend meisje. Ik vraag me af wat haar kwaliteit van leven is. Zoveel pijn. Zo vaak. Waarom houdt het niet op? De haren op haar hoofd zijn heel dun. Haar hoofdhuid is duidelijk zichtbaar. Zal ze ook een pruik gaan dragen? Gaan we door met chemo? Allemaal vragen. Nog geen antwoorden.

Pannenkoeken eten
op het terras

Yvonne en ik proberen er het beste van te maken. Dat is geen eenvoudige op-gave met zo'n zieke dochter. Guusje vraagt veel zorg en aandacht. We hebben het druk. Het huis aan kant krijgen. Lessen voorbereiden. Ondertussen ligt Guusje op de bank. Ze heeft het niet makkelijk. Helaas weer veel pijn. Natuurlijk is ook zij gespan-nen. Ze weet drommels goed wat er aan de hand is. Diverse keren laat ze Yvonne en mij vertellen wanneer we afspraken hebben. Om de spanning te breken besluiten we om vanavond buiten de deur te gaan eten. Dat deden we nooit, maar het zijn andere tijden. Enkele weken geleden lazen we op Twitter over een leuk pannenkoekenhuis. Even contact met een van onze twittervrienden en we weten naam en adres. We moeten wel reserveren.

Het is druk. Een mooie locatie. We kunnen heerlijk buiten zitten. Een mooie zo-meravond. Het wordt nog mooier, als Guusje onverwacht de glijbaan beklimt. Daar gaat ze. Heerlijk. Kind zijn.

'Papa. Papa.'
'Wat is er?'
'Ik kan niet slapen.'
'Wat vervelend voor je. Waarom niet.'
'Ik heb pijn. Ik kan niet slapen.'

Ik kijk op de klok. Het is 3 uur.

'Yvonne, heb jij Guusje nog medicijnen gegeven?'
'Hoezo?'
'Ze kan niet slapen.'
'Geef haar alles maar.'
'Doe ik.'

'Mag ik ook een pilletje om te kunnen slapen, papa?'

Zondag 11 september

Guusje slaapt uit. Ik bereid mijn lessen voor. Tussendoor brengen we een bezoek aan mijn ouders, kijken we naar de laatste kilometers van de Tachtig van de Langstraat en slenteren we over de kunstmarkt die is opgesteld rondom de kerk. Guusje heeft iets met kunst. Ze staat stil bij de verschillende kramen. Bewondert de werken. Soms krijgt ze de kans om zelf creatief te zijn.

De avond valt. Ik laat de hond uit. Het is vandaag tien jaar na de terreuraanslag op de Twin Towers. Ik weet nog goed waar ik was. Rustig aan het werk op kantoor. Collega's praatten druk over de aanslag. Ik werkte door. Onverstoorbaar. Passend bij mijn karakter. Zo ook op maandag 28 maart. Yvonne berichtte me dat Guusje weer werd opgenomen in het ziekenhuis. Ik maakte eerst mijn college af. Daarna door naar het ziekenhuis. Niet van mijn stuk te brengen. Rustig. Alles komt goed. Dat was mijn wereld tot 31 maart. Die dag ben ik veranderd. Die dag is 'mijn 11 september'. Na 31 maart leef ik in een andere wereld. Mijn wereld was zorgeloos zonnig. De lucht strakblauw. Tegenwoordig stormt het in mijn wereld. De lucht is donkergrijs. Zwart aan de horizon.

Maandag 12 september

Afgelopen vrijdag lag er ineens een brief. Daarin stond dat we dinsdag de uitslag krijgen van de CT-scan die vandaag gemaakt gaat worden. Ik vraag vrij op mijn werk. Als ik aan het begin van de middag weer thuis ben, leg ik de rolstoel achterin de auto en rij ik met Yvonne en Guusje richting Amsterdam. Aangekomen in het ziekenhuis gaan we eerst naar F8 Noord. Er moet een infuus worden geprikt. Hierop moeten we wachten. Guusje maakt in de speelkamer een tekening voor haar broers.

Tekenen voor de jarige broers

Zij zijn volgende week jarig. Voorafgaand aan de CT-scan moet Guusje veel drinken. Dat is geen probleem. De Van Gorpjes hebben nooit moeite met drinken. De scan gaat goed. Daarna brengen we een bezoek aan het Pijnteam. We hebben al veel verschillende artsen gezien. Vandaag weer een nieuw gezicht. Soms is dat een nadeel. Vandaag een voordeel. De uitleg van deze nieuwe arts is heel helder. Ze moet wel even ruggenspraak houden met haar baas. Even wordt langer dan een half uur. Daarna komt ze terug. De dosis medicijnen gaat nog verder omhoog.

Dinsdag 13 september

Vroeg naar Eindhoven. Twee uurtjes lesgeven. Daarna weer snel naar huis. De afgelopen dagen kan ik nergens anders aan denken: hoe heeft de tumor zich ontwikkeld.

Wat kan ik verwachten? Ik orden mijn gedachten.

Mijn wens is een kleinere tumor.

Mijn hoop een stabiele tumor.

Mijn vrees een grotere tumor.

Laat mijn vrees niet waar zijn.

Na de lunch begint het duimendraaien. Het is half 1. Dokter Marianne zou op dit tijdstip bellen. Yvonne en ik weten dat deze dame altijd heel erg druk is. Het zal dus wel later worden. Het wachten valt mee. Een kwartier later gaat de telefoon. Aan de andere kant van de lijn de vriendelijke stem van dokter Marianne. Ik voel mijn hartslag. Ze valt met de deur in huis. De tumor is stabiel. Mijn hoop wordt realiteit.

Verder maakt dokter Marianne ons duidelijk dat we de komende tijd geen antwoorden mogen verwachten met betrekking tot vervolgstappen. Guusje's ziekte is zeldzaam en complex. De kennis beperkt. Eerst gaat ze met veel andere artsen overleggen. Daarna zal ze bepalen hoe we verder gaan met de behandeling. Volgende week dinsdag worden we op de poli verwacht. Er staat geen chemo gepland. Mag ik daaruit de conclusie trekken dat met chemo wordt gestopt? Nee, die conclusie mag ik niet trekken. Ik mag eigenlijk geen enkele conclusie trekken. Elke conclusie is een invulling van mijn eigen fantasie. Niet doen dus. Bij de feiten blijven. De tumor is stabiel.

Na het gesprek lichten Yvonne en ik Guusje in. Goed nieuws. De tumor is niet groter geworden. Daarna komen de vragen. Hoe gaan we verder? Logisch. Ze is pas tien, maar ze weet heel goed wat er speelt. Net als elk ander kind heeft ze behoefte aan zekerheid en een stabiele omgeving. Daarin schieten we op dit moment ernstig tekort. Daarin schiet elke ouder tekort die een kind heeft met kanker. Zekerheid kun je niet geven. Stabiliteit probeer je te geven, maar is lastig als je zelf met je emoties worstelt.

's Middags doen we boodschappen. Yvonne en ik lopen met Guusje in de rolstoel door het centrum. We worden aangesproken door een dame. Ze is de oma van het meisje uit Dongen dat begin juni overleden is aan kanker. Slechts negen jaar jong. De dame heeft Guusje's blog gelezen en vertelt over haar kleindochter. Als we verder lopen, begint Guusje te praten. Ze wil weten hoe het met de ziekte van het meisje is afgelopen. Deze vraag overvalt ons. Guusje heeft goed naar het gesprek geluisterd. Yvonne en ik zijn stil. Dan zegt Yvonne: 'Ze is doodgegaan.' Meteen voeg ik er aan toe dat het meisje een ander soort kanker had. Je probeert je kind gerust te stellen. Dat lukt niet. Ik heb het gevoel alsof ik iets wat krom is recht probeer te praten.

Ons hele gezinsleven staat in het teken van Guusje's ziekte. We worden alle kanten opgeslingerd. Zeker emotioneel. Als in een bootje op stormachtig water. Zonder zeil en zonder roeispanen. Alleen met onze handen proberen we af en toe de richting te veranderen. Dat lukt vaak niet. Gelukkig zijn er veel toeschouwers aan de wal. Ze roepen lieve woorden. Daar putten wij veel kracht uit. Dat doet ons goed. In onze stormachtige wereld. Met donkergrijze wolken. Aan de horizon een zwarte lucht. Vandaag werd duidelijk. Die zwarte lucht. Die komt voorlopig niet dichterbij.

Woensdag 14 september

Het grootste deel van de dag ben ik weg van huis. Op school in Eindhoven. Veel lessen. Gesprekken met collega's. Ook hier medeleven. Dat is fijn. Pas tegen de avond ben ik thuis. Ik stap binnen. Yvonne kijkt me aan en merkt op dat ik er 'afgedraaid' uitzie. Goede typering. Na het avondeten is Guusje humeurig. Ze stoort zich aan haar broers en zussen. Ze maken veel te veel lawaai. Guusje gaat vroeg naar bed. Slapengaan wil niet goed lukken. Guusje is onrustig. We horen dat via de babyfoon. Laat in de avond roept ze. Ik snel naar boven. Troost haar. Geef medicijnen. Wat kan ik er met woorden aan toevoegen? Niets.

Donderdag 15 september

De wekker roept me. Ik ben moe. Ik wil niet uit bed. Onderweg naar school sta ik in de file. Dit wordt een moeilijke dag. Ik voel het. Tijdens de lunch een gesprek met collega's. Ik geef aan dat ik moe ben. Dat ik slecht geslapen heb. Lesgeven is lastig met dertig leerlingen in het lokaal. Zeker na de middagpauze. Voor de klas moet je honderdvijftig procent fit zijn. Vandaag geef ik les tot en met het achtste lesuur. Daarna nog een gesprek over een werkstuk. Als ik in de auto stap, voel ik hoofdpijn. Op de snelweg is de gemiddelde snelheid zeventig. Het is irritant druk. Remmen en gas geven. Remmen en gas geven. Remmen en gas geven. Rijden in polonaise.

Na het avondeten naar de supermarkt. Anton is zaterdag jarig. Morgen trakteert hij op school. Thuis wil ik naar boven gaan. Lessen voorbereiden voor morgen. Yvonne houdt me tegen. Ze adviseert me om even op de bank te gaan liggen. Ik val in slaap. Wat ben ik moe. Guusje ligt op de andere bank. Ze is vandaag maar kort op school geweest. Lindy heeft haar om kwart over 9 opgehaald. Thuis heeft Guusje veel geslapen. Hoogstwaarschijnlijk een bijwerking van de extra medicijnen tegen de pijn. Die pijn zien Yvonne en ik nog steeds niet minder worden. We weten inmiddels dat we geduld moeten hebben. Toch lastig. We willen immers resultaat. Stel je voor dat Guusje vrij zou zijn van pijn. Ze heeft al maanden pijn.

Om 8 uur maakt Yvonne me wakker. Koffie. Daar knap ik van op. Ik vul mijn avond met lessen voorbereiden, mailtjes beantwoorden en rekeningen betalen.

Guusje heeft moeite met in slaap komen. Ze wordt vaak wakker. De ene keer pijn. De andere keer een boze droom. Ze verheugt zich op morgen. Dan gaat ze een dagje weg. Samen met mama. Op het programma staan een interview geven en foto's maken voor het kerstnummer van Libelle. Ze vindt het leuk en spannend. Ik hoop dat ze geniet.

Vrijdag 16 september

Yvonne is vandaag vrij. Ze gaat met Guusje naar IJmuiden. Daar wordt onze dochter geïnterviewd. Het artikel verschijnt in het kerstnummer van Libelle. Er worden ook foto's gemaakt.

Tijdens het interview valt het Yvonne op dat Guusje heel goed weet te verwoorden wat er allemaal is gebeurd. Van het eerste bezoek aan de huisarts tot op de dag van vandaag. Ze herinnert zich 'alles'.

Verder valt op dat Guusje aan de interviewster, visagiste en fotografe precies aangeeft wat ze wel en wat ze niet wil. Ze is veranderd. Voorheen bedeesd. Nu assertief. Als ik bij school in de auto stap op weg naar huis, zie ik op mijn telefoon een tweet voorbijkomen van de dame die Guusje vandaag interviewde.

Krachtig, guitig en n lekker kritisch fotomodel: #kanjerguusje ik vond je een kanjer vandaag!

Na het interview brengen Yvonne en Guusje een bezoek aan Anja en Xena. Zij zijn lotgenoten. Koffie en zelfgebakken lekkernijen. Ze spreken af om een keer samen

Fotoshoot voor het
weekblad Libelle

Foto: Anja van Wijgerden

taarten te gaan bakken. Dat is Anja haar passie. Om 6 uur zijn Yvonne en Guusje thuis. Op tijd voor het avondeten. Het is weekend. Ik ben moe. Het liefst zou ik het hele weekend niets doen. Dat gaat niet lukken. Een druk weekend voor de boeg. Te beginnen met de verjaardag van Anton. Hij wordt twaalf. Dat wordt zingen morgenochtend.

Zaterdag 17 september

Ik word wakker. Kijk op de wekker. Het is zaterdagochtend. Nog even slapen. Wat ben ik moe. Vandaag niet werken. Wat ben ik daar aan toe. Een heerlijke gedachte. Niets doen. Dat gaat het vandaag niet worden. Onze zoon Anton is jarig. Hij wordt twaalf. Even later ga ik met Janneke, Lisa, Hans en Loes naar de zolderkamer. Yvonne en Guusje staan onderaan de trap. We zingen voor Anton. Hoe lang heeft hij liggen wachten? Misschien niet lang. Ik noem Anton altijd onze professionele uitslaper. Op zeer jonge leeftijd kon hij al uitslapen. Nog steeds lijkt hij onverslaanbaar. Toch niet op zijn verjaardag? Dat kan niet. Voor elk kind is zijn verjaardag het hoogtepunt van het jaar. Ook Anton kijkt al weken uit naar deze dag. Even later zitten we met acht personen in bed. In de ouderslaapkamer. Anton krijgt felicitaties en cadeautjes. Daarna samen ontbijten. De ochtend is gevuld met boodschappen doen. Guusje ligt op de bank. De meeste tijd met haar ogen dicht.

Na de lunch komen er vijf vrienden van Anton. We vertrekken naar zwemparadijs De Tongelreep in Eindhoven. Broer Hans gaat ook mee. Als ik Guusje een zoen geef, merk ik op dat ze waarschijnlijk erg moe is. Ze slaapt bijna de hele tijd. Guusje kijkt me aan en zegt met een dun stemmetje: 'Ik ben niet moe. Ik heb veel pijn.' Wat moet ik hiermee. Geen idee. Even later rijd ik richting Eindhoven. Zeven jongens in mijn auto. Meiden kunnen kakelen. Jongens ook, zo te horen.

Een verjaardagsfeest in een zwemparadijs is geweldig. De hele middag kan ik lekker niks doen. Op een stoeltje langs de kant. Rustig lees ik de krant. Als het zwembad aan het einde van de middag sluit, is dat volgens de jongens veel te vroeg. Een goed teken. Ze zouden nog uren door kunnen gaan. Terwijl we teruglopen naar de auto bel ik met Yvonne. Als ik klaar ben met het gesprek, komt Anton naar me toe. Hij vraagt of alles goed is met Guusje.

Thuisgekomen is mijn eerste vraag een constante factor. Hoe is het met Guusje? Yvonne vertelt dat de middag goed is geweest. Dat lucht op.

Ik vertrek naar mijn vriend Hans. Hij wordt vandaag vijftig. Op de verjaardag voer ik prettige gesprekken. Vooral fijn als mensen het blog kennen. Dan is het niet nodig om de hele ziektegeschiedenis te vertellen.

Midden in de nacht. Een klap. Geschreeuw. Yvonne springt uit bed. Ik volg. Naar Guusje's slaapkamer. Onze dochter ligt op de grond. Ze is door haar benen gezakt. Yvonne ondersteunt haar naar het toilet.

Spelen op de iPad als afleiding
tegen de pijn

Zondag 18 september

Yvonne laat mij slapen. Om 11 uur vindt ze het welletjes. Opstaan. Vanmiddag komen de gasten. Verjaardagen vieren. Anton werd gisteren twaalf. Hans wordt woensdag veertien. Als ik uit bed kom, ben ik fit en goedgehumeurd. Best lang geleden dat ik me zo goed voelde. Guusje ligt op de bank. Met haar iPad. Ze heeft het moeilijk. Het beeld verandert niet. Ook niet als 's middags de gasten arriveren.

's Avonds na het avondeten laat ik de hond uit in de bossen. Jammer dat het steeds vroeger donker wordt. Tijdens een boswandeling kan ik goed nadenken. Zet ik zaken op een rij. Ik denk nog wel eens aan Joep en zijn ouders. Joep was lid van de scouting. Een vrolijke jongen. Zestien jaar geleden was zijn leven ineens afgelopen. Overreden. Zijn vader was erbij. Een dom ongeluk kan plotsklaps een einde maken aan het leven van je kind. Kanker kan het ook, maar dan anders. Langzaam en slopend. Je ziet het als ouder gebeuren. Je kunt niets doen. Toekijken. Je wil je kind beschermen tegen de boze wereld van buiten. Ook beschermen tegen een boze tumor van binnen. Dat laatste gaat dus niet. Helaas niet. Mijn vergelijking begin april dat een ongeluk erger zou zijn dan kanker is onzin. Dat realiseer ik me vanavond. Beide zijn erg. De ervaring is anders. Je kind verliezen in een flits of zien wegglijden in een slopend ziekteproces. In beide gevallen raak je je kind kwijt. Voor altijd. Guusje is ernstig ziek. Levensbedreigend. De ziekte verandert onze dochter. De Guusje vandaag op de bank is niet de Guusje van enkele maanden terug. Die zou ik graag terug willen, maar dat kan niet.

Maandag 19 september

's Ochtends ga ik naar school. Rond lunchtijd ben ik thuis. Maandagmiddag is lesroostervrij. Guusje is nog geen uurtje op school geweest. Thuisgekomen heeft ze veel geslapen. Ze eet goed. Twee belegde boterhammen. Daarna een zogenaamde mikkeman met veel suiker. Misschien krijgt ze vanmiddag meer energie. Lindy blijft om voor Guusje te zorgen. Ik ga naar boven. Lessen voorbereiden.

Als het half 5 is, vertrekt Lindy naar huis. Ik ga bij Guusje zitten en lees voor uit 'Mees Kees'. Probeer haar rust en afleiding te geven. Het gaat slecht met ons kleine blonde meisje. Ze gebruikt veel extra medicijnen tegen de pijn. Morgen gaan we naar het Emma Kinderziekenhuis. We hebben een afspraak met dokter Marianne. We hebben maar een boodschap: deze oplossing tegen pijn biedt te weinig kwaliteit van leven.

Na het avondeten wil Guusje graag naar toneel. Ik breng haar weg. Na een half uurtje wordt Yvonne gebeld. Ze gaat naar de repetitie en neemt extra medicijnen mee voor Guusje. Kan ze toch nog wat langer blijven. Onze dochter zit aan de kant. In haar rolstoel. Erbij zijn is belangrijker dan meedoen.

Het is nacht. Guusje roept. Ze heeft pijn. Ik geef haar extra medicijnen tegen de pijn. Een half uur later roept ze nogmaals. Ik leg uit dat het te snel is voor weer extra medicijnen. Ze huilt. Houdt die pijn dan nooit op?

Keerpunt

20 september – 7 oktober

●●●●●●●●●●●●●●●●●●●●●●●●●●●●

Dinsdag 20 september

Guusje wil helemaal niet naar school. Ook niet voor even. Yvonne en ik vinden het goed. Zeker als ze aangeeft erg misselijk te zijn. Na het ontbijt holt ze naar het toilet en moet overgeven. Dat kan er ook nog wel bij.

Om half 11 vertrekken we naar Amsterdam. Ik heb niet het idee dat we over de tumor gaan praten. Kanker lijkt bijzaak. Pijn is het hoofdonderwerp.

We hebben om half 1 een afspraak op de poli. We arriveren bijna een uur te vroeg op de parkeerplaats. Eerst een broodje halen bij Albert Heijn. Die is gevestigd in het AMC. Dat lijkt voor buitenstaanders misschien onvoorstelbaar, maar het AMC is erg groot. Er werken zevenduizend mensen.

Aangekomen in de wachtkamer loopt dokter Marianne voorbij. Ze kijkt naar onze dochter. Als ze in de spreekkamer verdwijnt, kijken Yvonne en ik elkaar aan. Haar blik? Niet te lezen dat gezicht. Geen idee wat ze denkt.

Afgelopen vrijdag werd Guusje geïnterviewd voor weekblad Libelle. Toen heeft ze aangegeven dat ze erg veel vertrouwen heeft in dokter Marianne. Ook al kan de tumor niet worden verwijderd. Volgens Guusje is dokter Marianne heel slim. Het gaat haar lukken om de tumor te bestrijden. Ze bedenkt wel iets.

We zitten in de spreekkamer. Dokter Marianne aan de ene kant van de tafel. Yvonne en ik aan de andere kant. Guusje zit in haar rolstoel. Aan de kop. Het is stil. Dokter Marianne stelt vragen aan onze dochter. Guusje is stil. Onze dochter geeft aan dat het niet goed gaat. De pijn is te erg. Dan zet dokter Marianne de verschillende opties nog eens op een rij. Daarnaast legt ze uit dat er veel artsen met haar meedenken. Niet alleen in Amsterdam. Uit de hele wereld. Probleem is dat er weinig voorbeelden van patiënten zijn met een zelfde soort tumor. Zeker geen kinderen.

Guusje heeft sinds eind mei chemotherapie. Volgens een meerderheid van meedenkende specialisten zou een mogelijk effect zichtbaar moeten zijn. Dat is niet het geval. De hoop was een kleinere tumor en daardoor minder pijn. Daarvan is geen sprake. De pijn wordt erger. Zo erg dat Yvonne en ik constateren dat bij

Guusje 'de rek eruit is'. Men zou door kunnen gaan met chemo, maar volgens dokter Marianne is dat voor dit moment geen goede keuze.

Gisteren is er een groot overleg geweest waarbij jong volwassenen met kanker werden besproken. Ook Guusje stond op de agenda. Hier is besloten dat voor Guusje bestralen de beste optie is. Doel ervan is pijnbestrijding. Groot nadeel is de onomkeerbare schade die bestraling kan aanrichten. Er is echter geen andere geschikte behandeling. De pijn is te erg. Pas als de pijn onder controle is, kunnen er verdere stappen worden gezet en ook daarvoor zijn de mogelijkheden erg beperkt.

Dokter Marianne stelt voor dat Guusje even de kamer verlaat. Ze wil graag even met papa en mama alleen praten. Mijn hartslag versnelt. Krijgen we onverwacht slecht nieuws te horen? Het is een slechte boodschap. Toch niet onverwacht. Dokter Marianne herhaalt in grote mensen taal wat eerder met Guusje is besproken. Daarnaast benadrukt ze dat Yvonne en ik moeten beseffen dat genezing niet mogelijk is. Daarnaast zal bestralen schade aanrichten, maar leven met zoveel pijn als nu is geen leven. Zeker niet voor zo'n jong meisje.

Er is een klein aantal patiënten bekend met een soortgelijke tumor. Overlevingskans is enkele maanden tot jaren. Misschien zelfs wel veertig jaar, maar reken er niet op. De tumor gedraagt zich de afgelopen maanden laaggradig. Bekend is dat het gedrag kan omslaan. Als de tumor hooggradig wordt, zijn de vooruitzichten slecht.

Als Guusje terugkomt in de kamer, onderzoekt dokter Marianne haar. Daarna een afspraak voor over vier weken. Na de bestraling. Nu meteen door naar de afdeling Radiotherapie. Hier zijn we op 1 augustus al een keer geweest. Toen is Guusje bestraald. Het effect was onduidelijk. De radiotherapeut ontvangt ons. Hij herhaalt de boodschap van dokter Marianne. Vandaag wordt er een CT-scan gemaakt. Nodig voor de bestraling. We krijgen nog te horen wanneer de bestraling gaat beginnen. Op korte termijn. De pijn moet weg. We krijgen te horen dat Guusje tien keer wordt bestraald. Tien dagen achter elkaar. Yvonne en ik kijken naar elkaar. Hoe gaan we dit regelen met ons werk? Is fulltime werken in het onderwijs te combineren met een kind met kanker? Het antwoord is nee. Ik kijk naar Yvonne.

'Goed dat ik in gesprek ben met Oracle. Vaste lesroosters en een onvoorspelbare ziekte gaan niet samen. Ik vind lesgeven prettig, maar ik ga toch weg op school. Ik ga weer bij Oracle werken. Ik heb behoefte aan flexibiliteit. Zelf mijn tijd indelen. Ik moet er wel uit zien te komen.'

'Waaruit?'

'Arbeidsvoorwaarden natuurlijk.'

Op de terugweg zit Guusje weer stilletjes op de achterbank. Ze slaapt. Het was spannend en vermoeiend. Wat gaat er gebeuren de komende weken? Gelukkig is ze al een keer bestraald. Ze weet wat er gaat gebeuren. Als we thuiskomen, worden we opgewacht door onze andere kinderen. Vooral de oudsten willen graag weten wat er nu met hun zusje gaat gebeuren. Al snel gaat de telefoon. Het Pijnteam belt. Als Yvonne nog maar net klaar is met het gesprek, gaat de telefoon weer. Dit keer de afdeling Radiotherapie. We worden maandag al verwacht. Het begin van tien dagen bestralen. Elke dag op en neer naar Amsterdam.

's Avonds zitten Yvonne en ik op de bank. Samen vullen we papieren in van Doe Een Wens. Ze hebben allerlei gegevens nodig om ervoor te zorgen dat Guusje's grootste wens in vervulling gaat. Het geeft me een vreemd gevoel. Alsof er iets te vieren valt. Voor mij is er niets te vieren. Ik krijg vandaag nogmaals te horen dat Guusje niet genezen kan worden. Dat ik er rekening mee moet houden dat ze niet oud wordt. Wat valt er dan te vieren? Toch heb ik gemerkt dat ik niet alles vanuit mijn eigen standpunt moet bekijken. Ga in Guusje's schoenen staan. Die ziet straks haar grootste wens in vervulling gaan. Daar kijkt ze enorm naar uit. Dat gaat ze vieren. Met volle teugen.

Woensdag 21 september

Een matige nacht eindigt met zingen. Voor Hans. Hij is vandaag jarig. Veertien jaar. Felicitaties en cadeautjes in de ouderslaapkamer. Daarna snel ontbijten en op weg naar school. Als ik bij mijn werk arriveer, kijk ik op mijn telefoon. Veel reacties op mijn blogbericht van gisteren. Guusje gaat ook naar school. Om 10 uur naar huis. Op school wordt een zogenaamde webchair geïnstalleerd. Deze maakt het mogelijk om vanuit huis 'in de klas aanwezig te zijn'. Guusje kan vanaf vandaag thuis op de bank meemaken wat er in de klas gebeurt. 's Middags komt vriendin Veerle spelen. Het gaat goed. Yvonne ziet Guusje met speelgoed over de grond kruipen. Even niet denken aan ziek zijn. Gewoon kind wezen.

Yvonne wordt gebeld door het hoofd van het Pijnteam, een anesthesist. Hij werkt nauw samen met dokter Marianne en de radiotherapeut. Samen hebben ze een doel: maak Guusje pijnvrij. De anesthesist bespreekt met Yvonne de mogelijke reacties die op kunnen gaan treden en de aanpassingen die dan nodig zijn van de pijnmedicatie. De komende twee weken zijn spannend.

Aan het eind van de middag helaas een terugslag. Guusje ligt met pijn op de bank. Na het avondeten gaat het iets beter. We gaan naar de Gemeentewinkel. Alle kinderen hebben een paspoort nodig. Alleen Janneke gaat niet mee. Ze heeft al een paspoort. Voor vijf paspoorten betaal ik tweehonderdzestig euro. Een forse greep in de geldbuidel. De reisdocumenten hebben we nodig. Als Guusje's grootste wens in vervulling gaat, gaan we de grens over. We houden de bestemming geheim. Past wel bij haar grootste wens. Laten we hopen dat deze mag uitkomen. Ze kijkt er enorm naar uit.

Niet alleen de grote verrassing van Doe Een Wens is belangrijk voor Guusje. Yvonne en ik proberen onze dochter steeds dingen in het vooruitzicht te stellen om naar toe te leven. Belangrijk om de moed erin te houden. Niet altijd makkelijk. Zoals ik gisteren al aangaf, heeft Guusje de afgelopen weken zoveel pijn gehad dat Yvonne en ik constateren dat de 'rek eruit is' bij Guusje. Hoe maak je het leven leuk voor iemand die constant enorm veel pijn heeft? Een bijna onmogelijke opdracht.

Donderdag 22 september

Guusje gaat tot 10 uur naar school. Lindy haalt haar op. Thuis maken ze via de webchair contact met school. Tegen de avond ben ik thuis. Guusje op de bank. Ze slaapt. Wat eten we vanavond? Afgelopen zondag kregen we van onze buren waardebonnen voor de McDonalds. Die gaan we vanavond verzilveren.

We zijn om 8 uur thuis. Ik rijd door naar Tilburg. Samen met Janneke een boodschap doen. Thuisgekomen koffie drinken en snel naar boven. Lessen voorbereiden voor morgen. Het is half 12 als ik neerplof op de bank in de woonkamer. Even mijn blog schrijven. Ik ben nog maar net begonnen of Guusje roept. Ze is wakker geworden en heeft pijn. Ik troost haar en geef medicijnen. Dan snel weer terug naar beneden. Anders komt het verhaal over vandaag nooit af. Ik heb veel onbeantwoorde berichtjes. De hele dag geen tijd om deze te beantwoorden. Er zijn van die dagen dat je jezelf achterna loopt. Vandaag is zo'n dag.

Vrijdag 23 september

Hoe laat moet jij op? Met die vraag van Yvonne word ik wakker. Verslapen. Snel scheren. Toch niet. Het scheerschuim is op. Dan vlug douchen, aankleden, ontbijten en de auto in. Hoop op geen file. Vrijdagochtend.

Guusje heeft een waardeloze dag. Vroeg in de ochtend wordt ze opgehaald bij school door Lindy. Een groot deel van de dag slaapt ze. Yvonne is op haar werk in Breda. Ze belt met Haarwensen. Guusje is geen onbekende. Via blog en Twitter weet de dame aan de andere kant van de lijn heel goed wie Guusje is. Er wordt een afspraak gemaakt voor woensdag in het AMC. Guusje is die dag toch in het ziekenhuis voor radiotherapie. Net zoals alle andere dagen. Maandag de eerste bestraling van een reeks van tien.

Als ik aan het einde van de middag thuis kom, is Yvonne al terug van haar werk. Eerder naar huis gekomen. Guusje heeft veel pijn. Toch wil ze vanavond naar de verjaardag van een klasgenootje. Als ik zo naar onze dochter kijk, gaat het niet door. Een klein zielig hoopje mens. Liggend op de bank.

Loes springt rond. Ook zij heeft een verjaardagsfeest. Het contrast is groot. Ook later op de avond. Het tweede deel van Guusje's verjaardagsfeest is een griezeltocht door een maïsveld. Yvonne en ik gaan beiden mee. Voordat we het maïsveld in gaan, moeten we wachten in een café. De kinderen hebben goede zin. Ze hossen en dansen in de polonaise. Guusje kijkt niet blij. Ze zit in elkaar in haar rolstoel. Ik vraag me af wat ze hieraan vindt. Dat is een verkeerde vraag. Ik bekijk het enkel vanuit mijn standpunt. Guusje is de hele dag thuis geweest. Slapen op de bank. Nu is ze eindelijk bij haar vriendinnen. Ze kan niet meedoen, maar ze is er wel bij. Daar gaat het voor haar om. Erbij zijn.

Zaterdag 24 september

Voordat ik vertrek naar de kapper, loop ik naar boven. Yvonne ligt in bed. Loes links en Guusje rechts van haar. De meiden vertellen over de verjaardagen van gister-avond. Beiden hebben een geweldige avond gehad. Vooral de griezeltocht heeft veel indruk gemaakt. Elk detail komt voorbij. Ik kus mama en de meiden en ga naar de kapper.

Als ik weer thuis ben, drink ik koffie met Yvonne. Wat gaan we vandaag doen? Het belangrijkste onderwerp is Guusje. Gaan we iets leuks doen met haar? De laat-ste jaren waren we daar niet bewust mee bezig. Tegenwoordig wel. Afgelopen week merkten we dat bij Guusje 'de rek eruit is'. Ze kijkt enorm uit naar de verrassing van Doe Een Wens. Het duurt echter nog een hele tijd voordat haar grootste wens in vervulling zal gaan. Ook op korte termijn moeten we zorgen dat we haar dingen aanbieden waar ze naar uit kan kijken. Yvonne en ik besluiten om vanmiddag naar een terras met speeltuin te gaan.

's Middags zitten Yvonne en ik op een terras. De kinderen spelen midgetgolf. Guusje met vriendin Annabel. Het is een hele gezellige middag. De zon schijnt uit-bundig. We zijn genoodzaakt in de schaduw te gaan zitten. Yvonne en ik genieten. Guusje speelt de hele middag en zit nauwelijks in haar rolstoel.

's Avonds wokken. Samen met de schoonfamilie. Een groot gezelschap. Yvon-ne's ouders hebben twee kinderen. Die hebben gezorgd voor maar liefst tien klein-kinderen. Yvonne zes en haar broer vier. Een grote familie.

Het is Guusje die ons duidelijk maakt dat we om 9 uur naar huis moeten. Ze is helemaal op. Als ze thuiskomt, ligt ze, voordat ze zich uitkleedt, al op bed. Ze kan niet meer. Guusje heeft een slechte nacht. Steeds roept ze Yvonne of mij. Ze heeft pijn en kan moeilijk slapen.

Zondag 25 september

Bij het ontbijt vragen we Guusje wat ze leuk vindt om te gaan doen. Onze dochter wil graag naar Tilburg. Ze heeft gehoord dat de winkels op zondagmiddag open zijn. Ik probeer haar op andere gedachten te brengen, maar zonder resultaat. Ik ben niet zo'n fan van winkelen op zondag. Ook niet op andere dagen.

We gaan naar Tilburg. De dames vinden shoppen heerlijk. Ik wil weg uit de veel te drukke winkelstraat. Ik stel voor aan Yvonne, Guusje en Loes om een terras met speeltuin op te zoeken. Daar hebben ze wel oren naar. Wanneer we echter bij een terras arriveren, staan de auto's geparkeerd langs de weg en is het parkeerterrein helemaal vol. Het weer is veel te mooi. Bezoekers hangen met de benen buiten het terras. De beste keuze is naar huis. Koffie drinken in eigen tuin.

Op de terugweg beginnen Guusje en Loes ineens te praten over Doe Een Wens. Ze hebben veel vragen. Wanneer vertrekken we? Hoe reizen we? Wat moeten we meenemen? Yvonne en ik lachen. Er is geen enkele vraag die we kunnen beantwoorden. Ook wij als ouders gaan verrast worden. We hoeven ons nergens zorgen over te maken. Enkel genieten. Als je gewend bent voor zes kinderen altijd alles te regelen, voelt dat ontzettend relaxed. Onwetendheid. We vinden het heerlijk. Wanneer de wens in vervulling gaat? Nee, dat weten we ook niet. We wachten af. Zijn we inmiddels gewend. Wachten, wachten en wachten. Alleen op minder leuke dingen. Nu een keer op iets moois.

Aan het begin van de avond is het gezellig. Zus Janneke kan heel goed nagels lakken. Haar twee jongste zussen genieten. Janneke creëert bij beide meiden iets moois.

We moeten Guusje goed in de gaten houden. De reacties op de bestraling kunnen aanleiding zijn om contact op te nemen met het Pijnteam in het AMC. Het zou voor de hand liggen dat de extra pijnmedicatie omlaag gaat, als de bestraling effect heeft. De anesthesist heeft Yvonne afgelopen week uitgelegd waarom dàt juist niet gaat gebeuren. Je zou het verwachten, maar bij complexe ziektes ligt niets voor de hand.

Maandag 26 september

Yvonne en ik zijn vroeg op. Yvonne gaat werken. Ik ga met Guusje naar het ziekenhuis. Yvonne vraagt of dat ik wel moet gaan. Vannacht voelde ik me namelijk beroerd. Ik neem een paracetamol. Ik verklaar stellig dat er geen haar op mijn hoofd aan denkt om niet te gaan. Ziek thuisblijven. Dat past niet in mijn wereld.

Ook het slikken van medicijnen hoort niet in mijn wereld. Ik heb op de een of andere manier altijd moeite met het innemen van pillen. Zelfs met paracetamol. Liefst neem ik niets. Afkeer van medicijnen. Guusje slikt alleen al aan paracetamol vier stuks per dag. Daar heb ik blijkbaar geen moeite mee. Als ik zelf een pilletje slik, doe ik ineens moeilijk. Mijn wereld is best raar.

's Ochtends lees ik op Twitter dat er weer een kind is overleden aan kanker. Geen prettige berichten om de dag mee te beginnen. Wel de keiharde realiteit. Vaak kom ik op internet het woord 'kinderkankerhel' tegen. Ik vind dat een heel negatief en vervelend woord. Toch dekt het de lading. Helaas.

Vandaag starten we met radiotherapie. Tien werkdagen bestralen. Eerst breng ik Anton en Loes naar school. Ik spreek af dat ze deze week elke dag overblijven. Daarna vertrek ik met Guusje naar Amsterdam.

In het ziekenhuis zijn we snel aan beurt. Guusje is gespannen. Om haar gerust te stellen vraag ik de verpleegkundigen om zoveel mogelijk aan onze dochter uit te leggen van wat er gaat gebeuren. Het personeel is vriendelijk en behulpzaam. Het bestralen duurt kort. De voorbereidingen nemen het grootste deel van de tijd in beslag. Guusje krijgt pijn tijdens het bestralen. Ze roept. Ik onderbreek het verhaal over Meester Jaap dat ik voorlees. Door de microfoon zeg ik dat ze stil moet blijven liggen. Dat doet ze netjes. Stoere meid.

Ze loopt zelfs een stukje
met de hond

Na het bestralen gaan we even iets drinken en daarna snel naar huis. Als we richting uitgang willen lopen, zie ik de Chirurg met Gevoel die begin mei Guusje heeft geopereerd. Toen is geconstateerd dat de tumor niet kan worden verwijderd. Van chirurgen wordt vaak gezegd dat ze weinig menselijk zijn. Dat is bij deze man niet het geval. Hij is een mens. Vader van kleine kinderen. Hij wil graag weten hoe het met Guusje gaat. Ik zie enige teleurstelling bij hem. Hij heeft haar niet kunnen helpen. Hij zou het zo graag hebben gewild.

Thuisgekomen gaat het niet goed met Guusje. Na de lunch moet ze overgeven. Ze gaat op de bank liggen. Ik dek haar toe met haar eigen droomdekentje. Gelukkig valt ze in slaap. Ik zie dat ze transpireert.

Tegen het einde van de middag komt Yvonne thuis van haar werk. We besluiten om contact op te nemen met het Pijnteam. Er wordt een afspraak gemaakt voor morgen. Guusje heeft enorm veel behoefte aan extra medicijnen. De pijn wil maar niet weggaan.

Na het avondeten besluiten we een rondje te lopen met de hond. Samen met Guusje en Loes. Het lijkt goed te gaan. Guusje loopt zelfs een stukje met Balou.

Helaas gaat Guusje weer vrij snel in haar rolstoel zitten. Ik trakteer op een ijsje. Loes is dolblij. Ik vraag of Guusje ook zin heeft in ijs. Ze schudt haar hoofd. Zelfs een ijsje gaat er niet meer in. Vreemd voor een meisje van tien.

Gaan slapen is een probleem. Guusje heeft pijn en moet steeds spugen. Het is een ellendige avond. Elke tien minuten loopt Yvonne naar boven. Daar heeft mama geen trek in. Yvonne is moe. Ze haalt Guusje naar beneden. Ons meisje ligt op de bank. Om half 10 loopt Yvonne met Guusje weer naar boven. Nieuwe poging om te gaan slapen. Voordat onze dochter naar bed gaat, moet ze overgeven. Het zit niet mee. Komt het door de bestraling? Geen idee. De afgelopen week rees de behoefte aan pijnmedicatie 'al de pan uit'. Ook toen voelde ze zich soms al erg misselijk.

Ik word wakker. Het is nacht. Guusje heeft het moeilijk. Om 10 uur viel ze eindelijk in slaap. Om 3 uur weer wakker. Spoken in haar hoofd. De pijn is te erg. De vraag naar extra medicijnen te hoog. Ik word er moedeloos van.

Morgen gaat Yvonne met Guusje naar het ziekenhuis. Ik ga werken. Ik worstel: wel of niet gaan lesgeven? Een moeilijke beslissing. Afzeggen is niet mijn karakter. Morgen staan er naast het bestralen afspraken op het programma met een anesthesist van het Pijnteam en een radiotherapeut. Guusje roept weer. Ik sta naast haar bed. Ik ben boos. Waarom ben ik boos? Op Guusje, omdat ze ziek is? Op mezelf, omdat ik moet gaan werken en niet mee kan naar het AMC? Waarom zou ik boos zijn? Ik kan in deze situatie maar één beslissing nemen.

Dinsdag 27 september

Ik ga om 7 uur naar beneden en pak de telefoon. Ik bel met de roostermaker. Even later schrijf ik een e-mail aan de rector. Vandaag kom ik niet werken.

Om 11 uur hebben we onze eerste afspraak met de anesthesist. We zijn op tijd. Als we na een kwartier nog steeds in de wachtkamer zitten, besluiten Yvonne en ik om naar de afspraakbalie te lopen. Over tien minuten heeft Guusje een afspraak voor de bestraling. We krijgen te horen dat de anesthesist weinig tijd heeft. Over een uurtje moet hij weg in verband met een operatie. Ik zeg dat we zo snel mogelijk terugkomen en hem heel graag willen spreken. Het gaat niet goed met Guusje. Ik denk terug aan gisteren. Thuis op de bank. Misselijk, overgeven, transpireren en pijn. Een onprettig beeld. Ik wil de anesthesist spreken.

Tijdens het bestralen heeft Guusje pijn. Dat had ze gisteren ook. Rode plekken op haar rug. De plaat waarop ze moet liggen is keihard. Bij het verlaten van de behandelkamer krijgen we een kraal voor Guusje's KanjerKetting. Mooie beloning voor een vervelende behandeling.

Ik meld ons aan bij de balie voor de afspraak met de radiotherapeut. Ik vraag of we eerst nog langs kunnen gaan bij de anesthesist. Aangezien de radiotherapeut achter loopt op schema, is dit geen probleem. Wel bestaat het risico dat hij straks is lunchen. Dat risico nemen we dan maar. Ik moet de anesthesist spreken.

De anesthesist zit al klaar om ons te ontvangen. Hij neemt uitgebreid de tijd om onze dochter te onderzoeken. Guusje's pijn bevindt zich op een specifieke plaats. Haar linkerbekken. De arts bespreekt met ons verschillende opties van pijnbestrijding. Ik constateer dat je snel moet kunnen schakelen om goed te kunnen volgen wat hij vertelt. De keuze valt op aanpassing van de medicijnen die Guusje nu al gebruikt. Daarnaast gaat hij ons in contact brengen met een verpleegkundige die gespecialiseerd is in lokale pijntherapie.

Als we teruglopen naar de afdeling Radiotherapie, zie ik op de klok dat we bijna een half uur met de anesthesist hebben gesproken. Een goed gesprek. Nu maar hopen dat lokale pijntherapie echt gaat helpen. Het maakt me eigenlijk niet meer uit welke behandeling gegeven wordt, als de pijn maar verdwijnt.

De radiotherapeut is nog steeds niet aan zijn lunch toe, als wij terugkeren. Bijna een uur uitloop. Voor ons handig. Hevige pijn en misselijkheid kunnen volgens de arts bijwerkingen zijn van het bestralen. Daarom extra medicijnen tegen de misselijkheid. Die kunnen er ook nog wel bij.

Het is inmiddels na enen. We lunchen in het AMC. Guusje heeft geen trek. Op allerlei manieren proberen we haar te laten eten. We zijn niet erg succesvol. Ineens valt ons oog op twee dames die onder de verf zitten. Guusje herkent ze. Tijdens de weken in het ziekenhuis keek ze enorm uit naar het schilderen met deze dames. Ze geeft aan graag even te willen praten met deze kunstenaars. Ik schuif haar rolstoel naar de tafel met de dames. Yvonne en ik blijven aan onze eigen tafel zitten. We zien Guusje opleven tijdens het gesprek over schilderen.

Thuisgekomen gaat Guusje op de bank liggen. Ze is moe. Om half 4 komt een vriendinnetje spelen. Helaas houdt onze dochter het niet lang vol. Ze voelt zich niet lekker. Tijdens het avondeten geeft Anton aan dat hij vanavond naar het schilderclubje gaat. Daar wil Guusje ook graag naar toe. Yvonne en ik vinden het goed. We vragen ons alleen af hoe lang ze het vol gaat houden. Na een uurtje worden we gebeld. De pijn is te erg. Yvonne komt met extra medicijnen. Ons meisje wil niet naar huis. Ze blijft tot het eind. Tekenen en schilderen samen met andere kinderen. Guusje geniet.

Weer thuis wil Guusje naar bed. Vrij snel slaapt ze. Dat ziet er goed uit. Een ander beeld dan gisteravond. Ik ben ook boven. Schoolexamens maken. Opeens roept Guusje. Paniek. Ze had een nachtmerrie. Ook dat hoort er voortaan bij. Yvonne komt naar boven en neemt Guusje mee naar beneden. Even tot rust komen. Het is 11 uur, als Yvonne onze dochter weer naar bed brengt. Wordt het een rustige nacht met veel slaap? Laten we het hopen. Daar draait het uiteindelijk allemaal om: hoop!

Woensdag 28 september

Ik bespreek met Yvonne de nacht. Guusje heeft weer vijf uren achter elkaar doorgeslapen. Toch hebben we het idee dat het beter gaat dan de afgelopen dagen. Laten we maar niet te vroeg juichen. Dat hebben we al te vaak gedaan.

Na het ontbijt Loes en Anton naar school brengen, medicijnen halen bij de apotheek en een telefoongesprek voeren met mijn werkgever. Net voordat we willen vertrekken naar het AMC, belt Doe Een Wens. Yvonne, Janneke en Guusje zitten met gespitste oren op de bank. Ze proberen mijn telefoongesprek te volgen. Ik heb gisteren een mailtje gestuurd naar Doe Een Wens. Vorige week heb ik formuleren

En dan verlies je ook
nog je haren

ingevuld. Ik was vergeten te vermelden dat Guusje in een aangepast bed slaapt.

In de auto op weg naar Amsterdam praat Guusje over haar grootste wens. Ze vindt het vet als deze echt in vervulling zou gaan. Ze heeft duizend vragen voor Yvonne en mij. We kunnen bijna geen enkele vraag beantwoorden. Wat er gaat gebeuren bij de wensvervulling? Yvonne en ik weten het niet.

Aangekomen bij het AMC gaan we naar de kapsalon, steunpunt van Haarwensen. Guusje krijgt vandaag een pruik. De ziekte kanker is erg. Ook nog je haar verliezen vinden jonge meiden verschrikkelijk. Zo ook Guusje. Gelukkig doneren veel gezonde meiden hun lange haar aan deze organisatie. Zo ook Janneke. Zij heeft haar lange staart af laten knippen en opgestuurd naar Haarwensen. Guusje vindt het spannend. De kapster is erg aardig. Vier pruiken liggen klaar. Een voor een passen. De keuze valt op het tweede exemplaar. De pruik wordt in model geknipt. Passend bij Guusje's hoofd. Daarna gaan we een hapje eten. Onze dochter is blij. Ze moet wel wennen aan haar nieuwe uiterlijk.

Het bestralen gaat snel. De meeste tijd is nodig om Guusje in de juiste houding te laten liggen. De tafel waarop ze ligt is keihard. Daar had ze de afgelopen dagen veel last van. Rode plekken op haar rug. Vandaag legt de verpleegkundige eerst een handdoek klaar. Ligt onze dochter een beetje comfortabel.

Maandag en dinsdag lag Guusje te slapen op de terugweg. Zweetdruppels op haar voorhoofd. Vandaag babbelt ze honderduit. Vreemde ziekte.

Na het avondeten wordt Loes thuisgebracht van een feestje. Onze jongste dochter bezorgt mama Yvonne vaak momenten van schaamte. Zo zei Loes een tijdje terug tegen een moeder bij school: 'Je hebt je haar geverfd. Ik vind het helemaal niet mooi.' Of bij een nieuwe bril: 'Nieuwe bril? De vorige was leuker.' Loes ziet bij mensen de kleinste verandering in uiterlijk. Guusje zit op de bank. Ze draagt haar nieuwe pruik. Loes praat uitgebreid tegen haar zus over het feestje waar ze vanmiddag is geweest. Na een kwartier blijkt dat ze niet in de gaten heeft dat Guusje een pruik draagt. Onze conclusie: als Loes het niet ziet, dan heb je een hele goede pruik. Hulde voor Haarwensen.

Op woensdagavond is de Gemeentewinkel open. Vorige week hebben we vijf paspoorten aangevraagd voor Lisa, Hans, Anton, Guusje en Loes. Vanavond halen we deze op. Onderweg eten we een ijsje. Genieten van de avondzon.

Morgenochtend weer naar het AMC. Bestraling nummer vier. Guusje ligt op de bank. Kijkt TV samen met haar broer Anton. Ze eten chips. Een beter beeld dan de afgelopen dagen. Toch ben ik voorzichtig. Denk aan die ene zwaluw. We weten allemaal wat die niet maakt.

Donderdag 29 september

Guusje heeft beter geslapen. Minder vaak wakker. We staan vroeg op. Om half 8 de auto in. Op weg naar het AMC. Onderweg file. Om 9 uur melden we ons bij de afdeling Radiotherapie. Precies op tijd voor de bestraling.

Klaar met bestralen kunnen we weer terug naar huis. Tweehonderd kilometer rijden voor een behandeling van twintig minuten. Afgelopen dinsdag spraken we over lokale pijntherapie. We hebben nog steeds niets gehoord. Daarom even een bezoekje brengen aan de poli Pijnbestrijding. Daar weten ze van niets, maar ze zullen contact opnemen met de artsen. Ik zeg dat ik morgenmiddag weer langskom, als ik niet word gebeld. De dame achter de balie meldt lachend dat ik dat zeker moet doen.

Op de terugweg slaapt Guusje. Zweetdruppels op haar voorhoofd. Om 11 uur zijn we thuis. Zus Janneke ligt op de bank. Net haar laatste schoolexamen gemaakt. Beide dames zijn moe. Guusje gaat op de andere bank liggen.

Ik noteer de afspraken voor volgende week op de kalender. Terwijl ik daarmee bezig ben, gaat de telefoon. Een verpleegkundige gespecialiseerd in lokale pijntherapie. We spreken af voor morgenmiddag. We zijn dan toch in Amsterdam voor bestraling nummer vijf. Gaan we dan praten of handelen? De verpleegkundige zegt dat ze genoeg informatie heeft. Handelen dus.

Als ik denk nog even te kunnen werken, belt Doe Een Wens. Weer een en ander afstemmen. Hoewel we al wel een idee hebben wat er gaat gebeuren, hebben we besloten hierover nog niets naar buiten te brengen. Er zijn geen definitieve toezeggingen. Als het doorgaat, komt Guusje's grootste wens uit. Wanneer ik met Guusje praat over Doe Een Wens, zie ik een glimlach en stralende ogen.

Na de lunch geeft Guusje aan dat ze vanmiddag graag naar school wil. Zus Janneke helpt bij het opzetten van haar pruik. Aangekomen bij school zegt een moeder tegen Guusje dat ze een knappe dame is. Guusje hoort wat elke meisje graag wil horen: je ziet er goed uit. Dat is lang geleden.

Janneke maakt van Guusje een mooi meisje

Terug van school laat ik de hond uit en lees ik een tweet van een journalist. Ze vraagt of we mee willen werken aan een artikel in het Algemeen Dagblad over Haarwensen. Zojuist heb ik weer gemerkt wat een haarwerk betekent voor een jong ziek meisje. Ik stem toe in een interview. Ik vertel over Guusje, maar ook over Janneke. Onze oudste dochter doneerde haar staart aan Haarwensen. De journalist stelt voor een foto bij het artikel te plaatsen van Janneke en Guusje. Leuk idee.

Om 3 uur belt school. Het gaat niet goed met Guusje. Op school vertelt Guusje dat alle ouders een e-mail ontvangen. Ik kan vrijkaartjes bestellen voor de try out van de musical Droomvlucht. Gelukkig heb ik e-mail op mijn telefoon. Meteen bestel ik kaartjes. Vanavond gaan we naar de voorstelling in het Efteling Theater.

Er blijft weinig tijd over om te werken. Om half 5 staat er een fotograaf aan de deur. Foto's maken van Janneke en Guusje voor het Algemeen Dagblad van morgen. Op hetzelfde moment ontvang ik in mijn mailbox de tekst van het artikel dat morgen in de krant verschijnt. Het artikel mag ik doorlezen voor publicatie. De tekst is prima. Goede reclame voor Haarwensen. Ze doen goed werk en hebben hiervoor haren en geld nodig.

Na het avondeten naar de Efteling. Onze meiden vinden de musical Droomvlucht erg mooi. Ze genieten. Ik houd niet van musicals. De titel Droomvlucht neem ik iets te letterlijk. Licht uit en ogen dicht. Ik ben heel erg moe.

Guusje gebruikt overdag minder medicijnen tegen de pijn dan de afgelopen dagen. Alleen in de avonduren is ze weer niet 'te houden'. Dat is jammer. We kregen juist de indruk dat we een goede weg waren ingeslagen. Te vroeg juichen is zo verleidelijk. We willen zo graag zien dat het beter gaat. Misschien wel iets te graag.

Vrijdag 30 september

Vroeg op. Auto in en langs het pompstation. Ik koop twee exemplaren van het Algemeen Dagblad. Thuisgekomen naar pagina zeven. Een mooie foto. Janneke en Guusje stralen. Onze kleine blonde meid ziet er dankzij die pruik uit als een gewoon mooi meisje. Als ze naar buiten gaat, ziet niemand dat ze bovenop haar hoofd kaal is.

De hele ochtend voelt Guusje zich beroerd. Als ik naar haar kijk, maak ik me zorgen. Niet over de tumor. Wel over de veerkracht van onze dochter. Ze moet volhouden. Ze moet blijven doorbijten. Dat doet ze al zes maanden. Hoe lang kan een meisje van tien dit volhouden? Guusje voelt zich niet lekker. Ze is gespannen. Vanmiddag gaan we naar het AMC. Eerst bestralen en daarna lokale pijntherapie. De laatste behandeling is nieuw. Vandaag de eerste keer. Afgelopen dinsdag is uitgelegd wat de behandeling inhoudt. Het klinkt als science fiction. Het is heel moeilijk om aan Guusje uit te leggen wat er gaat gebeuren.

De afgelopen twee weken heb ik verschillende keren contact gehad met Oracle. Praten over een nieuwe toekomst. Vandaag komen we eruit. Ik ben opgelucht. Fulltime werken in het onderwijs is niet te combineren met Guusje's ziekte. Bij Oracle kan ik mijn eigen agenda beheren. Kan ik op korte termijn schuiven met afspraken. Ik werk hier amper twee maanden en nu al ontslag nemen. Aan de school ligt het niet. Het Lorentz Casimir Lyceum kan ik niets verwijten. Ze leven heel erg met me mee. Ze geven me ruimte. Op lange termijn gaat dit echter niet werken. Niet voor mij.

Bij het ziekenhuis aangekomen kruipt Guusje in haar schulp. Zit gebogen in haar rolstoel. Houdt haar knuffels stevig vast. Eerst gaan we naar de afdeling Radiotherapie. Vervolgens gaan we naar de poli Pijnbestrijding. Daar worden we opgewacht door een vrolijke verpleegkundige. Ze legt Guusje rustig uit wat er gaat gebeuren. Onze dochter blijft het een moeilijk verhaal vinden. Dat is het ook. Het gaat over pluspolen, minpolen, magnetisme en medicijnen die een depot vormen in haar lichaam. Tijdens de behandeling gaat haar lijf een beetje tintelen. De behandeling loopt voorspoedig.

Volgende week weer elke dag radiotherapie. Op dinsdag en vrijdag ook lokale pijntherapie. Vanmiddag horen we dat er drie tot vier behandelingen van lokale pijntherapie nodig zijn. Pas dan kun je een mogelijk positief effect waarnemen.

We vragen ons af wanneer we resultaat gaan zien. Van de bestraling en de lokale pijntherapie. Gaan we überhaupt effect zien van de behandelingen? Wordt de pijn echt minder? We moeten afwachten. Kun je nog wel geduld hebben na een half jaar? We zullen wel moeten. We hebben geen keus.

's Avonds ligt Guusje op de bank voor de TV. Ze voelt zich beroerd. Eten is daardoor lastig. Ze moet goed eten. Ze mag niet afvallen. Daar werken we aan. Goed eten is belangrijk. Dat lukt niet altijd. Zeker niet als Guusje zich misselijk voelt.

Zaterdag 1 oktober

Wakker worden. Ik kijk op de wekker. Het is 9 uur. Yvonne loopt rond. Ze is al aangekleed. Ik zou nog uren kunnen slapen, maar ik heb veel te doen. Tijdens het ontbijt
ontvang ik een e-mail. De foto's van Janneke en Guusje gemaakt voor het Algemeen
Dagblad. Ik publiceer de foto's op mijn blog. Wat zijn ze mooi.

Na het ontbijt bel ik met Karin. Gisteravond laat hadden we contact via Twitter.
Samen met haar man Arnoud richtte Karin drie jaar geleden Stichting Lucai op. Deze
organisatie verzorgt vakantieweken voor ernstig zieke tieners en hun gezin. Zie ze
als opvolgers van Villa Pardoes. Tot 12 jaar zijn kinderen welkom bij Villa Pardoes.
Daarna bij Stichting Lucai.

Aanleiding voor ons gesprek is een tweet van gistermiddag. Karin zag Guusje in
de krant. Ze werd overvallen door emoties. Begin 2008 werd bij Karin's dochter Loek
kanker geconstateerd. Een zware ziekteperiode volgde. Loek overleed anderhalf jaar
later. Haar verhaal is erg aangrijpend. Karin vertelt over foto's van een gala. Kort voor
Loek's overlijden. Je ziet niet dat ze er enkele weken later niet meer zal zijn. Het is
niet te bevatten hoe snel het soms kan gaan.

Ik hoorde deze week ook een verhaal van een kind dat schoon was, maar toch
overleed. Het lichaam was op. Op van de ziekte. Ik maak me zorgen over Guusje.
Ik zie dat haar lichaam het zwaar heeft. Hoe lang kan een mens dit volhouden? Hoe
lang kan een kind dit aan? Ik kijk naar Guusje. Ze ligt al de hele ochtend op de bank.
Soms slaapt ze. Ik veeg de zweetdruppels van haar voorhoofd.

Guusje's vriendin Nikki zit met haar voet in het gips. Haar vader neemt contact
met me op. Hij stelt voor dat Nikki en Guusje gaan schilderen. Als ik aan Guusje
vraag of ze zin heeft, zie ik een twinkel in haar ogen. Na de lunch ga ik met Guusje
naar Nikki. Rustpunt in een drukke dag. Ik drink koffie met Nikki's vader. De meiden
schilderen. Guusje is enorm veranderd. Het was ooit Nikki's vader die zei dat een
volumebegrenzer bij onze dochter geen overbodige luxe zou zijn. Nu is Guusje een
stil meisje. Ze loopt scheef, zit in een rolstoel en heeft alle dagen pijn. Ze wordt nooit

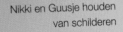
Nikki en Guusje houden
van schilderen

meer beter. Dat is haar toekomst. Het is ook onze toekomst. Ons gezinsleven is ontregeld. We proberen het schip drijvende te houden. Dat vraagt veel energie. Die hebben we niet altijd. Dat merk ik vandaag weer. Gelukkig zijn er mensen die zorgen voor mooie dagen. Vandaag heerlijk schilderen met Nikki. Het zijn maar twee uurtjes. Ze geven kleur aan Guusje's leven.

Zondag 2 oktober

Al heel vroeg ben ik in Elshout. Janneke ophalen. Ze heeft geslapen bij een vriendin. Gisteravond een feestje. Nu de kinderen ouder worden, kom ik steeds vaker in actie als papataxi. Na een heerlijke boswandeling vertrekken we richting Loenen aan de Vecht. Elsbeth is een ex-collega van Oracle. Ze volgt mijn blog. Ze heeft ons uitgenodigd. Een dagje varen. De zon schijnt volop. Onze kinderen vermaken zich op het water. Yvonne en ik verwonderen ons over Guusje. Ze heeft een hele goede dag. Vandaag is het zomer.

Maandag 3 oktober

Ik ben aan het werk voor school. Het is kwart voor 10. De telefoon gaat. Het gaat niet zo goed met Guusje. Ik loop naar school. Ik zie het al. Onze dochter is moe.
   'Ik viel bijna in slaap, papa.'
   'Was de les zo saai?'
   'Nee!'
   'Waarom sliep je dan bijna?'
   'Ik ben gewoon heel erg moe.'

Vandaag is het zomer

Thuis ligt Guusje op de bank. Ze heeft geen trek. Toch lukt het mij om haar een grote koek te laten eten. Yvonne en ik maken ons zorgen over haar gewicht. We leggen er niet te veel nadruk op voor Guusje, maar tussendoor proppen we zoveel mogelijk naar binnen. Elk pondje moet door het mondje.

De rest van de ochtend slaapt Guusje op de bank. Onder haar eigen droomdekentje. Ik kan rustig werken. Tot het einde van de ochtend. We eten samen boterhammen en vertrekken naar Amsterdam. Na vijf kilometer zit Guusje al te knikkebollen. Ze is inderdaad erg moe.

Het is rustig op de weg. We arriveren ruim op tijd. In de wachtruimte zitten veel mensen. Ik hoop dat het geen latertje wordt. Ondertussen vullen Guusje en ik de tijd met 'wie kan het snelst een grote koek eten?' Ze wint twee keer.

Het grote aantal wachtende patiënten heeft geen betekenis. Precies op afspraaktijd worden we naar binnen geroepen. Het bestralen gaat sneller dan de voorgaande keren. Het liggen op de harde tafel doet pijn.

Guusje wil na de bestraling meteen naar huis. Ik wil eerst een kopje koffie drinken. Aangezien ik de autosleutels heb, krijg ik mijn zin. Het is geen probleem voor onze dochter. Ze is in een opperbeste stemming.

De koffie is bijna op en ik zie haar gezichtje betrekken. De stemming slaat ineens om. Geen vrolijk babbeltje meer. Zwijgend krom in de rolstoel. Pijn steekt de kop op.

Om 4 uur zijn we thuis. Er ligt een stapel post. Verrassing voor Guusje. Via Postcrossing ontvangt ze vrolijke kaarten van mensen uit binnen- en buitenland. Er zijn kaarten geschreven in het Engels. Ik heb geen tijd voor vertalen. Ik ben druk. Op zo'n moment betaalt een opleiding tweetalig onderwijs van Janneke zich terug. Zij vertaalt de kaarten voor onze dochter. Guusje is heel enthousiast. Fijn dat mensen dit voor haar organiseren. Het zijn hoogtepuntjes die kleur geven aan haar dag. Haar lichaam maakt het haar onmogelijk om lekker buiten te spelen.

Als Guusje in bed ligt, constateer ik dat de extra pijnmedicatie nog niet afneemt. Ik wil natuurlijk graag vroeg juichen. Vanmiddag in het AMC liepen we de radiotherapeut tegen het lijf. Hij vroeg hoe het met Guusje ging. Ik gaf het woord aan Guusje.

'Ik heb het idee dat het beter met me gaat. Ik voel me anders.'
Kwart voor 2. Midden in de nacht. Ik sta bij Guusje's bed. Geef haar extra medicijnen tegen de pijn. Ik vraag me af wanneer onze dochter een hele nacht doorslaapt.

Dinsdag 4 oktober

Vroeg op. Auto in. Naar Eindhoven. Ik ga werken. Het is erg druk onderweg. Er zijn files. Ik arriveer te laat bij school. Daar baal ik van. Op school bespreek ik mijn ontslag. De school wil me ruimte geven, maar ik kan er niet mee omgaan. Ik ga bij Oracle werken. Ik wil een flexibele agenda. Niet dat steeds mijn lessen uitvallen.

Yvonne gaat met Guusje naar het AMC. Als ik 's middags thuiskom, ligt Guusje op de bank. Ze eet een boterham. Het bezoek aan het ziekenhuis verliep voorspoedig. Eerst lokale pijntherapie. Daarna bestralen. Tot slot een gesprek met de radiotherapeut.

Yvonne en ik willen graag snel effect zien. De radiotherapeut heeft uitgelegd dat de dosis bij de bestraling laag is. Daarom zijn veel behandelingen nodig voordat Guusje echt iets gaat merken. We moeten geduld hebben. Rustig afwachten. Hopen dat het gaat werken.

De aanval op de pijn is ingezet met twee wapens.
Wapen 1: radiotherapie
Wapen 2: lokale pijntherapie
Om de strijd tegen de pijn te winnen moet Guusje werken aan haar gewicht. De radiotherapeut zei: 'Ik werk aan de bestrijding van jouw pijn, als jij werkt aan je gewicht.' Een verpleegkundige van het Pijnteam legde uit dat voedsel belangrijk is. Pijn vraagt veel energie. Goed eten is noodzaak voor Guusje.

's Middags vliegen de calorieën door het mondje. Het lijkt of Guusje de boodschap heeft opgepikt. Tijdens het avondeten gaat het mis. Guusje voelt zich erg beroerd. Als een ziek vogeltje zit ze naast me aan tafel. Warm eten lukt niet. Ze is misselijk. Toch staat ze erop om na het avondeten te gaan tekenen. Gezellig samen met andere kinderen. Ik heb de neiging om te zeggen dat ze niet mag gaan. Ze oogt beroerd. Toch brengt Yvonne haar weg. Bij tekenles kan ze genieten. Even gewoon kind zijn.

Woensdag 5 oktober

Een waardeloze nacht. Guusje wil niet naar school. Ze voelt zich beroerd. Yvonne gaat met Guusje naar het AMC voor bestraling. De afspraak staat voor vanmiddag. Onze dochter zou in de ochtend naar school kunnen gaan, maar het gaat niet. Ze moet vaak spugen. Dat kan er ook nog wel bij.

Ik ga werken en vertrek naar Eindhoven. De hele dag ben ik op school. Vrijdag hebben mijn klassen repetities en schoolexamens. Daarvoor moet ik nog het een en ander regelen. Dat kost tijd.

Tegen de avond ben ik weer thuis. Guusje ligt op de bank. Ze oogt ziek. Yvonne vertelt dat ze gesproken heeft met de radiotherapeut. Deze vertelde dat het overgeven een bijwerking kan zijn van de combinatie bestralen en medicijnen. De radiotherapeut heeft contact opgenomen met dokter Marianne. Samen hebben ze besloten om Guusje nog een extra medicijn erbij te geven. Speciaal tegen het overgeven. Hopelijk helpt het. Aankomen in gewicht is moeilijk, als je steeds je eten uitspuugt.

Tijdens het avondeten zijn onze kinderen druk. Met name Loes. Ze is volgende week jarig en kan nergens anders over praten. De hele dag gaat het over haar verjaardag. Ze doet me erg denken aan Lisa. Die kon ook nergens anders over praten toen ze zo oud was. Hoewel Lisa jarig is in november, praatte ze er al over in de lente.

Loes wordt acht op 11 oktober en Lisa wordt zestien op 25 november. Mijn gedachten over de overeenkomst tussen Loes en Lisa zijn nog maar net koud of Lisa pakt ineens haar telefoon. Ik vraag waarom er tijdens het eten een telefoon op tafel verschijnt. Lisa legt uit dat daarop een lijstje staat met … cadeaus die ze graag wil hebben voor haar verjaardag. Ze veranderen nooit. Zelfs niet als ze zestien worden.

Yvonne is moe en heeft geen zin om te koken. We eten gebakken ei. Guusje kiest voor een boterham met stroop. Het kost haar moeite om deze naar binnen te werken. Ze is allesbehalve vrolijk. Laten we hopen dat het slapen vannacht beter gaat.

Donderdag 6 oktober

De herfst is begonnen. Er is geen doorkomen aan op de weg. Vijf minuten te laat melden we ons bij de afdeling Radiotherapie. Vervolgens moeten we bijna een half uur wachten. Worden we gestraft voor vijf minuten te laat komen? Dit is immers de enige afdeling in het AMC die zich strak aan de afspraaktijden houdt. Het is bijna kwart voor 11. Een vriendelijke verpleegkundige verontschuldigt zich. Er was sprake van een spoedgeval.

Meestal vind ik het niet erg om te wachten, maar vandaag heb ik afgesproken met Michiel. Hij werkt bij Oracle. In het verleden hebben we prettig samengewerkt. Dat gaan we in januari weer doen. Gezellige praat over privé en werk. Het is Guusje die een eind maakt aan het gesprek. Ze voelt zich niet lekker.

Michiel is een van die mensen waarmee ik vaak interessante gesprekken heb. Hij houdt me wel eens een spiegel voor. Michiel wees mij er ooit op dat ik veel te weinig de leuke momenten in het leven vier. Zeker nu is dat belangrijk. Pluk mooie momenten. Dat gaat niet vanzelf. Daar moet je wel wat voor doen.

Op weg naar huis geeft Guusje aan dat ze trek heeft. Daar profiteer ik van. We stoppen bij een McDonalds. Daar zitten we dan. Samen aan een tafeltje. Fastfood aan het begin van de middag. Best lekker.

'Waar zijn we?'

'Tussen Den Bosch en Waalwijk?'

'Hoe laat is het?'

'2 uur. Waarom wil je dat weten?'

'Kan ik nog naar school?'

'Een uurtje moet lukken. Heb je er zin in?'

Vrijdag 7 oktober

Guusje wil niet naar school. Ze is misselijk en moe. Ze ligt op de bank. Lekker onder haar droomdekentje. Ik zet de TV uit. Een luisterboek op. Haar ogen gaan dicht.

Vanmiddag de laatste keer bestralen. Voorlopig. We weten immers niet hoe het vervolgtraject eruit ziet. Tien werkdagen op en neer naar Amsterdam. Dat is even ver als van Kaatsheuvel naar Benidorm.

De verpleegkundigen van radiotherapie zijn lief voor Guusje. Bij het afscheid krijgt ze een beer. Het viel niet mee voor onze dochter. Elke dag liggen op die harde tafel. Heel pijnlijk.

Guusje drukt de beer tegen zich aan. Ik zie dat ze er blij mee is. Soms lees ik dat kinderen met kanker niet verwend mogen worden. Ik maak voor onze dochter een uitzondering. Guusje maakt zoveel mee. Deze ziekte is te groot voor haar.

Van radiotherapie gaan we door naar lokale pijntherapie. Guusje vindt het moeilijk om te begrijpen wat er gebeurt tijdens het bestralen. Ondanks de uitleg in het boekje van Radio Robbie. Nog moeilijker vindt ze lokale pijntherapie.

Ze heeft het moeilijk. Ze begrijpt niet wat er gebeurt. Niemand kan het haar uitleggen. Chemotherapie begrijpt ze. Radio- en pijntherapie niet. Dit is hogere geneeskunde.

De verpleegkundige van de pijntherapie vraagt of Guusje al iets voelt van verbetering. Guusje wordt boos. Half huilend zegt ze dat ze niet begrijpt wat er gebeurt. Ze weet niet wat ze voelt. De verpleegkundige besluit eerst te zorgen voor thee en koffie. Ondertussen zorg ik ervoor dat onze dochter rustig wordt. Als de verpleegkundige terugkeert, zegt Guusje: 'Als ik me beter voel, dan voel ik me beter.'

Van Amsterdam rijden we naar Eindhoven. Op school haal ik correctiewerk op. De toetsweek is begonnen. Onderweg wil Guusje weer naar McDonalds. Ze heeft zin in friet. Vrolijk begint ze aan haar Happy Meal. Halverwege zie ik dat het mis gaat. Misselijk. Stop maar met eten.

Vandaag begint lotgenoot Pieter aan zijn laatste chemo. In Amerikaanse ziekenhuizen zingt de verpleging bij de laatste chemo 'Happy last chemo to you!' Zijn vader Karel geeft aan dat hij zich vandaag niet blij voelt. Geen 'happy last chemo'. Kan ik me voorstellen. Blij ben je, als er feest is. Het uitzicht op de kraal met een bloemetje die staat voor 'einde behandeling' is mooi. Een bloem aan het eind van Pieter's KanjerKetting. Een stapje verder. De wereld uit van kanker. Hoewel je deze nooit helemaal kunt verlaten. Een ziekte voor het leven.

Zwaluw

8 oktober – 25 oktober

● ●

Zaterdag 8 oktober

's Middags ga ik met Yvonne, Guusje en Anton naar Tilburg. Bij Selexyz Gianotten kun je op de foto als Dolfje Weerwolfje. Guusje weet mij ook te vertellen dat Paul van Loon aanstaande woensdag naar dezelfde boekhandel komt. Ze wil graag een gesigneerd exemplaar van het nieuwste deel uit de serie van Dolfje Weerwolfje. Paul van Loon is Guusje's favoriete schrijver.

Aan het einde van de middag gaan we uit eten. Italiaans tafelen in Tilburg. We vieren dat ik een nieuwe baan heb. Om me heen Yvonne en onze zes kinderen. Gezellig samen. Ik kijk naar Guusje. Ik zie geen verandering. Niet wat pijn betreft. Moet ik geduld hebben? Waarschijnlijk wel. Geduld past niet bij mij. Ik ben type 'ongeduld' en dat zal nooit veranderen.

Zondag 9 oktober

We slapen uit. Er staat niets op het programma. Ik vul deze zondag met activiteiten van mijn lijstje 'things to do, als je ooit eens tijd hebt'. Veel doorstrepen. Een opgeruimd gevoel. Dat is prettig. Er liggen honderdtachtig examens en repetities klaar

Guusje is een superheld

voor correctie. Ik zal me komende week niet vervelen. Zou ik trouwens wel eens een keer willen. Gewoon niets doen.

De afgelopen tijd zag ik vaak een redelijk beeld qua pijn in de ochtend, maar een enorm toenemende vraag naar medicijnen in de avond. Vandaag voor het eerst een constant beeld. De hele dag. Kleine stapjes vooruit. Ik zie een zwaluw. Waar blijft de zomer?

Maandag 10 oktober

Hopen op voortzetting van het 'feest' van gisteren. Helaas gaat het 's nachts al mis. Twee keer wakker. Twee keer vraag om extra medicijnen tegen pijn.

Yvonne gaat vroeg de deur uit. Onze kinderen maken zich klaar om naar school te gaan. Guusje niet. Ze ligt in bed. Ze is moe. Om half 10 haal ik Guusje uit bed. Zij ontbijt. Ik drink koffie. Als ik vraag of ze naar school wil, schudt ze nee. Bang dat ze in slaap valt in de klas. De rest van de ochtend hangt ze op de bank. Eerst TV. Later een luisterboek.

Vandaag werk ik thuis. Examens corrigeren. Ik zit aan de keukentafel. Guusje is in de woonkamer. Ook na de lunch wil ze niet naar school. Ik sluit de webchair aan. Vanaf een afstandje zie ik dat ze enthousiast reageert, wanneer haar klasgenoten het lokaal binnenkomen. Virtueel aanwezig zijn in de les is altijd nog beter dan helemaal geen school. Na een uurtje zie ik dat Guusje het niet meer 'trekt'. Ik adviseer haar de klas gedag te zeggen. Guusje is het met me eens. Tijd voor een dutje.

Het is half 4. Guusje geeft aan dat ze enorme trek heeft. Waarin? Pizza. Tijd voor boodschappen. Guusje en ik lopen door het centrum. Ik laat haar de rolstoel duwen. Zorg voor lichaamsbeweging. Thuisgekomen slaat de stemming om. Ineens weer

Vanaf de bank in de klas

veel pijn. Na het avondeten gaat ze toch naar toneel. Vorige week had ze veel plezier. Vanavond zit ze stilletjes in haar rolstoel.

Hoe zal ik de dag samenvatten? Pijnbestrijding is kleine stappen vooruit, maar dit zijn wel hele kleine stapjes. Veel te klein.

Dinsdag 11 oktober

'Wanneer komen jullie zingen?'
'Weet jij wel hoe laat het is, Loes?'
'Wanneer komen jullie nou?'
'Het is 5 uur. Ga maar terug naar bed. We komen zo.'
Yvonne draait zich om en slaapt verder. Twee uur later zingen we voor Loes. Daarna cadeautjes uitpakken. Loes is de hele dag vrij van school. Ze geniet met volle teugen van haar verjaardag.

Guusje gaat vandaag tweemaal naar school. Anderhalf uur in de ochtend en anderhalf uur in de middag. Taart, pizzabroodje en shoarma. Guusje heeft er zin in vandaag. Ik vraag aan Guusje of ze zich beter voelt.

'Als ik me beter voel, dan voel ik met beter, papa.'
Die zin hoorde ik ook een paar dagen geleden. Guusje voelt zich anders. Beter dan voorheen.

Woensdag 12 oktober

Yvonne en ik vragen Guusje niet meer of ze naar school kan. We gaan ervan uit dat ze gaat. Waarom deze verandering? Als we vragen, moet Guusje nadenken. Hoe voel ik me? Heb ik pijn? Ben ik misselijk? Gaat het wel goed met me? Haar ziekte is niet alleen een fysieke aanslag. Ook mentaal. Tussen de oren. Er gebeurt veel in haar jonge leven.

Ik kijk door het raam. Het regent. Nemen we de auto? Yvonne opent de voordeur. Volgens haar valt het wel mee. We gaan lopen. Voor de zekerheid trek ik Guusje een regencape aan. Bij school aangekomen ben ik kletsnat. Dunne regendruppels, maar wel heel veel. Een paraplu is geen overbodige luxe. Ik kijk naar Yvonne. In de rechterhand een paraplu. In de linkerhand de traktatie van Loes. Onze jongste dochter viert haar verjaardag op school. Ze kan er geen genoeg van krijgen.

Op mijn school is het toetsweek. Gelukkig geen surveillance voor mij. Toch ben ik druk. Het corrigeren van schoolexamens en repetities kost veel energie. Ik merk dat ik steeds op de klok kijk. Hoe lang houdt Guusje het vol op school? Yvonne is vrij. Ze strijkt. Even pauze. Samen koffie drinken.

'Ze houdt het lang vol.'
'Ik heb al drie keer gecontroleerd of mijn telefoon aanstaat.'
'Dus jij kijkt ook steeds op de klok.'
'Zou ze de hele ochtend volhouden?'

'Het is over half elf. Meer dan twee uur op school. Dat is lang geleden.'

Yvonne gaat boodschappen doen. Het is kwart over elf. De telefoon gaat. Juf Bianca geeft aan dat Guusje in de klas last heeft van dichtvallende ogen. Ze zit bijna te slapen. Buiten nog steeds regen. Ik pak de auto. Guusje ophalen van school. Bijna een hele ochtend volgehouden. Weer een stapje vooruit.

Bij het verlaten van de klas zegt juf Bianca dat morgen schoolfoto's worden gemaakt. Guusje zou morgen niet naar school gaan. Om 11 uur afspraak in het AMC. Tot half tien moet echter wel lukken. Een uurtje naar school. Juf zorgt dat haar klas morgen de eerste is bij de schoolfotograaf. Ik vind het prima. Een uurtje school gaat boven een uurtje thuis op de bank.

's Middags gaan we naar Tilburg. Eerst een dikke winterjas kopen voor Guusje. Die heeft ze nodig. Als ze stil zit in de rolstoel, heeft ze het koud. Daarna gaan we naar Selexyz Gianotten. Paul van Loon komt signeren. Guusje is een enorme fan van zijn boeken. Ze is niet de enige. Er staat een enorme lange rij voor het tafeltje waar straks Paul van Loon zit. De eigenaar van de winkel komt naar ons toe. Guusje mag eerst. Wachten is niet nodig. Guusje en Anton zeggen weinig, maar ik zie dat ze apetrots zijn.

Het is bijna 8 uur. Guusje is moe. Eerst nog even in bad. Bij het aankleden wegen. Dat valt tegen. Ze moet aankomen. Ik ga laat naar bed. Controleer eerst of alle deuren gesloten zijn. Zet de babyfoon uit. Mooi apparaat. Deze avond een aantal keren naar boven geroepen. Guusje had last van vervelende dromen.

Ik loop de trap op. Het licht is aan. Guusje zit rechtop in bed. Yvonne staat ernaast. Ik vraag wat er aan de hand is. Guusje heeft trek. Even later zitten we weer beneden. Guusje op de bank met een Danoontje. Samen kijken naar filmpjes op de iPad. Ze gaan over de wensreis die we samen gaan maken met Guusje. Om 5 uur is Guusje weer wakker. Yvonne geeft medicijnen. Doorslapen zit er helaas niet in.

Donderdag 13 oktober

Ik breng onze drie jongste kinderen naar school. Guusje voor slechts een uurtje. Schoolfoto's maken. Vandaag weer een afspraak in het AMC. Het is half 10. Ik loop met handenvol spullen naar de voordeur. Klaar voor vertrek richting school. Ik word gebeld. Het is juf Ilse. Guusje wil worden opgehaald. Zou er meer aan de hand zijn? Op school vertelt Guusje dat ze is gevallen op weg naar het toilet. De laatste tijd valt ze regelmatig. Struikelt over haar eigen voeten. Met name 's nachts op de overloop. Heel vervelend. Vallen veroorzaakt veel pijn.

Vandaag alleen lokale pijntherapie. In de wachtkamer zeg ik tegen Guusje dat straks aan haar wordt gevraagd of de therapie werkt. Alleen zij kan zeggen wat ze voelt. Ik kan alleen maar vertellen wat ik zie. Onze dochter kijkt me aan en zegt dat ze erover gaat nadenken.

Even later zitten we in de behandelkamer. De verpleegkundige is aardig. Ze vraagt hoe het gaat. Guusje is stil. Ik moedig haar aan om te gaan praten. Guusje geeft aan dat het een beetje beter gaat. Omdat ze weinig loslaat, vul ik haar aan. Twee weken geleden zat er soms maar een half uur tussen de vraag naar extra medicijnen. Deze tijd is langer geworden. Toch vaak nog korter dan twee uren. Zou langer moeten zijn. Ik geef ook aan dat ze niet meer misselijk is. Een fout! Guusje kijkt me boos aan. Ze is wel vaak misselijk. Ook nu voelt ze zich misselijk. Tijdens de behandeling zit Guusje toch vrolijk te praten. Over de verjaardag van Loes. Over Paul van Loon. Over Doe Een Wens. Op 1 november gaat haar grootste wens in vervulling. Daar kijkt ze enorm naar uit. Daar raakt ze niet over uitgepraat.

Terug naar huis. Eerst langs IKEA. Vlakbij het AMC. Daarna McDonalds. Op verzoek van Guusje. Elk pondje gaat door het mondje. Ze bestelt een Happy Meal. Ik een Big Mac Menu. Even later zitten we samen aan een tafeltje. Guusje heeft trek. Vooral in mijn Big Mac. Ineens betrekt haar gezicht. Enorme pijnsteken. Ze pakt mijn hand. Knijpt erin. Blaast de pijn weg. Ze is klaar met eten. Ik baal. Waarom zoveel pijn voor zo'n klein moedig meisje?

Guusje gaat slapen. Yvonne komt naar beneden. Ik deel mijn teleurstelling. Yvonne ziet het anders. Uitkleden en pyjama aantrekken ging soepel. Veel minder krampachtig dan een tijdje terug. Ik moet toegeven: een stapje vooruit.

Vrijdag 14 oktober

Onze kinderen gaan naar school. Ook Guusje. Hoe lang houdt ze het vol? Het is net 11 uur geweest, als de telefoon gaat. Guusje wil naar huis. Ze is moe en heeft pijn. Omdat ik veel correctiewerk heb voor school, komt Lindy om voor Guusje te zorgen. De hele middag ligt Guusje op de bank. Ze is moe en lastig. Ik word er niet vrolijk van.

Aan het eind van de middag vertrekken we richting Den Haag. Via de VOKK gaan we naar Circus Renz. Onze kinderen genieten van de voorstelling. Ik vind het vooral fijn om lotgenoten te ontmoeten. Ouders van een ziek kind. Een kind met kanker. Met deze ouders deel ik ervaringen en gevoelens. Onze levens zijn ingrijpend veranderd. Onze zieke kinderen missen veel. Van een normaal kinderleven is geen sprake. Vroeger ging Guusje naar school. Ik ging werken. Tegenwoordig duw ik haar naar school. In een rolstoel. Thuis houd ik de klok met een schuin oog in de gaten. Hoe lang blijft Guusje op school? Een normale schooldag. Al meer dan een half jaar … niet.

Zaterdag 15 oktober

Gisteravond laat thuis. Daarom vandaag uitslapen. Om 10 uur zitten we aan het ontbijt. De bel gaat. Er wordt eten bezorgd. Morgen met het hele gezin gourmetten. Aangeboden door een lieve familie. Zij weten uit ervaring wat leven tussen hoop en vrees is.

Deze ochtend ligt er een brief in de bus. Een ondernemer volgt mij via Twitter. Hij schrijft dat hij door het lezen van het blog is gaan beseffen hoe belangrijk gezondheid, plezier maken en genieten van het leven is. Door Guusje's ziekte is genieten dubbel zo belangrijk geworden. Hij kan zijn klanten een kerstpakket geven, maar hij vindt het belangrijker om ons gezin een vroeg kerstcadeau te schenken. Dinnercheques om samen lekker te genieten van een etentje, met het hele gezin bij elkaar.

Guusje's ziekte is als een koude snijdende wind. Eten, kaartjes, dinercheques. Deze geschenken voelen als een dikke jas. De kou wordt er niet minder van, maar ze geven ons wel warmte.

Er zijn veel activiteiten bij scouting. Een drukke dag voor onze kinderen. Niet voor Guusje. Ze ligt bijna de hele dag op de bank. Weinig zin om te praten. Lusteloos. Pijn en misselijk zijn voeren ook vandaag weer de boventoon.

Yvonne en ik maken ons zorgen. We willen dat de artsen eens goed kijken naar de medicijnen die Guusje gebruikt. Hoeveelheid en combinatie. Ook haar gewicht moet omhoog. Kortom, genoeg om over te praten met de artsen de komende week. Guusje's kwaliteit van leven krijgt een dikke onvoldoende.

Zondag 16 oktober

Heerlijk uitslapen. Yvonne maant me uit bed te komen. Ik heb geen zin, maar trek aan het kortste eind. Even later zitten we aan het ontbijt. Guusje zit naast me. Weer hetzelfde beeld: pijn en misselijkheid.

Yvonne en ik vinden dat het niet goed gaat met Guusje. Dinsdag hebben we een afspraak met dokter Marianne. Moeten we niet eerder aan de bel trekken?

Er heeft altijd een kinderoncoloog dienst op F8 Noord. Ook op zondag. Is het zinvol om met deze arts contact op te nemen? Wat weet deze oncoloog over Guusje? Het gaat om een zeldzame vorm van kanker.

Dokter Marianne heeft onze voorkeur. Ik wil haar een e-mail sturen. Dan valt de informatie dinsdag niet rauw op haar dak. Is ze vooraf op de hoogte van de situatie en kan ze voortvarend handelen in overleg met radiotherapie en pijnbestrijding.

Ik heb echter geen e-mailadres van dokter Marianne. Ik bel naar F8 Noord. Aan de andere kant een bekende verpleegkundige. Eentje die Guusje goed kent. Ze hebben vaak samen geschilderd tijdens ons langdurige verblijf in het ziekenhuis. Ik spreek mijn zorgen uit. Misselijkheid, spugen, afvallen, moe en pijnsteken.

De verpleegkundige wil dat ik mijn e-mail ook richt aan de dienstdoende oncoloog. Soms is er geen dag te verliezen.

Ondertussen is de visite binnengekomen voor de verjaardag van Loes. Ik blijf nog even boven. Een e-mail aan de artsen heeft prioriteit boven familie.

Als de visite naar huis is, geeft Guusje aan dat ze graag naar buiten wil. De hele dag op de bank hangen is ook niet alles. Ze snakt naar buitenlucht. Lopen is lastig. In het Wandelbos in Tilburg zijn mooie asfaltpaadjes. Handig voor de rolstoel. Ik parkeer de auto bij het Wandelbos. Anton en Loes zijn blij. Ze zien de ijscoman. Guusje wil geen ijs. Ik vraag niet of ze misselijk is. Veel vragen irriteert haar. Anton en Loes

Schommelen met mama in het Wandelbos

willen naar de speeltuin. Guusje niet. Zij wil alleen maar naar de dieren gaan kijken. Yvonne bemiddelt. Eerst dieren kijken en daarna spelen. Aangekomen bij de dieren stel ik voor dat Guusje een stukje gaat lopen. Daar heeft ze geen trek in. Ze wil wel extra pijnmedicatie. We onderhandelen. Eerst lopen daarna medicijnen. Ze stemt in. Als een oud vrouwtje loopt ze aan mijn hand. Halverwege gaat ze in de rolstoel zitten. Ze wil niet meer. Even later in de speeltuin. Guusje blijft zitten. Yvonne weet haar over te halen om uit de rolstoel te komen. Dan gebeurt het onverwachte. Ze gaat op een schommel zitten. Als je niet weet dat ze ziek is, zie je een vrolijk jong meisje. Rustig op de schommel.

Thuisgekomen maken we de tafel klaar om te gourmetten. Het vlees en de salades zijn geschonken door mijn oom en zijn vrouw. Het is gezellig. Guusje lijkt in betere doen.

Na het eten gaan de kinderen een film kijken. Guusje oogt redelijk. Yvonne en ik maken van de gelegenheid gebruik om een keer samen de hond uit te laten in de bossen. Eindelijk een keer samen. Als Yvonne en ik achter Villa Pardoes lopen sturen we een berichtje naar een lotgenoot. Zij verblijft met haar gezin deze week in Villa Pardoes. We hebben veel contact via Twitter, maar we hebben elkaar nog nooit in levenden lijve ontmoet. Even later komt deze lotgenoot naar buiten. Een goed gesprek. Dezelfde ervaringen. Dezelfde gevoelens. Dezelfde nare ziekte. Tijdens het gesprek gaat Yvonne's telefoon. De dienstdoende kinderoncoloog belt. Ze neemt met Yvonne de situatie door en belooft alles door te spelen aan dokter Marianne. Thuis ligt Guusje op de bank. De film is bijna afgelopen. De rest van de avond televisie kijken. Yvonne probeert haar zo veel mogelijk te laten eten. Een donut. Chips. Niet te veel laten merken dat we aandacht aan haar schenken. Als we naar haar kijken, krijgen we al snel de opmerking naar ons hoofd: 'Waarom kijken jullie naar mij?'

Om 9 uur gaat ze goedgemutst naar bed. Een uurtje later horen we gestommel. Guusje is gevallen op de overloop. Yvonne legt haar op bed. Wat ligt daar op het nachtkastje? 'Dolfje Weerwolfje'? Ons meisje ligt in bed te lezen.

Hoe is het mogelijk? Schrijf ik een mailtje met zorgen naar de oncoloog, is mevrouw om 10 uur nog aan het lezen. Het boek moet uit…grrr.

Maandag 17 oktober

Yvonne is vroeg op. Ze gaat werken. Ik zorg ervoor dat Anton, Guusje en Loes om half 9 op school zijn. Ik werk thuis. Na half 11 wordt het spannend. Er is extra pijnmedicatie mee naar school. Kan Guusje het een hele ochtend volhouden op school?

Half 12 voelt als het behalen van de finish. Er is niet gebeld. Ik loop naar school. De bel is nog niet gegaan. Toch ga ik meteen naar binnen. Ik kijk door het zijraampje Guusje's klas in. Onze dochter heeft het moeilijk. Juf Bianca ziet mij. Ze rijdt ons meisje de klas uit. Guusje is moe, maar ze heeft volgehouden. Ik prijs haar. Wat knap!

Terwijl ik de rolstoel over de drempel naar buiten duw, vertelt Guusje dat de moeder van een klasgenootje niet lang meer te leven heeft. Ik schrik. Ik weet dat deze vrouw ziek is, maar dit bericht komt onverwacht. Ik vraag wie het nieuws verteld heeft. Eerst de juf en daarna het klasgenootje.

Voor Guusje komt het nieuws hard aan. Begin april vertelde ik Guusje dat ze onderzocht werd op kanker. Ik vroeg haar toen waaraan ze dacht bij het woord 'kanker'. Guusje antwoordde aan de moeder van haar klasgenootje. Wat had ik gezegd over deze moeder? Dat ze dood zou gaan.

Tijdens de lunch eet Guusje niet. Ze kijkt sip, is misselijk en moet spugen. Ik zeg dat ze beter op de bank kan gaan liggen. Onder haar droomdekentje. Misschien even slapen. Als Anton en Loes naar school zijn, zet ik een kopje thee en maak een boterham met suiker klaar. Die fietst er wel in. Ze begint te praten en heeft zin in een pizzabroodje. Terwijl Guusje het broodje eet, praten we over de zieke moeder van haar klasgenootje.

'Van kanker kun je doodgaan. Was jij ook bang om dood te gaan?'

'In het begin wel. In het ziekenhuis.'

'Daar waren papa en mama toen ook bang voor. En nu?'

'Nu niet.'

Guusje wil graag televisie kijken. Dat vind ik geen goed idee. Ik sluit de webchair aan. Even later volgt Guusje de les op school. Een half uur maar. Dan vallen haar ogen dicht. Als ik denk dat ze in slaap valt, wordt ze toch weer wakker. Ze heeft nog steeds zin in pizza. Dan maar een pizza uit de vriezer. Acht minuten in de magnetron en eten maar.

Tegen het einde van de middag neem ik Guusje mee naar buiten. We kopen een kaartje voor haar klasgenootje. Thuis schrijft ze het kaartje. Mij wordt niets gevraagd. Nou, niet helemaal. Het adres en een postzegel. Ik bedenk dat zelfs haar oudste zus moeite zou hebben om iets op te schrijven. Guusje niet. Voor haar is de wereld anders.

Ik zit te bloggen. Het is 1 uur en tijd om te gaan slapen. De deur gaat open. Guusje staat in de keuken. Ze kan niet slapen. Even later zitten we samen filmpjes te kijken op de laptop. Ze gaan over Guusje's grootste wens. Guusje is erg enthousiast.

'Wow. Dat is vet. Je moet wel veel foto's maken, papa. Mag ik een boterham met hagelslag? Ik heb trek.'

Dinsdag 18 oktober

's Ochtends regen. Niet bepaald zachtjes. Met de auto naar school. Anton en Loes zullen overblijven. Ik ga betalen. Onderweg kom ik het klasgenootje van de dood-zieke moeder tegen.

'Vervelend van je moeder. Is ze in het ziekenhuis?'

'Ja.'

'Ga je zeker elke dag naar toe?'

'Ja.'

'Ook vanavond?'

'Als ze er nog is, wel'

Daar sta ik dan tegenover een kind van tien. Met mijn mond vol tanden.

Om 10 uur haal ik Guusje op van school. We hebben om 12 uur een afspraak met dokter Marianne. Ik duw Guusje in haar rolstoel de klas uit. Naast de deur een tafel-tje. Daarop de foto van de zieke moeder. Links en rechts een waxinelichtje.

Dokter Marianne maakt duidelijk dat er twee doelen zijn voor de korte termijn: pijn omlaag en misselijkheid weg. De pijn wordt bestreden met radiotherapie en lokale pijnbestrijding. Van de radiotherapie moet het effect worden afgewacht. Duurt enkele weken. Voor de lokale pijntherapie hebben we zo meteen een af-spraak. De misselijkheid moet worden aangepakt door te minderen met bepaalde medicijnen.

Dokter Marianne onderzoekt Guusje en wil een echo laten maken. Guusje heeft een scheve houding. Heeft alles in haar lichaam genoeg ruimte? Hiervoor moet even 'in haar lichaam' worden gekeken. Verder maakt dokter Marianne ons dui-delijk dat ze weinig kan doen aan de bestrijding van de tumor. Ze zegt tegen onze dochter: 'Ik weet dat jouw vader hoopt dat ik voor jou een wondermiddel ontdek, Guusje.' Ik weet het. Ik blijf hopen. Tegen beter weten in. Ik weet best wel dat Guusje nooit beter wordt. Dat het ineens fout kan gaan. Toch is er niemand, ook dokter Marianne niet, die mij kan vertellen wanneer het mis gaat. Een tijd geleden dacht ik nog dat Guusje het einde van de zomervakantie niet zou halen. Volgende week is het herfstvakantie.

De rest van de middag bloedprikken, lokale pijntherapie, echo maken, kralen halen voor de KanjerKetting en een ontmoeting met Margje, een van Guusje's favoriete verpleegkundigen. De echo levert geen bijzonderheden op.

Thuis is een groot cadeau bezorgd. Het staat op de salontafel. Afzender onbekend. De kinderen willen heel graag weten wat er in het pak zit. Volgens Yvonne gaan we eerst eten, want Janneke moet gaan werken. Na het avondeten wordt het geheimzinnige pak geopend. Voor elk gezinslid een speciaal cadeau en veel lekkernijen voor ons allen. Een brief gericht aan Guusje. Na het lezen van de eerste regels weet ik wie de schrijfster is. Ze is een vaste lezeres van mijn blog. Vaak twittert ze nog laat in de avond.

Tijdens het avondeten heeft Guusje niet veel trek. Kan ook aan de keuze van de kok liggen. Macaroni was nooit haar favoriete voedsel. 's Avonds wordt er nog flink gesnaaid. Onder andere kaaskoekjes uit het grote cadeau.

Het is laat. Ik blog. Krijg het verhaal maar moeilijk op papier. Ben er te lang mee bezig. Wat gebeurt er toch veel op een dag. Soms lijkt het of er de afgelopen maanden meer is gebeurd dan in twintig jaar ervoor. Neem alleen vandaag. Naast alles wat ik hierboven beschrijf, krijgen we per e-mail bericht over een oom van Yvonne. Hij heeft een hersentumor. De behandelingen zijn gestopt. Daarnaast een uitzending over kanker op TV. Een zestienjarige jongen staat centraal. Het gaat niet goed. De presentatrice merkt op dat ze het heel eng vindt hoe mensen hoop halen uit kleine lichtpuntjes, maar dat ze ook wel begrijpt dat het soms niet anders kan. Ik denk na over deze opmerking. Terwijl ik zit te peinzen, gaat de deur open. Het is Guusje. Ze kan niet slapen.

Woensdag 19 oktober

Guusje gaat vandaag drie uurtjes naar school. Terwijl ik Guusje in haar rolstoel de klas uitrijd, valt mijn oog weer op de foto van de doodzieke moeder. Ze zal vrij snel overlijden. Een hele lieve vrouw. Een zorgzame moeder. Verschillende bloglezers hebben mij laten weten dat ze als kind meemaakten dat een klasgenoot een ouder verloor. Dat maakte veel indruk. Deze kinderen en leerkrachten krijgen het voor hun kiezen. In dezelfde klas. Een meisje met kanker. Een jongen die zijn moeder verliest. Terwijl ik Guusje naar huis rijd, heeft ze geen zin om te praten. Ze is moe. Na de lunch gaat ze op de bank liggen. Ze slaapt drie uren lang. Guusje tankt bij. Het is een rustige dag. Na het avondeten gaan Yvonne en Guusje naar de kapper. Ze nemen pruik en shampoo mee. Wassen en föhnen van Guusje's pruik. Morgen kan onze dochter weer naar school als een mooi meisje.

Donderdag 20 oktober

We lopen een trap af
Steeds een trede naar beneden
Geen enkele keer goed nieuws

Midden in de nacht zit ik beneden met Guusje. Ze kan niet slapen. Weer een matig nachtje. 's Ochtends laat ik haar niet in bed liggen. Opstaan en naar school. Samen met Anton en Loes. Zo veel mogelijke een normaal leven.

Yvonne vraagt welke auto ik meeneem naar het werk: de Ford of de BMW? Om half 8 vertrekt Yvonne. In de Ford. Ik blijf thuis achter met ruziënde kinderen. Soms vraag ik me af waarom ik een groot gezin wilde.

Op school aangekomen geeft Guusje aan dat ze zich niet lekker voelt. Ik moedig haar aan om te blijven. De les begint. Ik loop binnen bij juf Ilse. Even bijpraten. Een kwartier later loop ik voorbij Guusje's lokaal. Ik zie onze dochter zitten. Ze maakt geen zieke indruk op mij. Ik vertrek naar Eindhoven. Als ik mijn auto bij de school parkeer, lees ik een berichtje van Yvonne. Guusje heeft zich door Lindy op laten halen. Heb ik het toch verkeerd ingeschat.

Als ik 's middags thuiskom, ligt Guusje op de bank. Lindy heeft geprobeerd haar te activeren, maar het gaat niet. Onze dochter voelt zich beroerd. Slapen lukt niet. Guusje moet spugen en heeft last van een stekende pijn in haar zij. Ik stuur alle andere kinderen naar boven. De TV gaat uit. Ik ga bij Guusje op de bank zitten. Zet een luisterboek voor haar op. Rust creëren. Ik lees de krant. Guusje's ogen vallen dicht. Ik geniet van deze rust. Heerlijk krantje lezen na het werk. Dan gaat de telefoon. Yvonne staat met autopech langs de A27. Heb ik vanmorgen toch de juiste auto gekozen. Ze geeft aan dat het een tijdje gaat duren.

Yvonne komt thuis. Alleen Guusje heeft nog steeds niets gegeten. We laten haar op de bank liggen in de woonkamer. In de keuken nemen Yvonne en ik de dag door.

Als Yvonne klaar is met eten, gaan we bij Guusje zitten. We vragen hoe het gaat met de pijn. Ze geeft aan op bepaalde momenten last te hebben van hevige pijnsteken, maar er zijn ook momenten dat ze geen pijn heeft. Hoor ik het goed? Momenten van geen pijn! Ja, ik hoor het goed. Er zijn momenten dat Guusje geen pijn heeft. Er is sprake van een verandering.

Voordat we begonnen met radiotherapie voerde Yvonne een telefoongesprek met een anesthesist. Deze vertelde dat misselijkheid een teken kan zijn dat de behandelingen effect hebben. Dat de pijn minder wordt. Yvonne heeft toen gevraagd hoe deze misselijkheid kan worden verminderd. Het antwoord is minder medicijnen tegen de constante pijn gebruiken. Morgenochtend gaat Yvonne het Pijnteam bellen. Vragen hoe de medicatie moet worden verminderd.

Momenten van geen pijn. Het klinkt als muziek. Helaas ligt er nog altijd een meisje op de bank dat zich heel erg misselijk voelt. Soms last heeft van heftige steekpijnen. Allesbehalve een vrolijk gezicht.

Gebeurt nu waar we al heel lang op hopen?
Staan we stil op de trap naar beneden?
En maken we zelfs een stapje
Een klein stapje terug naar boven

Vrijdag 21 oktober

Ik kan mijn bed niet uit. Een paar keer wakker geweest door Guusje. Laatste school-dag voor de herfstvakantie. Om half 9 moet ik in Eindhoven zijn. Opstaan! Ik haal het net. Geluk dat er geen file staat. De hele dag voel ik me beroerd. Ik ga toch niet ziek worden. Mijn besluit staat vast. Niemand zal het merken. Collega's niet. Leerlingen niet. Doorbijten en doorgaan.

Ik ontvang een berichtje van Yvonne. Ze heeft contact gehad met het ziekenhuis. De constante pijnmedicatie wordt verlaagd. Minder pijn en minder medicijnen. Laat het waar zijn. Ik zou op wolken moeten lopen. Helaas zit ik niet lekker in mijn vel. Ik ben op tijd klaar met mijn lessen. Snel de auto in. Onderweg twee keer file. Dat kan er ook nog wel bij. Anderhalf uur nodig voor vijftig kilometer.

Eindelijk thuis. De herfstvakantie begint. Zo voelt het niet. Ik ben moe. Heel erg moe. Ik ga vanavond weinig doen. Open haard aan. Bankhangen. Bijkomen. Waar-van? Geen idee.

's Avonds een vreemde ervaring. Ik zeg altijd dat mensen goed nieuws willen horen over Guusje. Helaas kan ik ze dat niet geven. Guusje wordt nooit beter. Ik ga naar het scoutinggebouw. Loes ophalen. Bij de poort staat de vader van Guusje's klasgenoot. Zijn vrouw gaat dood. Ik vraag hoe het met haar gaat.

Wat wil ik horen? Goed nieuws!
Wat krijg ik te horen? Slecht nieuws!
Ik zou beter moeten weten.

Zaterdag 22 oktober

Aan tafel met de meiden. Guusje wil een tosti. Geen probleem. Dan eten we voor het eerst in onze geschiedenis tosti's in de ochtend. Loes neemt er ook een. Ik ben blij dat Hans en Anton naar scouting zijn. Onze jongens zouden helemaal los gaan met tosti's als ontbijt.

Guusje slaapt geen enkele nacht door. Ze wordt steeds wakker. Hierdoor moet ze overdag bijtanken. Ook vandaag ligt ze 's middags in de woonkamer te slapen. Halverwege de middag vindt Yvonne dat Guusje lang genoeg op de bank heeft gelegen. Guusje heeft echter geen zin om naar buiten te gaan. Ze heeft niets te willen. Ze moet. Dwang van mama. Ons kleine blonde meisje knapt op van boodschappen doen. Ze loopt een stukje naast de rolstoel. Ze wil dropjes kopen. Ze schrijft nogmaals een kaartje naar haar klasgenootje met de dood-zieke moeder.

Guusje ligt veel op de bank. Toch is er sprake van verandering. Langzaam. In kleine stapjes. Yvonne en ik zien een andere Guusje dan twee weken terug. We beseffen ook dat we deze verandering heel graag willen. We hebben de neiging om van elke zwaluw een zomer te maken. Daarom zijn we voorzichtig, maar we hebben wel hoop. Hoop op een dag zonder pijn. Voor Guusje. Onze kanjer.

Guusje maakt taarten samen met lotgenoot Xena

Zondag 23 oktober

Een onrustige nacht. Guusje is vaak wakker. Soms valt ze op de overloop. Ik heb al een aantal keren tegen Guusje gezegd dat ze Yvonne of mij kan roepen, als ze naar het toilet moet. Onze dochter is eigenwijs. Ze doet het niet.

Graag wil ik uitslapen. Dat gaat niet lukken. Yvonne en ik brengen Lisa naar haar vriendin Daniëlle. Lisa mag mee op vakantie. Een weekje naar de Canarische eilanden. Onze dochter gaat genieten. Ook wij hebben een leuke dag voor de boeg. We zijn uitgenodigd voor een middagje 'Taarten van Anja'.

Ik ken Anja sinds enkele maanden. Haar dochter Xena heeft leukemie. We hebben vaak goede gesprekken. Drie maanden geleden zijn ze bij ons op bezoek geweest. Vandaag een tegenbezoek. Anja heeft een passie voor taarten. Anton, Guusje, Loes en Yvonne maken elk een eigen taart onder leiding van Anja. Het wordt laat. We zijn pas om 10 uur thuis. Moe en voldaan.

Maandag 24 oktober

Een slechte nacht. Guusje slaapt weinig. Ze is ziek. Niet ziek zoals kanker. Ziek zoals griep. Aan het ontbijt wil ze niet eten. Wat naar binnengaat, wordt later uitgespuugd.

Ik rij naar Amsterdam. Guusje zit naast me. Ik hoop dat ze niet gaat spugen. Haar ogen dicht. Ik hoop dat ze slaapt. In het AMC aangekomen worden we meteen binnengeroepen in de behandelkamer. Hoe gaat het vandaag? Gisteren ging het goed. Vandaag is het tien keer niks. Guusje houdt haar mond dicht. Niet van plan om te praten. Ik merk op dat er momenten zijn zonder pijn. Dat is een goed teken. Tekenen van succesvolle behandelingen. Guusje zegt niks. Ze zwijgt. Ik baal daarvan, maar het is niet anders. Waarvan is Guusje beroerd? We hebben de neiging om alles in verband te brengen met haar ziekte. Misschien heeft ze een ordinair griepje. Misschien zijn het bijwerkingen van medicijnen die worden afgebouwd. Niemand die het zeker weet. Het is gissen. Ook voor artsen.

Guusje wil na de behandeling meteen terug naar huis. In de auto gaat de telefoon. Doe Een Wens wil een en ander met mij afstemmen. Guusje luistert mee. Ze reageert onbewogen. Meestal wordt ze vrolijk, als Doe Een Wens belt. Vandaag niet. Guusje voelt zich ziek. Een tijdje terug ontving ik een brief waarin summier stond beschreven wat er gaat gebeuren bij Guusje's wensvervulling. Ik heb deze brief eerst aan Guusje voorgelezen. Na het avondeten weer voorgelezen, maar dan aan alle kinderen. Iedereen dolblij. Het dak eraf. Alsof we de hoofdprijs in de Staatsloterij hadden gewonnen. Guusje was apetrots. Ze zei: 'Dankzij mij.' Later realiseerden Yvonne en ik wat Guusje met deze uitspraak bedoelde. Ze ziet zich soms, overigens volledig onterecht, als 'blok aan het been' van ons gezin. Veel gewone dingetjes zijn niet mogelijk door haar ziekte. Doe Een Wens geeft haar het gevoel dat ze iets terug kan doen. Voor haar een fijn gevoel. Daarvan geniet ze nu al.

Dinsdag 25 oktober

Guusje slaapt niet door. Toch een redelijke nacht. Uitslapen is er niet bij. Vandaag viert Loes haar kinderfeest. Twee weken geleden werd ze acht jaar. Er komen zes vriendinnen. Om half 11 melden de gasten zich. Meteen is het druk in huis. Acht gezellig kwebbelende meiden. Guusje ligt op de bank. Ze voelt zich niet lekker. Iets beter dan gisteren. Na de cadeautjes volgt taart met ranja. De taarten worden geshowd die afgelopen zondag bij Anja zijn gemaakt. Het thema van het feest is Topmodel. Dat betekent t-shirts versieren, nagels lakken en opmaken.

Tijdens het feest gaat de bel. Ik open de voordeur. Een postbezorgster. Te veel post voor onze brievenbus. Twee dikke enveloppen voor Guusje. De ene bevat een DVD met kaartje. Van een onbekende bloglezer. Deze leest dagelijks het blog en leeft erg met Guusje mee. In de andere enveloppe zitten heel veel kaarten voor Guusje. De kaarten komen uit verschillende landen. Twee dames maken dit mogelijk via Postcrossing. Het lijkt wel of de post Guusje een stoot energie geeft. Een kick. Ze staat op uit de bank en neemt plaats aan tafel. Een t-shirt versieren. Van toeschouwer tot feestvierder.

Om 2 uur is het feest afgelopen. Twee meiden blijven spelen. Een voor Loes en een voor Guusje. Het is heerlijk rustig in huis. Yvonne en ik hebben tijd om even de post door te nemen die voor ons is bezorgd. Een dikke enveloppe van Doe Een Wens. Het wordt ons steeds meer duidelijk hoe Guusje's wens binnenkort wordt vervuld. Aan het einde van de middag draait de stemming om bij Guusje. Ze moet spugen. Tijdens het avondeten kan ze gaan hap door haar keel krijgen. Als ik de brief voorlees van Doe Een Wens, reageert ze nauwelijks. In tegenstelling tot haar broers. Die hebben honderdduizend vragen. Yvonne en ik lachen. We laten ons gewoon verrassen.

Post blijft leuk om te krijgen

Bevrijding

26 oktober – 30 oktober

● ●

Woensdag 26 oktober

Het leven van onze kinderen draait momenteel om Doe Een Wens. Binnenkort gaat Guusje's grootste wens in vervulling. Onze kinderen zijn blij. Yvonne en ik niet. Wij maken ons zorgen. Het gaat niet goed met Guusje. Ze ligt passief op de bank. Ze loopt steeds naar het toilet om te spugen. Ze krijgt nauwelijks een hap door haar keel.

Aan het begin van de middag zeg ik ineens dat Doe Een Wens op deze manier geen zin heeft. Hoe kun je genieten, als je steeds misselijk bent? Als je alleen maar stilletjes op de bank wil liggen. Niet wil eten en steeds moet spugen.

Moet ik dit echt zeggen waar Guusje bij is? Waarom doe ik dit? Geen idee. Gevoel van onmacht? Yvonne deelt mijn gevoel. Ze belt het ziekenhuis. Ze zal worden teruggebeld. Daarvoor blijven we niet thuis. Zouden we vroeger wel hebben gedaan. Nu niet meer.

We hebben bioscoopkaartjes voor The Lion King. Onze kinderen hebben deze film nog nooit gezien. Dat wordt genieten. Hopelijk ook voor Guusje. Afleiding kan alleen maar goed zijn voor haar. Tijdens de film zit ik tussen Anton en Guusje. Anton links van mij. Eten, drinken en lachen. Guusje rechts van mij. Stilletjes.

Na de film zegt Yvonne dat haar voicemail is ingesproken door een kinderoncoloog. Yvonne belt terug. Mogelijke oorzaak van Guusje's misselijkheid is een te snelle afbouw van bepaalde medicijnen. Het afbouwschema wordt aangepast. Thuisgekomen geeft Yvonne onze dochter medicijnen. Nog geen twee minuten later snelt Guusje naar het toilet. Spugen maar. Yvonne handelt resoluut. Ze pakt de telefoon en belt het ziekenhuis. Een half uur later zitten Yvonne en ik met Guusje in de auto richting Amsterdam. Achterin een tas met spullen voor een overnachting.

We melden ons bij de Eerste Hulp. Ik lees vaak het woord 'spoed', maar de Eerste Hulp oogt als de meest relaxte afdeling van het ziekenhuis. Vooral veel wachten. We zien drie verschillende verpleegkundigen en twee artsen. Uit bloedonderzoek volgt ijzertekort. Guusje heeft vers bloed nodig. Ze wordt opgenomen. Guusje moet een nachtje blijven. Ze vindt het best. Ze wil goed geholpen worden. Binnenkort kunnen genieten van haar wens. Voor vannacht krijgt ze een kamertje op F8 Noord. Yvonne blijft slapen.

Als Guusje klaar is om te gaan slapen, vertrek ik naar Kaatsheuvel. Terwijl ik naar huis rijd, lees ik een berichtje van Yvonne. Guusje slaapt. Dat is fijn.

Het is bijna 1 uur, als ik de Van Beurdenstraat inrijd. Op tafel ligt een geschreven boodschap van Yvonne's moeder. Ze wil morgen voor onze kinderen zorgen, zodat ik naar het ziekenhuis kan gaan.

Donderdag 27 oktober

Toen ik gisteravond het kamertje binnenkwam op F8 Noord, overviel mij een heel naar gevoel. Beelden van begin april kwamen boven. Guusje moet hier slapen. Niet verwacht. Niet gehoopt. Yvonne blijft bij Guusje. Ze slapen slecht. Om 3 uur eet onze dochter een beschuitje. Om 5 uur wordt het bloed pas bezorgd.

Onderweg naar Amsterdam ontvang ik een berichtje van Yvonne. Vanaf 12 uur moet Guusje nuchter blijven. Er is een röntgenfoto en echo gepland. Guusje heeft een bolle buik. Waarschijnlijk veel lucht.

Ik parkeer mijn auto en loop het AMC binnen. Ik word gebeld. Het is Yvonne. Guusje krijgt een sonde. Onze dochter wil graag dat ik erbij ben, wanneer deze wordt ingebracht. Komt goed uit. Ik ben net binnen. Ik koop twee koffie en neem deze mee naar de achtste verdieping. Er is gratis koffie op de afdeling. Proef een kopje en je begrijpt meteen waarom deze gratis is. Voor deze smaak wil niemand betalen. Guusje vindt het inbrengen van een sonde heel onprettig. Ze wil geen sonde, maar ze is erg mager. Het moet. Daarna bloedprikken. Is ze ook al geen fan van. Sommige mensen worden al bang van een klein prikje. Kijk naar Guusje's KanjerKetting en tel het aantal rode kralen. Dat doet pas pijn.

Yvonne en ik beginnen onze twijfels te krijgen over Doe Een Wens. Ik reed vandaag naar het Emma Kinderziekenhuis met de bedoeling ons kleine blonde meisje mee terug naar huis te nemen. Het gevoel bekruipt me dat dat niet gaat gebeuren. Ik schrijf een e-mail naar Doe Een Wens. Ik weet niet of Guusje's wens binnenkort in vervulling kan gaan. Dat zal voor Guusje een enorme klap zijn. Kan er ook nog wel bij. Kan ze wel hebben. Sinds half maart heeft ze toch alleen maar 'goed' nieuws gehad. Nu word ik cynisch. Niet doen Lowie. Niet uit je rol vallen.

We worden weer eens geconfronteerd met een onduidelijk ziektebeeld: een bolle buik. Om half 3 verlaten we de afdeling. Eerst wordt een röntgenfoto gemaakt. Daarna een echo. Er blijkt geen lucht, maar vocht te zitten in Guusje's buik. Terug naar de afdeling en wachten. Na een uur verschijnt een arts. Men denkt nog steeds. We moeten geduld hebben. Mag Guusje eten? Ze is sinds 12 uur nuchter. Nee, helaas.

Na lang wachten komt de arts terug met een kinderoncoloog. Helaas is dokter Marianne op vakantie. De kinderoncoloog is een bekende. Dokter Rutger begeleidde ons op 1 april. De dag dat Guusje binnenkwam in het Emma Kinderziekenhuis. Hij is altijd betrokken gebleven bij onze dochter. Hij kent haar goed. Dat geeft vertrouwen.

We gaan terug naar het echoapparaat. Er wordt geprikt door de buikwand. Geen vocht. Bloed. Buiten de kamer overleggen de artsen. Dokter Rutger komt terug. Een CT-scan is nodig. Kijken of er sprake is van een bloeding. Na de CT-scan gaan we naar F8 Noord. Het is avond. Guusje heeft nog steeds niets gegeten. Mag ze eten? Weer nee. Over eten gesproken. De diëtiste stapt binnen. Geen goed moment voor een gesprek. Yvonne en ik weten niet wat er gaat gebeuren. Hebben last van hoogspanning. De diëtiste belooft morgen terug te komen. Guusje informeert nog wel even of ze de juiste sondevoeding krijgt. Ze herinnert zich de voeding van april. Daar kon ze zo goed van spugen.

Het is inmiddels half 8. Ook Yvonne en ik hebben nog steeds niet gegeten. Op tafel liggen broodjes. Wie weet hoe lang we nog moeten wachten. Ik houd het niet uit. Loop naar de tafel. Pak een broodje. Yvonne zegt dat ik het terug moet leggen. We krijgen bezoek. Dokter Rutger stapt de kamer binnen. De beelden van de CT-scan zijn bestudeerd. Er is waarschijnlijk een bloeding geweest, maar men heeft geen idee waar deze heeft plaatsgevonden. Daar ligt Guusje. Ze is geschrokken. Weer een nachtje F8 Noord. Monitor, sondevoeding en infuus. Hoe nu verder?

Vrijdag 28 oktober

Het is half 8. Ik word wakker. Lig alleen thuis in een tweepersoons bed. Kijk op mijn telefoon. Veel berichtjes weer. Veel steun voor Guusje. Ik pak mijn laptop. Nooit eerder gedaan. 's Morgens met mijn laptop in bed. De meeste mensen willen weten hoe het met Guusje gaat. Gisterochtend hoopte ik haar op te halen uit het ziekenhuis. Lekker naar huis. Toeleven naar dinsdag. De dag waarop het grote avontuur zou beginnen. Guusje ging niet mee naar huis. Er zit bloed in haar buik. Yvonne is bij Guusje blijven slapen. Ik bel met Yvonne. Stel voor dat ik komende nacht bij Guusje blijf. Kan Yvonne lekker thuis slapen. Dat gaat Yvonne niet doen. Ze heeft de verpleging gevraagd een kamer in het Ronald McDonald Huis te reserveren. De afgelopen nacht was waardeloos. Veel spugen. Onze dochter krijgt extra zuurstof. Daarnaast wordt er deze ochtend een katheter geplaatst. Het voelt alsof we de alarmfase inglijden.

Tassen inpakken en cadeautjes kopen. Guusje mag goed worden verwend. Het is moeilijk om thuis weg te komen. Ik arriveer pas na twaalven in het Emma Kinderziekenhuis. Guusje is dolblij met de spullen van Topmodel die ik voor haar heb gekocht. Ze reageert enthousiast. Hoewel Yvonne heeft gezegd hoe Guusje erbij ligt, schrik ik. Ze praat met een licht stemmetje. Infusen, katheter, zuurstof, monitor. De verpleegkundige zegt dat we aan het begin van de middag een gesprek krijgen met een kinderoncoloog. Dit voelt niet goed. Mijn hoop vervliegt.

Het duurt lang. Diverse malen wordt verteld dat het gesprek zo gaat beginnen. De hoogspanning stijgt. Minuten lijken uren. Gelukkig komt verpleegkundige Marinka een kijkje nemen. Guusje is dol op haar. Marinka's bezoek breekt de tijd.

We zitten in een kamer met drie artsen en een verpleegkundige. Een van hen is dokter Rutger. De artsen hebben slecht nieuws. Ze staan met de rug tegen de muur. Ze kunnen weinig voor Guusje doen. Ze kunnen haar comfort bieden. Meer niet. Guusje's lichaam is zo ziek dat diverse behandelingen zijn uitgesloten. De deuren zijn dicht. Kan ze nog herstellen? Volgens artsen: 'Never say never!' Daarom wordt Guusje vanmiddag bestraald. Misschien ontstaat er dan littekenweefsel op de plaats waar mogelijk de tumor een bloedvat stuk heeft gemaakt. Dan zou het bloeden kunnen stoppen. De kans op succes is klein.

Yvonne en ik zijn emotioneel. Het kan fout gaan. Misschien al heel snel. De artsen bespreken met ons dat het einde nabij kan zijn. Vaak weten kinderen dat ze gaan sterven. We moeten Guusje toestemming geven om te gaan. Het mag niet Guusje's geheim zijn dat ze weet dat ze dood gaat. We willen niet dat ze gaat vechten voor ons, tegen beter weten in.

We zijn veel tijd kwijt met de bestraling. Daarna volgt het moeilijke gesprek met Guusje. Verpleegkundige Marij is op bezoek. Fijn dat zij erbij is voor onze dochter. Dat geeft vertrouwen. Dokter Rutger is een bekende voor Guusje. Hij vertelt onze dochter dat hij niets meer voor haar kan doen. Daarna zeg ik dat mama en papa er altijd voor haar zullen zijn. Als het niet gaat, dan gaat het niet meer. Dat is niet erg. Ik merk dat ik moeite heb om mijn emoties de baas te blijven. Het moet. Guusje heeft nu niets aan een huilende papa. Ze moet weten dat we heel veel van haar houden. Zo veel dat we haar zelfs los kunnen laten.

Na dit gesprek wordt het tijd om de familie in te lichten. Aan de andere kant van de lijn emoties. Onze kinderen komen vanavond nog op bezoek. Ze willen Guusje zien. Samen met Yvonne's ouders en broer. Er hangt een vreemde sfeer. Wie zegt er iets? Wat zeg je dan? Iedereen heeft het moeilijk. Volwassenen en kinderen.

Lisa is nog steeds op de Canarische Eilanden. Op vakantie met haar vriendin Daniëlle en haar ouders. Lisa is emotioneel aan de telefoon. De artsen hebben geadviseerd om Lisa zo spoedig mogelijk terug te laten komen naar Nederland. Hoe duidelijk kun je zijn? Een reële kans dat ons kleine blonde meisje het niet redt. Kun je nog wel spreken van een kans? Er is nog meer bezoek. Marij en Marinka. Deze verpleegkundigen stralen genegenheid uit naar onze dochter. Wat een schatten! Voor altijd in ons hart. Tot slot komt ook Nikki langs met haar vader. Guusje gaf vanmiddag aan dat ze Nikki heel graag wilde zien.

Het is laat, als iedereen vertrokken is. Guusje wil slapen. Weer die vervelende pijn. Als ze eindelijk slaapt, zijn er emoties. Ik kijk op mijn telefoon. In de loop van de avond heb ik een tweet geplaatst. Er zijn veel reacties. Lieve woorden voor Guusje. Onze kanjer.

Yvonne en ik slapen bij Guusje. Als ik dit schrijf, is ze enkele keren wakker geweest. Ik zeg steeds dat ze rustig kan gaan slapen. Papa en mama zijn bij haar. Voor altijd.

Zaterdag 29 oktober

Een dag vol emoties. Guusje ontvangt veel bezoek. 's Ochtends Ina, Nikki, Annabel en Veerle. Vier vriendinnen. De meiden zijn aangeslagen. Onze dochter zit stilletjes in haar stoel. Af en toe sluit ze haar ogen. Ze is moe.

Daarna volgt in de loop van de dag familie. Het is lastig om te voorkomen dat er een grafstemming in de kamer hangt.

Lisa is terug in Nederland. Halverwege de middag arriveren onze vijf kinderen. We zijn als gezin compleet. Fijn om samen te zijn. In het Ronald McDonald Huis zijn twee kamers gereserveerd. Daar overnachten ze samen met Yvonne's broer en zijn vrouw.

De afgelopen weken werd thuis veel gesproken over Guusje's grootste wens: een bezoek aan The Wizarding World of Harry Potter. Doe Een Wens zou deze in vervulling laten gaan. Hoogtepunt van de wensreis zou Olivander's Wand Shop zijn. Hier wilde Guusje een toverstaf kopen.

De afgelopen weken had Guusje vaak moeite met slapen. Ik fantaseerde dan met haar over ons bezoek aan The Wizarding World of Harry Potter. Keer op keer sprak ze over Olivander's Wand Shop. Haar droom: een eigen toverstaf.

's Ochtends vraagt Guusje aan mij of we nog naar The Wizarding World of Harry Potter gaan. Wat moet ik antwoorden? Ik weet het niet goed. Ik geef aan dat ze nu niet kan gaan. Daarvoor is ze te ziek.

Aan het begin van de avond melden zich twee dames van Doe Een Wens. Guusje gaat niet naar de wereld van Harry Potter. Deze wereld komt naar haar toe. De dames hebben prachtige cadeaus bij zich. De belangrijkste voor Guusje: de toverstaf van Harry Potter en de toverstaf van Hermelien. Een groot compliment voor Doe Een Wens. Een eigen toverstaf voor Guusje. Een kleine tovenares. Te ziek om te vliegen.

De hele dag flitsen berichtjes voorbij op mijn telefoon. Enorm veel mensen die onze dochter Guusje steunen. Hopen dat ze het gaat redden. Hopen op een wonder. Het past wel bij onze dochter. Ze blijft hopen. Tegen beter weten in. Als je tien bent, maak je van het leven een sprookje. Die lopen goed af voor de hoofdpersoon. Dit is Guusje's eigen sprookje.

De zorg voor Guusje is gericht op het geven van comfort. Helaas heeft onze dochter nog altijd pijn. Laat in de avond hebben Yvonne en ik een gesprek met dokter Lonneke en een verpleegkundige. Een indringend gesprek. De medicatie ter bestrijding van de pijn moet verder worden verhoogd om Guusje comfort te geven.

Gisteren heb ik tegen Guusje gezegd dat papa en mama kunnen begrijpen dat het niet meer gaat. Als ze wil gaan, dan mag ze gaan. Wij vinden het goed. Toch hebben Yvonne en ik het idee dat Guusje niet op kan geven. Zo kent dokter Lonneke onze dochter ook. Blijven doorgaan. Niet opgeven.

Het is afwachten. Wanneer komt het moment dat ze klaar is om te gaan?

Guusje neemt zelf deze beslissing. Dat typeert haar karakter. Dokter Lonneke vat het samen: haar leven is van haar.

Zondag 30 oktober

'Lowie. Lowie. Word eens wakker.'
'Wat is er?'
'Guusje.'
Guusje zit rechtop in bed. Yvonne houdt een spuugbakje vast. Ik kleed me aan. Ga naast Yvonne zitten. Ons meisje. Zo zielig. Lege blik in haar ogen. Kanker staart ons aan.
'Ik heb veel pijn. Mag ik spray. En cola.'
Een spray van morfine en een slokje cola. Daarna meteen spugen. Elk kwartier opnieuw. Zoveel pijn.

Gisteravond hadden we een indringend gesprek met dokter Lonneke. Zij kent Guusje vanaf de dag dat we binnenkwamen op F8 Noord. Dokter Lonneke stelt dat ons meisje zelf haar moment zal kiezen om te gaan.

Tegen de ochtend spreken we dokter Lonneke weer. Het lijkt erop dat Guusje niet van plan is om deze keuze op korte termijn te maken.

Vreemd? Welnee. Onze dochter lijdt enorm veel pijn. Toch gaat ze door. Maandenlang haar drijfveer: de wil om te leven.

Ze is pas tien. Een buik vol bloed. Dunne armpjes. Te zwak om een lichtgewicht toverstokje op te tillen. Lichamelijk kan ze niet meer. Ze zal doorgaan. Haar lichaam uitputten. Tot het bittere eind. Dat mag niet gebeuren. Ondergaan in een ongelijke strijd. Guusje moet slapen. Vrij zijn van pijn.

Even later zitten we aan Guusje's bed. Samen met dokter Lonneke. Deze vertelt Guusje dat we starten met extra pijnstilling via infuus. Ze moet rustig kunnen slapen zonder pijn. Regelmatig keert dokter Lonneke terug aan Guusje's bed. Werkt de pijnstilling? Niet voldoende. De dosis moet omhoog. Elke keer opnieuw.

Om 8 uur komt een oncoloog. Hij vervangt dokter Marianne. Hij geeft aan mij even alleen te willen spreken over de volgende stap. Terwijl we de kamer uitlopen, zegt Guusje tegen Yvonne: 'Hij wil mij iets geven waarvan ik ga slapen. Dan word ik niet meer wakker. Dat wil ik niet. Ik wil eerst Janneke, Lisa, Hans, Anton en Loes zien.' Ze heeft het begrepen. Ons kleine blonde meisje.

Even later zitten broers en zussen rond Guusje's bed. Samen met Yvonne en mij. Zo is het goed. Is Guusje bereid om te gaan? Het infuus met slaapmiddel wordt aangesloten. Ik buig me richting Guusje.

'Het is tijd om te gaan slapen. Tijd om vrij te zijn van pijn.'
Grote ogen kijken me aan.
'Maar dan ga ik dood. Dat wil ik niet. Ik wil blijven leven!'

'Je geest wil blijven leven, maar je lichaam is te ziek. Veel te ziek. Van ons mag je gaan. Het is mooi geweest.'

Guusje's ogen draaien weg. Ze slaapt. Ze haalt adem. Papa, mama, broers en zussen houden haar handen vast. Zeggen tegen haar dat ze mag gaan. We houden zoveel van haar dat we bereid zijn haar los te laten. Ze mag verder leven. In ons hart.

Guusje had drie favoriete verpleegkundigen op de afdeling waar ze in april en mei wekenlang werd verpleegd. Van Marij en Marinka heb ik het telefoonnummer. Ik heb de dames een sms gestuurd. Marij stapt de kamer binnen. Ze is belangrijk voor Guusje. Haar foto staat op het openingsscherm van Guusje's iPod.

Tegen de verwachting in blijft Guusje doorgaan met ademen. Doorgaan met leven. Ze is niet bereid om te gaan. Ze wil ons niet loslaten. Na een uurtje stelt Marij voor dat ik ga voorlezen. Daarvan heeft Guusje altijd enorm genoten toen ze in het ziekenhuis lag. In de speelkamer staat een boekenkast. Er staan veel leuke boeken. Mijn oog valt op 'Harry Potter en de Steen der Wijzen'. Lijkt mij de beste keuze voor dit moment. Ik begin met voorlezen. De titel van hoofdstuk 1: de jongen die bleef leven. Ik lees twee hoofdstukken voor. Volgens Yvonne verandert Guusje's ademhaling tijdens het voorlezen. Meer rust. Mooi. Ik wil dat ze geniet. Ook in deze laatste uurtjes. Wanneer zal ze bereid zijn te gaan? Houdt ze dit nog uren vol? Marij kijkt naar Guusje en concludeert: 'Dat zou best wel eens kunnen.'

In de loop van de ochtend is de familie gearriveerd. Ze wachten beneden. Wachten op de dood. Moeten we ze nog uren laten wachten? Ze komen van ver. Het lijkt ons beter om ze er dan maar even bij te halen. Dan zien ze Guusje nog leven. Kunnen ze even afscheid nemen en beslissen om te gaan of te blijven. Op eigen risico. Voor je het weet, wordt het nog nachtwerk.

De familie komt naar boven. Naar de achtste verdieping. Afscheid nemen van ons kleine blonde meisje. Ik laat ze uit. We praten nog even op de gang. Ik loop terug de kamer in. Wat gebeurt er?

Guusje stopt met ademen.
Ze heeft gewacht op de familie.
Ze heeft zelf haar moment gekozen.
Haar leven is van haar.

Papa, mama, Janneke, Lisa, Hans, Anton, Loes en Marij zijn erbij. We omringen Guusje met onze liefde, als ze wegvliegt. Om half 3 's middags. Op weg naar een andere werkelijkheid. Een wereld zonder pijn.

De blik op Guusje's gezicht verandert. Rust. Vrede. Dat is lang geleden. Hoewel ik huil, ben ik blij. Blij voor onze kanjer. Ze is niet ten onder gegaan. Ze heeft haar eigen moment kunnen kiezen. Zo is het goed.

Yvonne en ik zijn trots. Trots op onze kanjer. Ze kiest haar eigen moment. Trots op onze andere kinderen. Ze steunen hun zus. Ze laten haar samen los.

Guusje heeft net haar laatste adem uitgeblazen. In de deuropening staat Marinka. Lief dat ook zij is gekomen. Voor Guusje. Voor ons. Onze dochter wordt gewassen en aangekleed door Marij en Marinka. Dit is geen werk. Dit is liefde. Mooier kan niet.

Het is kwart over 8. Ik rijd de Van Beurdenstraat in. Yvonne naast me. Op de achterbank Guusje. Hoewel het donker is, hangen de vlaggen uit. Halfstok. Voor de deuropening kaarsjes. Warmte van de buurtbewoners. Welkom thuis.

Niet alleen de buurtbewoners geven steun. Internet barst uit z'n voegen. Zo lees ik: 'Dood Kaatsheuvels meisje maakt veel los op Twitter' en '#kanjerguusje trending topic na dood 10-jarig meisje'.

Het is nacht. Ik schrijf mijn blog. Ik ben verdrietig en blij.
Verdriet. Het verlies van onze dochter Guusje.
Blijdschap. Guusje is eindelijk vrij van pijn.

De kanker was destructief. Die sloopte haar lichaam. We hebben haar gesteund. Ze is waardig gestorven. Omringd door mensen die van haar houden. Het is mooi geweest. Voor KanjerGuusje.

Afscheid

31 oktober – 5 november

• •

Maandag 31 oktober

Onze dochter is dood. Met die gedachte word ik wakker. De eerste dag dat Guusje niet meer leeft. Ik ga naar beneden. Loes en Anton zitten op een stoel naast Guusje. Wat zouden ze met haar hebben besproken?

De ochtend begint met het ophalen van Guusje voor balseming. Een man en vrouw stappen de kamer binnen. Ze kijken naar onze dochter. De vrouw schiet vol. Ze verontschuldigt zich. Niet nodig. Ze mag haar emoties tonen. Guusje heeft geleden. Dat is zichtbaar. Je laten raken is een teken van mens zijn. Ik heb op dit moment geen moeite met huilen. Doe het een paar keer per dag. Kan niet zeggen dat het oplucht.

Terwijl Guusje weg is voor balseming krijgen we bezoek van een dame die de uitvaart regelt. Er komt veel op ons af. Regelen. Zorgen. Keuzes maken. Zaken waarover we nooit hebben nagedacht.

Enkele dagen geleden dachten we nog aan Guusje's wensreis. Nu moeten we haar uitvaart regelen. Jammer dat we daar onze energie in moeten steken. We hebben deze immers veel te hard nodig voor afscheid nemen.

Na twee uur breekt de dame het gesprek af. Te veel informatie voor Yvonne en mij. Een pauze is nodig. Tot over drie uurtjes.

Tijdens het gesprek met de uitvaartverzorgster krijg ik telefoon van Omroep Brabant TV. Guusje is het gesprek van de dag op Twitter. Ze willen me interviewen. Ik besluit mee te werken. Graag wil ik mensen vertellen over de wereld van kanker bij kinderen. De poort die wij doorgingen bij F8 Noord. De onvoorstelbare wereld waarin we terecht kwamen. Bijna alles werd ons afgenomen.

Later in de middag komt de uitvaartverzorgster terug. Weer veel regelen. Overdaad aan informatie. Het belangrijkste voor de buitenwereld is dat Guusje zaterdag wordt gecremeerd. Geen bezoek aan huis. Afscheid nemen voorafgaand aan de crematieplechtigheid.

Later krijg ik de vraag van mijn oudste zus waarom er geen kerkdienst is. Guusje is gedoopt en heeft haar communie gedaan. Een tijdje terug kwam haar zus Loes thuis. Die wilde ook haar communie doen. Ik heb toen gezegd dat dit niet zou gaan gebeuren. Volgens de katholieke kerk mag euthanasie niet. Ik ben een groot voorstander van gekozen levenseinde. Zeker bij ondraaglijk lijden. Ik leg mijn standpunt uit in kindertaal. Guusje zit naast me. Ze valt me bij. Natuurlijk mag je eerder sterven, als de pijn ondraaglijk wordt. Zij kan het weten. Wie heeft ervaring met pijn? Wie weet echt wat pijn is? Wie heeft de afgelopen maanden het meest geleden? Niemand meer dan Guusje.

Als de uitvaartverzorgster weg is, hebben onze jongens een praktische vraag: wat eten we vanavond? Gelukkig hebben we lieve buren. Ze koken ons potje. Ze verzorgen de hond. Ze omringen Guusje met mooie kaarsen en bloemen.

Het bijwerken van mijn blog is nachtwerk. Veel kaarten, e-mails, tweets en reacties. Wat heb ik ervan gelezen? Bijna niets. De wereld draait harder dan anders. Morgen tijd nemen voor Guusje. Nu het nog kan.

Dinsdag 1 november

Geen taxi in de ochtend. Geen Doe Een Wens. Beneden in de woonkamer Guusje. Heel rustig. Weer een dag met tranen. Op de meest vreemde momenten schiet ik vol.

Deze ochtend is de uitvaart van de moeder van Guusje's klasgenoot. Ze overleed donderdag. Een hele fijne vrouw. Graag wil ik naar de dienst, maar dat gaat niet. Ik zou in de weg lopen. Aandacht trekken als papa van het overleden meisje.

De hele dag druk met de crematie. De rouwkaart is klaar. Iedereen weet nu dat bezoek aan huis niet gewenst is. Zaterdag nemen we afscheid.

Via Twitter ontvang ik de vraag wie er welkom is bij de crematieplechtigheid. Een goede vraag. Een aantal mensen heeft een persoonlijke uitnodiging ontvangen. Mensen die we graag dicht bij ons willen hebben. Verder is iedereen vrij om te komen. Zitplaats niet gegarandeerd. Draag geen zwarte kleding. Guusje hield van kleur.

Ik zit alleen met Guusje in de kamer. Ik praat tegen ons meisje en mis haar stem. Lieve Guusje. Wij hebben iets samen. Ze noemen jou een papa's kindje. Zaterdag ga ik heel mooi voor jou spreken. Dat beloof ik je. Ik denk dat we dan veel gaan huilen. Misschien ook een beetje lachen. Lachen door onze tranen heen.

Vandaag zet ik de radio aan. Ik hoor het woord 'eurocrisis'. Er bestaat nog een andere wereld. Buiten deze huiskamer. Op internet is het druk. KanjerGuusje is een hit. Het gaat aan me voorbij. Ik kijk naar de tafel. Daar staat een mand. Vol met kaarten. Yvonne heeft elke kaart gezien. Ik geen enkele. Dat komt later.

Ik wil alleen maar naar onze dochter kijken. Ons kleine blonde meisje met de toverstok.

Woensdag 2 november

Op de kaart staat geen bezoek. De werkelijkheid is anders. De hele dag mensen bij Guusje. Enkel intimi. Ik voel een spagaat. Ik wil familie en vrienden de kans geven

voor bezoek aan huis, maar ik wil ook graag alleen zijn met Guusje.
 Soms is bezoek bijzonder. Aan het begin van de middag Guusje's vriendin Nikki met haar ouders. Nikki kijkt aangeslagen. Ze heeft Guusje zaterdag nog gezien. Ineens komen de tranen. Huilen om het verlies van een vriendin. Toch is Nikki een moedig meisje. Ze pakt haar gitaar en speelt voor Guusje 'When I look at you'. Guusje zou genieten.
 Vandaag weinig regelwerk. Het gedachtenisprentje is af. De muziek voor de uitvaart is uitgezocht. Veel liedjes van Guus Meeuwis. Daar houdt Guusje van.
 'Alleen Guus Meeuwis? Als ik dan voortaan Guus op de radio hoor, moet ik denken aan KanjerGuusje.'
 'Mooi, hè. Hoe meer er aan Guusje wordt gedacht, hoe beter.'

Ik heb veel moeite om te beseffen dat Guusje overleden is. Als ik naast haar zit, kriebel ik haar arm. Vond ze altijd lekker.
Ik heb de neiging om naast haar te gaan liggen. Het bed is te smal.
Vanavond lopen Yvonne en ik een blokje om. Even een frisse neus halen. Terug thuis zit Guusje niet op de bank. Daar hoort ze wel te zitten. Haar eigen plekje.
Ik loop door de kamer. Alleen. Blaas de kaarsen uit. Ik sta met mijn rug naar Guusje. Waarom tikt ze niet even op mijn rug? Bij wijze van grap.
Ik kom terug van toilet. Heeft ze zich verstopt? Nee, natuurlijk niet.
Ik zit op de bank. Ik kijk naar Guusje. Dadelijk staat ze op en roept ze keihard: 'Gefopt!'

Onze dochter is dood
Ik kan er niet aan wennen
We zijn onderweg naar zaterdag
Daarna wordt Guusje een herinnering
Voor altijd

Donderdag 3 november

Denk jij ook goed aan jezelf. Dit hoor ik vaak deze week. Om 3 uur duik ik mijn bed in. Om 8 uur weer op. Aan mezelf denken? Ik denk alleen maar aan Guusje.
 Opschieten. Om 9 uur komen Guusje's klasgenoten. Die zijn natuurlijk stipt op tijd. Met school is afgesproken dat klasgenootjes, die Guusje willen zien, haar kunnen bezoeken. Juf Bianca en juf Ilse melden zich als eerste. De kinderen komen samen met hun ouders. Ik zit naast Guusje. Probeer de kinderen over te halen dichterbij te komen. Ik zie de blikken van klasgenootjes. Aangeslagen. De woonkamer staat vol. De temperatuur stijgt. Een meisje gaat onderuit.
 Ik zie tranen bij kinderen. Huilen om de dood van onze dochter. Teken van warmte. Samen verdriet hebben. Samen Guusje missen. Niet begrijpen dat ze er niet meer is. Alleen haar lichaam dat levenloos in de woonkamer ligt.
 Ik spreek met ouders. Laat foto's zien van afgelopen zaterdag. Guusje heeft

pijn. Ze is lichamelijk gesloopt. Hoe vaker ik de foto's zie en hoe vaker ik het verhaal vertel, des te meer vrede ik krijg met Guusje's dood. Alleen door te sterven kon ze zich bevrijden van haar pijn.

Na de lunch lopen Yvonne en ik naar de bloemenwinkel van onze buurman. Guusje lag na haar geboorte in een rieten wiegje. Welkom in ons gezin. Zaterdag ligt ze in een rieten mand. Afscheid van ons gezin. Het idee zo mooi. Het gevoel zo zwaar. Huilen bij het zien van de mand. Weten dat het afscheid definitief is.

Terug thuis is er bezoek. Huilen en lachen zijn emoties die elkaar afwisselen deze dagen. Oma: 'De crematie van Guusje is in Tilburg. Waar ligt het crematorium?' Lisa: 'Geen idee. We zijn geen vaste bezoekers.'

Het bezoek is weg. Heerlijk rustig. Yvonne en ik zitten samen bij Guusje. Ik besluit te gaan schrijven aan de toespraak die ik zaterdag ga houden. De afgelopen avonden heb ik verschillende keren geprobeerd een begin te maken. Zonder resultaat. De tijd dringt. Guusje is nog maar twee nachtjes bij ons.

Naast Guusje. Laptop op schoot. In gedachten praat ik tegen haar. Voor wie ga ik zaterdag spreken? Voor ons meisje. In een mum van tijd staat het eerste stuk op papier. Het begin is gemaakt. Morgen ga ik verder. Dan ontvangen we de hele dag geen bezoek. Vrijdag is van ons gezin alleen. De laatste dag samen: papa, mama, Janneke, Lisa, Hans, Anton, Guusje en Loes.

Aan het begin van de avond word ik gebeld door een adjunct-directrice van het Moller. Dit is de middelbare school van Janneke, Lisa en Hans. In het telefoongesprek geef ik aan dat onze kinderen maandag naar school gaan. Dat het dan prettig zou zijn, als er gesproken wordt over Guusje. Docenten en klasgenoten zullen dat moeilijk vinden, maar dat mag geen reden zijn om er niet over te praten. Alsof het makkelijk is voor Janneke, Lisa en Hans. Zij hebben gezien hoe doodziek hun zusje was. Zij gaven Guusje toestemming om te gaan naar een wereld zonder pijn. Ze zeiden: 'Ga nu maar Guusje. Je mag gaan.' Ze waren er ook bij toen Guusje overleed.

Ik kan me voorstellen dat het moeilijk is om met onze kinderen te praten, maar laat die angst geen reden zijn om het niet te doen. Stap over je eigen angst heen. Onze kinderen hebben deze dagen veel verdriet. Er zijn veel tranen. Waarom wil je wel graag met ze lachen, maar ben je bang om met ze te huilen? Het tonen van emoties is een teken van medemenselijkheid. Daar hoort ook wel eens een traan bij. Vind je het een teken van zwakte? Niets zeggen is zo doorzichtig. Zwijgen! Dat is pas een teken van zwakte. Gewoon laf.

Het is laat
Ik kijk naar Guusje
Ze heeft geen pijn meer
Ze heeft rust
31 maart hoorden we kanker

Toen overviel ons de angst

De angst dat ze dood zou gaan
Dat was vreselijk

Maar angst geeft ook hoop
Hoop dat het goed komt

Nu is er geen angst meer
Maar ook geen hoop

Leven tussen hoop en vrees is verschrikkelijk
Maar leven zonder hoop is nog erger

Vanaf zaterdag zonder Guusje
Dan gaan we haar nog meer missen
Meer dan we nu al doen

Vrijdag 4 november

Koffers staan klaar op zolder. We zouden nu in de Verenigde Staten zijn. Genieten van Guusje's wensreis. In plaats daarvan zit ik thuis naast ons kleine blonde meisje. Opgebaard in de woonkamer. De laatste dag dat onze dochter thuis in ons midden is. Vanaf morgen enkel een herinnering. Een koesterkind.

Vandaag geen bezoek. Om 11 uur wordt op de basisschool een bijeenkomst gehouden voor alle leerlingen. Guusje gedenken. Bij binnenkomst in de aula een grote foto van Guusje op een scherm. Daaronder haar geboorte- en sterfdatum. Emotie overvalt me.

Juf Ilse en juf Bianca vertellen een verhaal over afscheid nemen. Een filmpje van Guusje samen met Anton en Loes op de Tilburgse kermis wordt getoond. Klasgenootjes lezen gedichten voor. Ontroerend. Daarna naar het schoolplein. Gekleurde ballonnen voor de leerlingen. Rode ballonnen in de vorm van een hart voor Yvonne, Anton, Loes en mij. Juf Ilse leest een gedicht voor. Alle ballonnen gaan tegelijk de lucht in. Een kleurige nagedachtenis aan onze kanjer. Wat zou ze hebben gelachen.

Thuis schrijf ik de hele middag. De toespraak die ik morgen zal houden. In gedachten praat ik tegen Guusje. Terwijl ik schrijf regelmatig tranen. Plotseling moet ik lachen. Yvonne vraagt wat er aan de hand is. Ik zeg dat het zo'n raar gevoel is. Huilen om mijn eigen schrijfsels.

's Avonds gaan we een half uurtje naar de scouting. De hele week zijn alle activiteiten afgeblazen. Een mooi gebaar naar onze kanjer toe. Ze hield van scouting. Net als haar broers en zussen. Alleen Guusje's groep komt deze avond bijeen. Ook hier ballonnen. Omdat het donker is alleen witte. Er hangen kaartjes aan met persoonlijke wensen. Weer mooi, maar ook wrang. We zien een groepje meiden. Daar hoort Guusje tussen te staan. Ze zou lachen. Ze zou springen. Dat zal nooit meer zijn.

We gaan naar de bloemenwinkel van onze buurman. Hier maakt Anton een hart met bloemen. Voor zijn zusje. Hij legt het morgen op haar mand tijdens de crematieplechtigheid. Onze buurman heeft een bloemenwerk gemaakt voor op Guusje's mand. We lopen naar achteren. De aanblik van de mand met bloemwerk is mooi. Zo mooi. Ik geef onze buurman spontaan een zoen.

Als Loes naar bed is, lees ik hardop de tekst voor die ik geschreven heb voor morgen. Er zijn slechts enkele aanpassingen nodig. De rest van de avond geef ik onze kinderen de ruimte om rustig bij Guusje te zitten. Afscheid nemen van hun zusje.

Om 1 uur ligt iedereen in bed. Ik ben alleen met Guusje. De laatste nacht samen. Geen idee wat me morgen te wachten staat. Ik weet locaties en tijden. Grote vraag: de emoties. Onvoorstelbaar zwaar. Een afscheid definitief.

Ik weet dat het moet gebeuren. Guusje is dood. Ze kan hier niet in de woonkamer blijven. Ik moet haar laten gaan. Haar lichaam. Hoe graag ik het ook bij me heb. Zal ik slapen? Geen idee. De laatste nacht met Guusje. Yvonne is inmiddels naar bed. Ik zit alleen naast Guusje. Ik kijk naar haar gezicht. Dat verandert elke dag. De ogen liggen steeds dieper. Het wordt tijd om te gaan.

Zaterdag 5 november

Vroeg opstaan. Wat trek ik aan? De kleding die ik droeg aan het begin van de zomer. Toen maakte Manola voor ons een fotoreportage. De foto van de grote boom met alle kinderen staat op Guusje's rouwkaart.

Guusje hield van paars. In haar geest trek ik een spijkerbroek aan en een overhemd met paarse en witte bloemen.

Na het ontbijt gaan we bij Guusje zitten. Ik haal het droomdekentje weg. Daar heeft ze de hele week onder gelegen. Je ziet nu ook haar benen en voeten. Het laatste uur thuis. Veel aanraken.

De mand voor Guusje wordt binnengebracht. Onze dochter wordt erin gelegd. Als het deksel erop gaat, voel ik me naar. Gelukkig zie ik Guusje dadelijk weer. Voor de laatste keer. De mand gaat achterin de lijkauto. Anton mag meerijden. Hij zit naast de chauffeur. Guusje wordt niet alleen gelaten met een onbekende. Haar broer is erbij. Zijn aanwezigheid bij Guusje voelt goed.

Sinds zondag hangen aan alle gevels in onze straat de vlaggen halfstok. Bewoners rouwen om het verlies van Guusje. Halverwege de straat stopt de lijkwagen. Links en rechts de buurtbewoners. Ook onze buurman met Balou. Onze hond draagt een paars lint aan zijn halsband. Er gaan ballonnen de lucht in. De Van Beurdenstraat zwaait Guusje uit. Ik voel emotie. Een moment om stil van te worden. Wat zou ze dit mooi vinden. Ons kleine blonde meisje.

Bij het rouwcentrum ligt Guusje in haar mand in het midden van een zaaltje. Mensen kunnen afscheid nemen. Yvonne en ik hebben met de uitvaartverzorgster een afspraak gemaakt: niet condoleren. We zien hoe mensen alle aandacht hebben voor onze dochter. Zo is het goed.

Na het rouwcentrum door naar het crematorium. Bij aankomst staan Guusje's klasgenootjes links en rechts van de weg opgesteld. Een mooi gezicht. Eerbetoon aan onze dochter. Ook dit voelt fijn.

De crematieplechtigheid. De mand met Guusje staat vooraan in de aula. Er zijn bloemen. Niet overdadig. Daarom juist mooi. Er zijn mensen die buiten de aula op schermen de plechtigheid volgen. Ik krijg hier niets van mee. Ik zit samen met Yvonne en onze kinderen op de eerst rij.

Yvonne en ik hebben ervoor gekozen geld te vragen voor een goed doel: de KanjerKetting. Deze is voor Guusje heel belangrijk geweest. Deze steunde haar bij elke stap in haar ziekteperiode. Nu ligt Guusje's ketting in de aula van het crematorium voor haar mand. Meer dan vier meter lang en bijna driehonderd kralen. Laatste kraal een hartje. Voor altijd in ons hart.

In de aula klinkt Hedwig's Theme. De openingstune van Harry Potter. Op een scherm een foto van Guusje. Gemaakt in de zomer. Een jaar geleden.

Finale

● ●

Het einde van het einde

Guusje. Lieve Guusje. Vandaag gaan we afscheid nemen. Na vandaag ben jij een herinnering. Ons koesterkind.

We zijn hier met heel veel mensen samen. Allemaal mensen die jou een warm hart toedragen. Allemaal mensen die het erg vinden dat jij dood bent.

Heel veel van die mensen hebben ons de afgelopen maanden gesteund. Toch ga ik hier niemand bedanken. Dat doen mama en papa nog wel een keer persoonlijk. Namens jou.

We gaan naar liedjes luisteren die jij mooi vindt. Veel Guus Meeuwis. Eerst gaan je zussen en je broers iets moois voor jou doen. Loes en Hans steken kaarsen aan. Anton legt een hart met bloemen. Janneke en Lisa lezen voor.

Afgelopen zondag. Jij slaapt. We zitten rond je bed. Marij is er ook. Een van jouw lievelingsverpleegkundigen. Marij stelt voor dat ik ga voorlezen. Daar hou jij van. Ik loop naar de speelkamer. Zie het boek 'Harry Potter en de Steen der Wijzen'. Jij bent fan van Harry Potter. Even later zit ik naast je. Ik sla het boek open. Hoofdstuk 1: De jongen die bleef leven.

Zondag was het begin. Het begin van het einde. Vandaag het einde. Het laatste deel uit de Harry Potter reeks, getiteld 'Harry Potter en de Relieken van de Dood'.

Voldemort vertegenwoordigt het kwaad. Harry Potter realiseert zich dat hij moet sterven om De Vreselijke Dood te kunnen verslaan. Harry laat zich doden door Voldemort. Hierdoor verslaat hij De Vreselijke Dood. Harry zorgt er zo voor dat iedereen verlost is van het kwaad.

Guusje. Lieve Guusje. Net als Harry Potter. Door te sterven. Versla jij je tumor. Versla jij je pijn. En geef jij ons een nieuw leven. Helaas een leven zonder jou.

Loes en Hans ontsteken het licht.
Anton geeft jou onze liefde.
Janneke en Lisa mooie woorden.
Ze doen het samen. Voor jou Guusje.

(Loes en Hans steken kaarsen aan. Anton legt een hart met bloemen op de mand.
Janneke en Lisa lezen voor uit Harry Potter. Ze doen dit tegelijk. Daarna gaan ze
zitten.)

Guusje. Lieve Guusje.
Ik zag dat je gelukkig was
Ik voelde dat je genoot
En dichterbij
Veel dichterbij
De hemel kwam ik nooit

Lied: Dichterbij – Guus Meeuwis

Foto: Manola van Leeuwe

Bij ons

Guusje. Lieve Guusje. Toen je wist dat je zou gaan slapen. Slapen om vrij te zijn van pijn. Toen zei je: ik wil mijn broers en zussen zien. We horen bij elkaar: mama, papa, Janneke, Lisa, Hans, Anton, Guusje en Loes. Samen hebben we jou afgelopen zondag vastgehouden. We zeiden: ga nu maar. Ga naar een wereld zonder pijn. Daar waar allemaal andere kinderen zijn. Daar kun je samen spelen in een wereld zonder pijn.

Guusje. Lieve Guusje. Je wilde ons niet verlaten. Je wilde bij ons blijven.

Laat onze dromen nu maar komen
Geef me maar je hand
Deze mooie dag beloven
Liefde hangt boven het land
Zo mooi, zo mooi, zo onvoorstelbaar mooi
Alles wat ik zoek, is wat ik hier vind

Lied: Alles wat ik zoek – Guus Meeuwis

Kinderen voor Guusje

Guusje. Lieve Guusje. Jouw nicht Geertje heeft een gedicht geschreven voor Doe Een Wens. Ze zal het voor jou voorlezen.

Ik zie je, zo mager en iel
Beenderen: net glas, fragiel
Geen ruimte voor jeugd, slechts pijn
Maar uiterlijk is enkel schijn

Op goede dagen, als je lacht
Dan geef je blijk van zoveel kracht
Van vuur, pit, en heel veel moed
Het is krachtig wat je doet

Wanneer zal mijn masker breken?
Hoeveel dagen, hoeveel weken?
Hoe lang hou ik de schijn nog op?
Wanneer knak ik, schreeuw ik 'stop!'?

Eens werd ziekte een rode draad
Voelden we slechts verdriet en haat
Ooit stoppen tranen met stromen
En durven we misschien te dromen

Guusje. Lieve Guusje. Vrijdagavond vroeg mama aan jou: wie wil je nog graag zien? Je noemde direct Nikki. Vandaag zal Nikki voor jou een lied zingen en zichzelf begeleiden op gitaar. Het lied heet 'When I look at you'.

Terwijl Nikki zingt, zullen jouw klasgenootjes samen met Geertje, Lieke, Hilke, Sam, Lotte, Meike en Bram bloemen in een vaas zetten. Speciaal voor jou, lieverd.

Gezonde Guusje

Guusje. Lieve Guusje. Woensdagmiddag. 23 mei 2001. Mama heeft een dikke buik. Is al een tijdje uitgerekend. Jij hebt zin in het leven. Je wil eruit. Je maakt het spannend. Je poept in het vruchtwater. Geen tijd om naar het ziekenhuis te gaan. Daarvoor gaat het allemaal te snel. Om 6 minuten voor 5 word je geboren. Je hebt een grote bos zwart haar. In je gezicht rode plekjes.

Guusje. Lieve Guusje. Je bent het meisje met de lange blonde haren. Andere kinderen vinden jou een lolbroek. Je maakt grapjes. Met jou kun je lachen. Als Femke bij ons komt spelen, moet ze naar het toilet. Als ze terugkomt op jouw kamer, heb jij je verstopt.

Guusje. Lieve Guusje. Op feestjes ben je de eerste en voer je altijd het hoogste woord. Victor, de vader van Nikki, zegt tegen mij dat een volumebegrenzer voor jou geen overbodige luxe zou zijn. Nikki heeft een slaapfeest met heel veel vriendinnen. Jouw stem komt boven iedereen uit.
Zo gaat het ook bij toneel. Jouw volumeknop draait overuren. Je bent de enige aan wie regisseur Marij niet hoeft te vragen: kan het wat harder? Nee, zeker als je samen met Rob bent. Dan vliegen de decibellen iedereen om de oren.

Guusje. Lieve Guusje. Je hebt veel fantasie. Je bent creatief. Je schrijft een boek met Ina. Speelt toneel bij Dramarij. Tekent en schildert bij Suzie. Je gaat helemaal op in kampthema's bij scouting. Je kunt ontzettend genieten. Als er maar gelachen kan worden.

Als je iets doet, ben je heel erg gedreven. Een strebertje. Fanatiek. Als meneer Ad 'stop' roept bij hardop lezen, ga jij gewoon door. Het verhaal moet af. Stop roepen helpt niet.
Je karakter is te omschrijven met woorden als pittig, fel, autonoom, zelfstandig en zelfbepalend. Je trekt je weinig aan van de mening van anderen. Je doet de dingen op jouw manier.

Guusje. Lieve Guusje. Je kunt goed ruzie maken. Met je zus Lisa, die ook graag het laatste woord heeft, vecht jij om het laatste woord. Jullie doen niet voor elkaar onder. Thuis claim je je eigen televisietijd. Als je zusje Loes naar bed gaat, komt jouw half uur. Dan bepaal jij wat er op TV komt. De rest van het gezin kan redelijk gestoord worden van jouw keuze: altijd weer die Harry Potter.

Binnen ons gezin hoor je bij de kleintjes. Nummer vijf in rij. Daar heb je moeite mee. Je wil zo graag bij de groten horen. Best lastig als je oudere zussen vijf en zeven jaar ouder zijn.

Je houdt van dieren. Heel vaak hoor ik thuis: ik wil naar Vlekje en Kruimeltje, de konijnen van Annabel. Lekker knuffelen.

Guusje. Lieve Guusje. Je bent een klein viespeukje. Je snoept tijdens het eten stiekem uit het boterkuipje. Omkleden tijdens een weekje scouting zomerkamp vind je niet echt nodig. In je laatje op school ligt een hele verzameling frutsels, gummetjes en punten. Juf Bianca kan blijven mopperen. Het helpt niet. Niet alleen op school. Ook thuis. Overal vinden we prullaria, doosjes met gummetjes, stickertjes, kraaltjes, zakjes met briefjes. Je wil alles bewaren. Je kunt niks weggooien.

Guusje. Lieve Guusje. Je bent een buitenkind. Scouting, skeeleren, fietsen, in bomen klimmen. Dat ben jij. Je speelt ook graag met jongens. Nou ja, niet alle jongens. Met Vince kun je heerlijk trampolinespringen. Ook Justin heeft een bijzonder plaatsje in jouw hart. Een hele zomer spetter je samen met Justin in het zwembad. Je mag zijn moeder Anouk heel graag. Het doet je dan ook veel pijn, als dit voorjaar blijkt dat Anouk ernstig ziek is.

Je speelt dan wel met Vince en Justin. We mogen je absoluut geen Guus noemen. Dan word je boos. Guus is een jongensnaam. Jij bent een echt meisje. Echt meisje? Dat wel, maar geen prinses. Al vrij snel verkleed je je als duiveltje of vampier. De verhalen van Paul van Loon en Harry Potter zijn favoriet. De films van Harry Potter kijk je grijs. Ook je zussen en broers houden van Harry Potter, maar zij willen nog wel eens iets anders zien. Jij niet. Jij kunt eindeloos genieten van Harry Potter. Keer op keer.

Guusje. Lieve Guusje. Aan tafel zit je naast me. Na het eten klim je bij mij op schoot. Volgens mama claim je mij. Als je klein bent, kus ik eerst alle kinderen en daarna mama. Als ik naar de deur loop, kom je altijd nog snel een kusje halen. Het laatste kusje van papa is voor jou. Mama, lekker pûh. Je bent een papa's kindje.

Als een vlinder in mijn buik
Als een lichtje in mijn hoofd
Maakt me zacht, ik sluit mijn ogen
Ik ben betoverd en verdoofd

Zoveel liefde, alleen voor mij
Ze zwaait en straalt erbij

Lied: Als ze danst – Guus Meeuwis

KanjerGuusje

Guusje. Lieve Guusje. Donderdag 31 maart. De dag dat onze wereld verandert. Ik pak je beide handen vast. Kijk jou diep in je ogen. Mama houdt mij vast. Ik vertel je dat we morgen naar Amsterdam gaan. Naar het Emma Kinderziekenhuis van het AMC.

Je bent ziek. Heel erg ziek. Er zullen onderzoeken en behandelingen komen die heel vervelend zijn. Nodig om jou beter te kunnen maken.

Mama en ik moeten heel erg huilen. We hebben het woord kanker gehoord. Zijn bang om jou te verliezen.

Je ondergaat veel onderzoeken en behandelingen. Voor elke behandeling krijg je een kraal. Deze kralen komen te hangen aan jouw KanjerKetting. De KanjerKetting is belangrijk voor jou. Deze laat zien wat jij allemaal meemaakt. De ketting wordt steeds langer.

Dokter Marianne is jouw oncoloog. Ik mag haar geen Marianne noemen. Dat is jullie afspraak. Ik moet Dokter Van de Wetering zeggen.
Je hebt een enorme tumor in je linkerlong. Zo groot als de vuist van dokter Van de Wetering. Die heeft grotere handen dan ik. Er zijn ook plekjes in je rechterlong en je benen. Alleen een operatie kan leiden tot genezing. Deze vindt plaats op 5 mei.

Guusje. Lieve Guusje. Jij slaapt op de operatietafel. Dokter De Wilde stapt de lift uit. Hele grote ogen. Hij schrikt. Hij ziet mij. Aangeslagen deelt hij mee dat de tumor in jouw linkerlong niet kan worden verwijderd.

Weer moet ik huilen. Je wordt nooit meer beter. Een laaggradige angiosarcoom kan zomaar omslaan. Hooggradig worden. Dan zijn de vooruitzichten slecht.

Jouw kanker. Nooit gezien bij kinderen. Weinig kennis en ervaring wereldwijd. De behandelingsopties zijn beperkt.

Guusje. Lieve Guusje.
Het is begin april.
Ken je het woord kanker? Je knikt ja.
Ken je mensen met kanker? De mama van Justin.
Wat heb ik daarover gezegd? Dat ze dood gaat, papa.
Weet je dat tante Anne-Marie kanker heeft gehad? Nee
Weet je hoe lang geleden? Nee
Al langer dan jij leeft, Guusje.

Guusje. Lieve Guusje. Je hebt niet alleen kanker. Je hebt ook pijn. Zo erg dat wij het ons niet voor kunnen stellen. Nachtenlang slaap je niet. De anesthesisten breken zich het hoofd. Maximaal morfine. Het is niet genoeg.

Het vreemde is dat jij nooit huilt. Je kijkt stoïcijns. Door je grote ogen. Dokter Lonneke komt naast me zitten. Wat ze zegt, heb ik je nooit verteld.
Dokter Lonneke maakt zich zorgen. Niemand ziet het aan de buitenkant, maar jouw hart moet veel te hard werken. Dit ga jij nooit volhouden, Guusje. Hier ga je aan onderdoor.

Ik zal dit gesprek nooit vergeten. Ik ben totaal van slag. Ik heb respect voor jou, Guusje. De wijze waarop jij je ziekte draagt. Nooit iemand gezien met zoveel moed als jij.

Guusje. Lieve Guusje. Je neemt ons mee een andere wereld in. Deze betreden we op 1 april. Door de schuifdeuren van de lift op F8 Noord. De afdeling Kinderoncologie van het Emma Kinderziekenhuis. De wereld van kanker bij kinderen. Een wereld waarin kinderen bijna alles wordt afgenomen.

Jij verandert in die wereld. Door medicijnen en door pijn. Je wordt een heel stil meisje. Je stemmetje gaat zeuren. Je karakter verandert. Je moet spugen. Je doet je best om te eten, maar dat lukt vaak niet. Je krijgt moeite met bewegen. Gaat steeds krommer lopen.

Je wil zo graag spelen. Lol hebben net als andere kinderen. Maar dat lukt niet altijd. Je hebt veel verdriet. Kinderen sluiten je soms buiten. Zij huilen omdat ze hun zin niet krijgen. Jij huilt omdat ze je kwetsen.

Steeds minder vaak zie ik je lachen. Maar je blijft meedoen. Als je kunt, ga je naar school. Je bent een doorbijter. Wil je er niet onder laten krijgen.
Toch ziet iedereen dat je heel erg ziek bent. Soms hang je in je rolstoel. Maar je wil doorgaan. Kleine doorbijter.

Niet alleen jij, Guusje. Ook mama en ik komen terecht in de wereld van kinderen met kanker. Ook ons leven wordt afgenomen. Niets is meer zeker. Als we naar het AMC gaan met jou, komen er vaak konijnen uit de hoed. Onverwachte keuzes moeten worden gemaakt door mama en mij. Keuzes met maar één alternatief. De hele dag denk ik maar aan één ding: als Guusje maar niet doodgaat. Mijn grootste angst.

Guusje. Lieve Guusje. Zijn de afgelopen zeven maanden voor niets geweest? Het antwoord is nee. Er zijn veel mooie momenten waarop jij heel erg geniet. Het schoolreisje naar Toverland. Je eigen verjaardag met vriendinnen, je Kanjerfeest. Beekse Bergen. Scoutingkamp. Dreamnight at The Zoo. Musea voor kinderen. Varen op de Vecht. De Tilburgse kermis. Pannenkoeken eten. Het interview voor het kerstnummer van Libelle. Taarten bakken. Leuke dingen doen met je broers en zussen. Maar ook in het ziekenhuis. Ondeugende dingen, streken uithalen met verpleegkundigen. Wat hebben we genoten, Guusje.

Guusje. Lieve Guusje. Wat hebben wij samen veel mooie mensen leren kennen. Jouw favorieten van H8 Noord: Marij, Marinka en Margje. Lotgenoten zoals Xena en Pieter en hun ouders. Artsen zoals dokter Marianne, Lonneke, Rutger en Sophie.

Niet enkel nieuwe mensen. Ook mensen die we kennen van voor 31 maart. Zij laten hun warme hart zien. De wereld is mooier geworden door jou, Guusje.

De poort van F8 Noord. De wereld van kinderen met kanker. De wereld waarin je leven wordt afgenomen. Van kinderen en van ouders.

Guusje. Lieve Guusje. Jij was niet van plan je leven af te laten nemen. Jouw kenmerk in het ziekenhuis was je stoel. Daarin zat je altijd. Nooit lag je in bed. Je geest weigerde om ziek te zijn. Karakter tegen pijn en tegen kanker. Zoveel mogelijk genieten. Van je familie en van je vriendinnen.

We zouden naar Amerika vliegen. De winkel bezoeken van Olivander. Een toverstok kopen. Dat was jouw grootste wens. Als je 's nachts wakker was en ik nog beneden, vertelde jij over de spreuken en bewegingen die je broer Anton je had geleerd. Guusje, als jij eens had kunnen toveren.

Alles leek goed te gaan. Je zus Lisa ging op vakantie. Maar ineens ging het mis. Daar lag je weer op F8 Noord. Een buik vol bloed. De artsen zeiden: 'We staan met onze rug tegen de muur. We kunnen niets meer voor haar doen.'

Guusje. Lieve Guusje. Je moest het gaan redden op eigen kracht. Dat kon je niet meer. Pijn en kanker hadden je lichaam uitgeput. Je geest bleef sterk.

De wintertijd begon. Jij vroeg meer en meer pijnmedicatie. Het was steeds niet voldoende. De pijn was hevig. De pijn wilde maar niet verdwijnen. Daarnaast moest je overgeven. Je hield niet op.

Terwijl mama in gesprek was met Dokter Van den Berg speelde ik met jouw toverstok. Ik deed een beweging. Je schrok.

'Dat mag je niet doen, papa. Dat is Avada Kadavra.'
'Wat betekent dat?
'De spreuk van de dood.'

Guusje. Lieve Guusje. Je bepaalde uiteindelijk zelf hoe je ging. Je broers en zussen moesten erbij zijn. We gaven je toestemming om te gaan. We houden zoveel van je dat we bereid waren om je los te laten. Jij liet ons uren wachten en toen we het niet verwachtten, koos jij je moment. Jouw leven was van jou.

Lied: Mijn leven is van mij – Pia Douwes

Guusje, ons koesterkind

Yvonne en ik moeten samen verder. Samen met onze andere kinderen. Zij waren erbij toen Guusje overleed. Dadelijk gaan we samen voor de laatste keer op weg. Dat doen we samen. Mama, papa, Janneke, Lisa, Hans, Anton, Guusje en Loes. Op weg naar het definitieve afscheid. Daarna wordt onze Guusje een herinnering. Ons koesterkind.

Spreken over Guusje

De afgelopen week maakte onze dochter Janneke mee dat een voorbijganger overstak toen deze haar tegemoet kwam en daarna weer terug overstak. Wat deed dat pijn. Haar zusje is overleden. Is dat een reden om haar uit de weg te gaan? Oversteken of snel de andere kant opkijken. Het is zo doorzichtig. Zo kwetsend.

Wij kunnen ons voorstellen dat het moeilijk is om met ons te praten. Laat die angst geen reden zijn om het niet te doen. Stap over je angst heen. Wij hebben veel verdriet. Niet alleen de komende tijd. Waarschijnlijk heel lang. Voor ons gaat het leven niet gewoon door. Wij moeten een nieuw leven opbouwen. Een leven zonder Guusje.

Er zijn veel tranen. Waarom wil je wel graag dat we lachen, maar ben je bang dat we gaan huilen? Het tonen van emoties is een teken van mens zijn. Daar horen tranen bij. Vind je huilen een teken van zwakte? Niets zeggen of het gesprek over Guusje ontwijken is zo doorzichtig. Zwijgen over Guusje! Dat is een teken van zwakte. Gewoon laf.

Guusje is een herinnering. Guusje is ons koesterkind. Wij kunnen haar enkel nog laten leven door over haar te praten. Dat doen wij graag. Misschien dat we huilen. Tranen horen erbij. Daar schamen wij ons niet voor.

Vandaag nemen wij alleen afscheid van Guusje. Niet van jullie. Daarom willen Yvonne, onze kinderen en ik door niemand gecondoleerd worden. Een hand geven lijkt voor anderen misschien al snel op condoleren. Doe het dus maar niet.

We worden graag gecondoleerd en we praten graag over Guusje, ons koesterkind. Maar dan wel na vandaag. Als je ons tegenkomt op straat. Als je ons tegenkomt in school. Als je ons aan de telefoon krijgt. Schroom niet. Condoleren graag! Alleen niet vandaag! Praten over ons kleine blonde meisje. Onze Guusje. Heel graag!

Tijd om te gaan

Guusje. Lieve Guusje. Het is tijd om afscheid te nemen. Tijd om definitief te gaan. Dat doen we met jouw woorden. De woorden die jij zelf voor ons verzon:

'Slaap lekker. Welterusten. Tot morgen. Doei dag.'

Liederen:
De Weg – Guus Meeuwis
Dat komt door jou – Guus Meeuwis
Haven in zicht – Guus Meeuwis

Nieuw leven

● ●

Koesterkind

Aan het eind neemt iedereen afscheid van Guusje. Veel mensen passeren de mand. Een laatste groet. Veel tranen. Veel verdriet. Mensen die rouwen om de dood van onze dochter. Het geeft warmte.

Yvonne en ik blijven in de aula achter. Samen met Janneke, Lisa, Hans, Anton en Loes. We begeleiden Guusje naar de oven. Voor de laatste keer samen. Bij de oven aangekomen zegt een medewerker van het crematorium dat men buiten zou kunnen wachten, als men er denkt niet tegen te kunnen. Ik steek hier snel een stokje voor. We hebben samen Guusje zien overlijden. Nu maken we ook samen mee dat ze wegvliegt.

We pakken elkaars hand vast. De oven gaat open. De mand schuift naar binnen. De mand begint de branden. De oven sluit. Vanaf nu is onze lieve Guusje een herinnering. Een koesterkind.

Maandenlang ben ik meegesleurd in een draaikolk van heftige emoties. Samen met Yvonne, Janneke, Lisa, Hans, Anton en Loes ga ik straks terug naar huis. Wat er daarna gaat gebeuren? Ik heb geen idee. De tijd vooruit is zwart. Ik zie niets in het donker. Ik weet niet wat er komen gaat in een wereld zonder Guusje.